DU MÊME AUTEUR

Chez le même éditeur

DÉJÀ DEAD, 1998

DEATH DU JOUR, 1999

DEADLY DÉCISIONS, 2000

KATHY REICHS

VOYAGE FATAL

roman

Traduit de l'américain par Viviane Mikhalkov

ROBERT LAFFONT

Titre original : FATAL VOYAGE
© Kathy Reichs, 2001
Traduction française : Éditions Robert Laffont, S.A., Paris, 2002

ISBN 2-221-09557-X
(édition originale : ISBN 0-684-85972-6 Scribner, New York)
Publié avec l'accord de Scribner/Simon & Schuster, New York.

Dédié avec une indicible fierté à :

Kerry Elisabeth Reichs, J.D., M.P.P.
Duke University, promotion 2000

Courtney Anne Reichs, B.A.
University of Georgia, promotion 2000

Brendan Christopher Reichs, B.A. (avec félicitations)
Wake Forest University, promotion 2000

Youppie !!!

Chapitre 1

Dans les arbres, la tête tendue en avant, menton levé, et les bras rejetés en arrière, version humaine de la déesse en chrome des calandres de Rolls-Royce, une femme, torse nu, sectionnée à la taille, prisonnière d'un enchevêtrement sanglant de feuilles et de branchages.

Des deux côtés de l'étroite percée où je venais de m'arrêter, la forêt était dense. Des conifères en majorité, mais aussi des feuillus à la ramure balayée d'une palette de rouges, jaunes et orangés, signe que l'été se mourait.

S'il faisait chaud à Charlotte en ce début d'octobre, ici, en altitude, l'air promettait d'être frisquet. J'ai attrapé mon coupe-vent sur le siège arrière.

Chants d'oiseaux. Murmure du vent. Bruissement de pattes dans les fourrés : une bestiole qui détalait. Au loin, l'appel d'un homme et la réponse, moins audible.

Mon blouson noué autour des reins, j'ai verrouillé ma portière et me suis dirigée vers les voix. J'enfonçais jusqu'aux chevilles dans les feuilles mortes et les aiguilles de pin.

Dix mètres plus avant dans les taillis, un corps adossé à une pierre moussue, les genoux relevés vers la poitrine, un ordinateur portable à côté de lui. Manchot des deux bras, celui-là, et un petit pot de porcelaine fiché dans la tempe gauche.

Sur l'ordinateur, une tête : dents recouvertes d'un croisillon de fils d'aluminium, anneau d'or dans le sourcil. Les pupilles dilatées renforçaient l'expression de terreur. Réprimant un haut-le-cœur, j'ai hâté le pas.

À quelques mètres de là, une jambe coupée à l'aine, une chaussure de marche au pied. Était-ce celle de la dame Rolls-Royce ?

Un peu plus loin, deux hommes côte à côte dans leur fauteuil, ceinture attachée. De larges corolles rouges s'épanouissaient à hauteur de leurs cous. L'un d'eux, avec ses jambes croisées, semblait en train de lire.

Je me suis enfoncée dans la forêt, me guidant sur les bribes de phrases que le vent portait jusqu'à moi. J'écartais les branchages, escaladais rochers et troncs abattus.

Le sol était jonché de valises et de bouts de ferraille. La plupart des bagages avaient répandu leur contenu dans tous les azimuts. Vêtements, sèche-cheveux et rasoirs électriques mêlés à des pots de crème, des shampooings et autres lotions après-rasage. Un vanity-case avait vomi des dizaines de petites fioles, de celles qu'on subtilise dans les salles de bains des hôtels. Des relents de parfumerie et de carburant imprégnaient l'air de montagne qui fleurait le pin. Au loin une fumée : des débris devaient être en train de brûler.

L'épaisse frondaison qui couvrait la vallée encaissée ne laissait pénétrer le soleil que par taches, çà et là. Pourtant, la sueur perlait à la racine de mes cheveux. Mes vêtements me collaient à la peau. J'ai trébuché sur un sac à dos et suis partie en avant, accrochant ma manche à une branche déchiquetée par ce déluge d'objets tombés du ciel.

Je suis restée un moment étendue par terre, les mains tremblantes, incapable de reprendre mon souffle, accablée par le désespoir. Pourtant, je sais contrôler mes émotions. Mais ici, que de morts, Seigneur ! Combien y avait-il donc de victimes ?

Les yeux fermés, je me suis efforcée au calme.

Une éternité plus tard, après avoir enjambé un rondin pourri et contourné un massif de rhododendrons, je me suis arrêtée pour me repérer. Les voix étaient toujours aussi loin. À en juger d'après le pleur étouffé d'une sirène, à l'est, les secours convergeaient de l'autre côté de la crête.

En avant, Brennan. Là-bas, on te donnera des ordres.

Jusque-là, je n'avais pas eu le temps d'interroger qui que ce soit. De toute façon, dans les catastrophes, aériennes ou autres, les premières personnes à organiser les sauvetages sont généralement pleines de bonne volonté, mais nullement préparées à affronter une telle quantité de victimes. Pour ce qui est des instructions, il n'y a pas grand-chose à attendre d'elles. Tout ce qu'on m'avait dit, alors que je faisais route vers Knoxville, c'était de me rendre sur les lieux sans perdre une seconde. Partie de Charlotte en Caroline du Nord, je n'étais plus qu'à quelques kilomètres de la frontière du Tennessee. J'avais fait demi-tour sur la I-40 et coupé vers le sud en direction de Waynesville, pour ensuite prendre à l'ouest jusqu'au village de Bryson City, à environ deux cent quatre-vingts kilomètres de Charlotte. À quatre-vingts kilomètres à l'est du Tennessee et à quatre-vingts kilomètres au nord de la Géorgie. De là, j'avais suivi la route du comté. L'asphalte disparu, j'avais poursuivi sur un chemin de terre, en lacets serrés et épingles à cheveux, qui relevait des Services forestiers fédéraux.

On m'avait indiqué un bon itinéraire mais il y avait certainement un raccourci pour gagner la vallée voisine, une voie de bûcherons. J'hésitais. Que faire ? Retourner à ma voiture ? Non, la route ne semblait pas aller plus loin. Mieux valait continuer. Ceux qui avaient déjà atteint le site avaient sans doute fait le trajet à pied.

L'ascension était épuisante. Agrippée à un tronc de sapin, j'étais en train de me hisser sur la crête quand je suis tombée nez à nez avec une Raggedy Ann. Tête en bas, la poupée pendait à une branche, accrochée par sa robe.

La même poupée que celle de ma fille. L'image est passée devant mes yeux. Instinctivement, mon bras s'est tendu.

Stop !

Tout objet se trouvant sur les lieux d'un accident doit être localisé et répertorié avant d'être déplacé. Par la suite, il pourra être remis à qui de droit, en souvenir du drame.

De la hauteur où je me trouvais, j'avais une vue d'ensemble sur ce qui était probablement le site principal du crash. Moteur à demi enterré dans un sol jonché de détritus ; tronçon d'aile, apparemment la partie volet mobile ; portion de fuselage sans le plancher comme sur les modes d'emploi d'assemblage de modèles réduits. On distinguait même des sièges par les hublots, certains encore occupés.

Morceaux d'épave et de corps éparpillés aux quatre points cardinaux, comme des ordures dans une décharge.

La pâleur des peaux tranchait violemment sur le fond de broussailles, de viscères et de morceaux d'avion. Toutes sortes d'objets avaient abouti dans les arbres, en tas ou suspendus à une branche : tissu, câbles, ferraille, isolant, plastique fondu.

La police locale était déjà sur les lieux. Un ruban avait été tendu pour interdire le périmètre, des gens fouillaient parmi les arbres à la recherche de survivants. Silhouettes en vestes jaunes au dos barré de l'inscription *Département du shérif, comté de Swain*. Quelques-uns ne faisaient qu'errer sans but, seuls ou en groupes, fumant et bavardant ou bien regardant fixement devant eux.

Loin, à travers les arbres, j'ai aperçu des lumières clignotantes — jaune, rouge, bleu. Demain, dès l'aube, cette route ne connaîtrait plus qu'un embouteillage de fourgons de police, voitures de pompiers, ambulances, dépanneuses et autres véhicules de bénévoles.

Le vent a tourné, m'apportant une odeur de fumée plus forte. De l'autre côté de la colline, s'élevait un nuage noir et recourbé, fin comme une plume. Mon estomac s'est crispé quand j'ai décelé une autre odeur dans celle, âcre, de la fumée. Des corps étaient en train de brûler, tout près de moi. Sur l'autre versant. En tant qu'anthropologue judiciaire, j'ai eu à examiner des centaines de victimes ayant péri dans des incendies, je sais reconnaître l'odeur de chair calcinée.

J'ai dégluti et recentré mon attention sur l'opération de sauvetage. Les « errants » se déplaçaient maintenant à travers le site. Un adjoint du shérif inspectait des débris à ses pieds. Quand il s'est redressé, un objet a brillé dans sa main. Plus loin, un policier empilait des débris.

— Merde !

J'ai amorcé la descente, zigzaguant entre les arbres et les rochers, me retenant aux buissons. La pente était raide, le moindre faux pas risquait de se terminer en plongeon.

Soudain, dérapant sur une plaque de métal, je me suis retrouvée propulsée dans les airs. Un vrai champion de planche à neige en veine d'acrobatie ! J'ai atterri plutôt brutalement et dévalé les dix derniers mètres en culbutant, dans une avalanche de cailloux, de branches, de feuilles et de pommes de pin.

Bras tendus, j'essayais de trouver une prise susceptible de freiner ma chute, mais je ne faisais que m'écorcher les mains et me râper les ongles. Ma main gauche a fini par rencontrer quelque chose de dur. Mes doigts se sont refermés. Violente secousse du poignet.

Pendue par un bras, je suis restée un moment sans bouger avant de me laisser rouler sur le côté, sans lâcher ma prise. J'ai réussi à m'accroupir et j'ai levé les yeux pour voir ce qui avait réussi à stopper mon élan.

C'était une longue barre de métal coincée entre un rocher qui m'arrivait à la hanche et un tronc sectionné juste au-dessus de ma tête. Les pieds ancrés au sol, j'ai tiré pour évaluer sa résistance avant de me remettre debout.

J'ai essuyé mes mains, en sang, sur mon pantalon et resserré ma veste autour de mes reins. Arrivée tout en bas de la pente, il m'a fallu un certain temps pour retrouver la sensation de fouler une terre ferme. Pourtant, les lois de la pesanteur étaient à présent de mon côté.

Pressant l'allure, je suis parvenue au secteur délimité par le cordon.

— Hep là, madame ! Pas si vite ! m'a crié un homme, alors que je me faufilais dessous.

Sa veste portait la mention *Département du shérif, comté de Swain.*

— Je travaille pour le DMORT.

— C'est quoi, ce truc-là ?

Visiblement, il n'était pas du genre à rigoler. Je lui ai demandé :

— Le shérif est sur le site ?

— Et vous êtes ?

Visage glacial, lèvres formant une ligne dure et serrée. Chapeau de chasse orange, rabattu sur les yeux.

— Dr Temperance Brennan.

— On n'a pas besoin de médecin, ici.

— Je travaille à l'identification des victimes.

— Vous pouvez le prouver ?

J'ai présenté ma carte d'affiliation au NDMS.

Dans les catastrophes impliquant un grand nombre de victimes, les agences gouvernementales ont toutes des responsabilités bien définies. L'instance médicale responsable des secours au plan national, le NDMS, a pour tâche d'évaluer et de gérer les besoins médicaux sur le terrain et, au besoin, de procéder à la récupération et à l'identification des victimes. Il agit sous contrôle de l'OEP, la direction chargée de superviser tous les organismes de secours d'urgence.

Pour mener à bien sa mission, le NDMS s'appuie sur deux sections opérationnelles, le DMAT chargé des survivants et le DMORT chargé des défunts.

Le policier a étudié ma carte et m'a indiqué de la tête le fuselage.

— Le shérif est là-bas, avec les pompiers.

Sa voix s'est brisée et il s'est passé la main sur la bouche. Baissant les yeux, il s'est écarté, gêné d'avoir laissé paraître son émotion.

C'était bien naturel. Quel que soit leur niveau de formation, policiers et sauveteurs ne sont jamais suffisamment entraînés sur le plan psychologique pour affronter leur première « crise majeure », expression utilisée par le Bureau national des transports. Je ne sais pas ce qu'il faut à une crise pour qu'elle soit qualifiée de majeure, et pourtant j'en ai vu un bon nombre. Cependant, majeure ou pas, une crise est toujours horrible à voir, je peux le certifier. Moi non plus, je ne suis jamais « préparée ». En l'occurrence, j'étais aussi angoissée que ce policier, à la seule différence que je savais ne pas le montrer.

Me frayant un chemin vers le morceau de carlingue, je suis tombée sur un policier en train de recouvrir un corps.

— Enlevez ça ! ai-je ordonné.

— Quoi, ça ?

— Ne les recouvrez pas.

— Ordre de qui ?

Une fois de plus, j'ai sorti mon identification.

— On ne peut quand même pas les laisser comme ça, à la vue de tous.

On aurait cru entendre une voix synthétique, totalement dénuée d'expression.

— Tout doit rester en l'état.

— Il faut faire quelque chose. La nuit tombe. Les ours vont flairer ces… (Il a hésité, cherchant le mot juste.)… Ces gens.

Je n'ignorais pas les outrages qu'un *ursus* peut faire subir à un cadavre et je partageais l'inquiétude de cet homme, mais mon devoir était de l'arrêter.

— Tout doit être photographié et catalogué avant de pouvoir être touché.

Il a récupéré sa couverture à pleines mains, le visage crispé par la douleur. Je savais exactement ce qu'il éprouvait : un sentiment d'impuissance mêlé à un besoin d'action, n'importe laquelle.

— S'il vous plaît, transmettez à tout le monde que les choses doivent rester en l'état et mettez-vous à la recherche des survivants.

— Vous voulez rire ? (Il a balayé la scène des yeux.) Personne n'a pu survivre à ça.

— S'il reste une seule personne vivante, elle a plus à craindre des ours que ces gens-là.

— Et des loups, a-t-il ajouté d'une voix creuse.

— Il s'appelle comment, le shérif ?

— Crowe.

Il a jeté un coup d'œil vers un groupe près du fuselage.

— Avec la veste verte.

Je me suis hâtée dans la direction indiquée.

Le shérif examinait une carte, entouré d'une demi-douzaine de pompiers bénévoles dépêchés sur les lieux par plusieurs localités, à en juger d'après leurs uniformes.

Même ainsi, tête baissée, il dépassait ses interlocuteurs de plusieurs centimètres. La veste laissait deviner des épaules de sportif. Un macho, ce shérif des montagnes, le genre qui s'y frotte s'y pique.

Me voyant approcher, l'attention des pompiers s'est relâchée.

— Shérif Crowe ?

Il s'est retourné. Ou plutôt elle, car c'était une femme. Côté machisme, je n'aurais rien à craindre.

La quarantaine. Des pommettes hautes et larges, un teint couleur cannelle, des frisettes rousses sous le chapeau à large bord. Des yeux d'un vert inouï, très pâle, comme les anciennes bouteilles de Coke en verre. Un céladon que le teint hâlé conjugué au roux des cils et des sourcils rendait encore plus incroyable.

— Et vous êtes ?

Voix profonde et rocailleuse. Visiblement, le shérif n'était pas du style à se laisser marcher sur les pieds.

— Dr Temperance Brennan.

— Vous avez une raison de vous trouver ici ?

— J'appartiens au DMORT.

J'ai ressorti ma carte. Elle l'a examinée attentivement.

— Quand j'ai entendu le bulletin à la radio, j'ai appelé Earl Bliss, le responsable pour la région 4. Il m'a demandé de me rendre sur les lieux et de me mettre à votre disposition.

Façon diplomatique d'exposer les propos d'Earl Bliss.

Le shérif a pris le temps de jeter un ordre aux sapeurs-pompiers qui se sont dispersés avant de me saluer. Poignée de main à écrabouiller les phalanges.

— Lucy Crowe.

— Appelez-moi Tempe, je vous en prie.

Campée sur ses jambes, elle a croisé les bras et m'a considérée de ses yeux bouteille de Coke.

— Je doute qu'une seule de ces pauvres âmes ait besoin de secours médical.

— Je ne suis pas médecin, mais anthropologue judiciaire. Vous avez recherché les survivants ?

Elle a acquiescé d'un petit hochement de tête de bas en haut qui m'a évoqué le salut des hindous.

— J'aurais imaginé qu'une catastrophe de cette envergure serait l'affaire de l'expert médical de l'État.

— C'est l'affaire de tous. Le NTSB est là ?

Je savais que l'Office national de la sûreté des transports arrivait toujours dans les plus brefs délais.

— Ils sont en route. Pas une instance sur la planète qui ne m'ait donné signe de vie. Transports, FBI, Antiterrorisme, Croix-Rouge, Administration fédérale de l'aviation, Service des forêts, Autorité de la vallée du Tennessee, ministère de l'Intérieur. Il ne manque plus que le pape à cheval sur le Grand Méchant Loup.

— L'Intérieur et l'Autorité de la vallée du Tennessee ?

— La plus grande partie du comté est sous contrôle fédéral. Quatre-vingt-cinq pour cent du territoire est classé forêt nationale, cinq pour cent réserve naturelle.

De son bras tendu, elle a décrit un cercle dans le sens des aiguilles d'une montre.

— L'endroit où nous nous trouvons s'appelle Big Laurel. Bryson City est au nord-ouest. Au-delà, c'est le parc national des Smoky Mountains avec la réserve cherokee au nord et au sud, le pays Nantahala et la forêt nationale.

— Et nous sommes à quelle altitude ? ai-je demandé, déglutissant pour me déboucher les oreilles.

— Quatorze cents mètres.

— Croyez bien que je n'ai pas l'intention de vous dire comment faire votre travail, shérif, mais il y a certaines personnes qu'il vaudrait mieux tenir à l'éc…

— Comme les assureurs et les avocats grippe-sous ? Lucy Crowe vit peut-être perchée sur ses hauteurs, mais il lui est arrivé d'en descendre, une fois ou deux.

Je n'en doutais pas un instant. Ni de sa capacité à rembarrer les enquiquineurs. J'ai néanmoins ajouté :

— La presse aussi, probablement.

— Probablement.

— Pour l'expert médical, vous avez raison, shérif. Il va venir, c'est certain. Mais le plan d'organisation des secours de Caroline du Nord prévoit l'intervention du DMORT en cas de crise majeure.

Un boum étouffé, suivi d'ordres braillés à pleins poumons. Lucy Crowe a retiré son chapeau et s'est essuyé le front du dos de la main.

— Combien de feux brûlent toujours ?

— Quatre. On les éteint, mais ce n'est pas du gâteau. La montagne est sacrément desséchée à cette époque de l'année.

Elle a tapé son chapeau contre ses cuisses. Des jambonneaux qui ne le cédaient en rien à ses épaules.

— Je suis sûre que vos équipes font de leur mieux. Elles ont délimité le secteur et éteignent les incendies. S'il n'y a pas de survivant, il n'y a rien d'autre à faire.

— Elles ne sont pas vraiment préparées à ce genre de situation.

À demi caché par l'épaule du shérif, un vieil homme en veste d'auxiliaire bénévole de la police cherokee remuait une pile de débris. J'ai opté pour le tact.

— Je suis sûre que vous avez prévenu vos hommes que pour un accident la même vigilance s'impose que lors d'un crime. Rien ne doit être bougé.

Elle a fait son mouvement du menton de bas en haut.

— L'impuissance, ça frustre. Un petit rappel des choses ne fait jamais de mal.

J'ai indiqué le type derrière elle.

Jurant entre ses dents, Lucy Crowe a marché droit sur le bénévole. Enjambées de coureur olympique. L'homme s'est écarté. L'instant d'après, elle était de retour.

— Ce n'est jamais facile, ai-je dit. Quand les gars du NTSB seront là, ils assumeront la pleine responsabilité des opérations.

— Ouais.

Son cellulaire a sonné.

— Encore une autorité ! a-t-elle soupiré, quand elle a raccroché le combiné à sa ceinture. Ce coup-ci, Charles Hanover, le PDG de TransSouth Air.

— C'était un de leurs vols ?

Je savais, sans jamais l'avoir prise, que cette petite compagnie régionale reliait Washington D.C. à une douzaine de villes de Caroline du Nord et du Sud, de Géorgie et du Tennessee.

— Le 228. Il a quitté Atlanta avec du retard. Décollage à douze heures quarante-cinq, après quarante minutes d'attente sur la piste. À une heure zéro sept, l'appareil a disparu du radar. Il était environ à mille pieds d'altitude. J'ai été prévenue aux alentours de deux heures.

— Il y avait combien de passagers à bord ?

— Quatre-vingt-deux, plus six membres d'équipage. C'était un Fokker 100. Mais il y a pire.

Et ce qu'elle a ajouté m'a donné une idée de l'horreur qui nous attendait pour les jours à venir.

Chapitre 2

— L'équipe de foot de l'université de Géorgie-Atlanta ?
Lucy Crowe a hoché la tête.

— D'après Hanover, la plupart des passagers étaient
des supporters qui se rendaient à des matches du côté de
Washington.

— Mon Dieu !

Des flashes se succédaient dans ma tête. Jambe sectionnée.
Appareil dentaire. Femme enchevêtrée dans les branchages.

Katy !

Ma fille faisait ses études en Virginie. Elle allait souvent
à l'université de Géorgie où sa meilleure amie avait obtenu
une bourse grâce à ses talents sportifs. Dans quelle équipe
était donc Lija ? Celle de foot ?

Horreur ! Mon esprit filait à deux cents à l'heure. Katy
m'avait-elle parlé d'aller voir Lija à Athens ? Quand donc
avaient lieu les vacances ? J'ai réprimé de mon mieux l'envie
de me ruer sur mon cellulaire.

— Il y avait combien d'étudiants ?

— L'université avait réservé quarante-deux sièges.
Hanover pense que les passagers étaient presque tous des
étudiants. L'équipe, les entraîneurs, les petites amies des
joueurs, des supporters. (Elle s'est passé la main sur la
bouche.) Le lot habituel, quoi.

Habituel... Mon cœur s'est serré à la pensée de tant de
jeunes vies brisées. Une autre pensée s'est imposée.

— Les médias vont faire un de ces ramdams. Ça va être
le cauchemar.

— Hanover a raison de se faire du souci. (Le sarcasme faisait vibrer la voix du shérif.) Puisque le NTSB doit prendre la relève, qu'il s'occupe de la presse !

Et des familles aussi ! ai-je pensé par-devers moi. Car les parents allaient débarquer, bien sûr. Les uns anéantis, restant en groupes pour se réconforter, gémissant et portant sur le carnage des regards effrayés ; les autres agressifs, exigeant des réponses immédiates, cachant ainsi leur peine.

Un bruit de pales s'est fait entendre, un hélicoptère est passé au ras des arbres. J'ai reconnu la silhouette à côté du pilote. Il y en avait une autre à l'arrière. L'hélico a effectué deux tours et est reparti dans la direction opposée de celle du chemin d'accès au site.

— Où vont-ils ?

— Je n'en sais fichtre rien. On n'est pas suréquipé en terrains d'atterrissage, par ici. (Lucy Crowe a baissé la tête et remis son chapeau, enfonçant ses frisettes à l'intérieur du dos de sa main.) Vous voulez un café ?

Une demi-heure plus tard, l'expert médical en chef de l'État de Caroline du Nord pénétrait sur le site par l'ouest, suivi du vice-gouverneur de l'État. Tenue de campagne classique, bottes et pantalon militaires pour le premier, costume de ville pour le second. Ils avançaient à pas précautionneux parmi les débris — le pathologiste s'arrêtant pour regarder autour de lui et prendre la mesure du désastre, le politique marchant les yeux à terre, se préservant ainsi de toute implication avec ce qui l'entourait, pour éviter d'être rabaissé, lui, l'observateur impartial, au rang d'acteur du drame. Ils se sont arrêtés. L'expert médical s'est adressé à un policier qui nous a désignées.

— Sacré nom. Y a vraiment des photos qui se perdent ! s'est exclamée ma compagne sur le même ton sarcastique qu'auparavant, à propos du PDG de TransSouth Air.

Ayant écrabouillé sa tasse en polystyrène, elle l'a enfoncée dans un sac contenant des thermos. Je lui ai tendu la mienne tout en m'interrogeant sur sa hargne. Désaccord politique ou raisons personnelles d'en vouloir au vice-gouverneur Parker Davenport ?

Les deux hommes nous ont rejointes. L'expert médical a tendu sa carte d'identification au shérif. Elle l'a rembarré.

— Inutile, toubib. Je sais qui vous êtes.

Je le connaissais, moi aussi, ayant travaillé à plusieurs reprises avec lui depuis qu'il avait été nommé à son poste, au milieu des années quatre-vingt. Un homme cynique et autoritaire, ce Larke Tyrell, mais l'un des meilleurs pathologistes du pays. Surtout, un administrateur hors pair, qui avait su faire d'un département en pagaille l'organisme d'investigation mortuaire le plus efficace d'Amérique du Nord, et ce, en dépit du budget ridicule que lui allouait une assemblée dépourvue de tout intérêt pour sa tâche.

Ma carrière en était encore à ses balbutiements quand il avait pris ses fonctions. Je venais tout juste d'être admise au Conseil américain d'anthropologie judiciaire. Nous nous étions rencontrés à l'occasion d'une enquête commanditée par le Bureau d'investigation de Caroline du Nord sur deux trafiquants assassinés et démembrés par des motards hors la loi. J'étais l'une des premières personnes que Larke avait engagées. En qualité de consultante, d'abord. Depuis, je ne compte plus les squelettes et autres cadavres de Caroline du Nord qui sont passés sous mon scalpel. Décomposés, momifiés, calcinés, mutilés, que sais-je ?

Le vice-gouverneur m'a tendu une main, sans lâcher le mouchoir qu'il pressait contre ses lèvres. Pas un mot n'est sorti de sa bouche. Son visage avait la couleur d'un ventre de grenouille.

— Heureux de vous voir dans le pays, Tempe ! a dit Larke en m'écrasant les doigts à son tour.

J'ai commencé à reconsidérer mon opinion sur les poignées de main.

« Dans le pays… » Même dite avec l'accent de Caroline, l'expression sentait à plein nez le vétéran de la guerre du Vietnam. Il est vrai que Larke, originaire du bas pays, a été élevé dans une famille de Marines. Au Vietnam, il a signé un deuxième tour avant d'user ses fonds de culotte sur les bancs de la faculté de médecine. En paroles et en manières, c'est le portrait craché d'Andy Griffith [1].

— Vous comptiez repartir bientôt pour vos froidures ? m'a-t-il demandé.

---

1. Célèbre acteur de télévision américain (N.d.T.).

— La semaine prochaine, pour les vacances.

Paupières plissées, il a promené une nouvelle fois les yeux sur le site.

— J'ai peur que le Québec ne doive se passer de son anthropologue, cet automne.

Cela fait dix ans que je travaille comme consultant permanent pour le Laboratoire des sciences judiciaires et de médecine légale du Québec. J'ai débuté à l'occasion d'un échange de professeurs entre l'université McGill de Montréal et celle de Caroline du Nord à Charlotte. Au bout d'un an de collaboration, le gouvernement de la Belle Province, admettant son retard, a équipé un labo spécial et créé un poste d'anthropologue judiciaire. J'ai été engagée. Depuis, je fais la navette entre Montréal et Charlotte, où j'enseigne toujours l'anthropologie physique à l'université, et j'effectue des tâches ponctuelles pour les deux juridictions. Comme les cas qui me sont confiés impliquent généralement des individus décédés depuis un bon moment, l'arrangement a toujours bien fonctionné. Mais il est clairement entendu que je dois me rendre immédiatement disponible si un tribunal me nomme experte ou quand survient une situation de crise.

Et qu'était donc la catastrophe aérienne d'aujourd'hui, si ce n'est une situation de crise ?

J'ai assuré Larke que je reporterais mon départ. Il m'a demandé comment j'avais fait pour me rendre si vite sur les lieux. Je lui ai rapporté ma conversation avec le responsable du DMORT alors que j'étais en route pour Knoxville.

— Je l'ai eu au téléphone, moi aussi. Il dépêchera une équipe ici demain matin, m'a dit Larke, et il s'est tourné vers le shérif. Les gars du NTSB, eux, seront là dès ce soir. Tout doit rester en l'état jusqu'à leur arrivée.

— L'ordre a déjà été donné, a répondu Lucy Crowe. L'endroit est pratiquement inaccessible, mais je vais faire renforcer la sécurité. Pour les animaux, je ne garantis rien. Surtout quand la décomposition aura commencé.

Le vice-gouverneur a émis un bruit bizarre et s'est éloigné en titubant. Je l'ai vu s'agripper à un laurier et se plier en deux pour vomir.

22

Faisant basculer son regard de Lucy Crowe à moi-même, Larke nous a étudiées d'un œil scrutateur. Andy Griffith interprétant le shérif dans la série télé *Mayberry*.

— Vous nous facilitez infiniment la tâche, mesdames, et je sais qu'elle est ardue. Je ne saurais trouver les mots pour dire combien j'apprécie votre professionnalisme. (Les yeux sur Lucy Crowe :) Je compte sur vous pour régler les choses ici, shérif. (Les yeux sur moi :) Allez à Knoxville faire votre conférence, Tempe. Et revenez demain avec un plein de provisions. Vous risquez de passer un bout de temps ici. Alors prévenez l'université. On vous trouvera un hébergement.

Un quart d'heure plus tard, un policier m'avait reconduite à ma voiture. Le raccourci existait bien : en effet, un layon jadis utilisé pour le transport du bois partait de la route des Services forestiers, à quatre cents mètres environ de l'endroit où je m'étais garée. Il contournait la montagne et aboutissait à une centaine de mètres du lieu de l'accident.

Des véhicules s'alignaient maintenant des deux côtés de la voie. Dans les lacets du chemin, nous avions croisé de nouveaux arrivants. Bientôt, tous les accès seraient embouteillés, routes du comté comme chemins des Services forestiers.

À peine installée au volant, j'ai allumé mon téléphone cellulaire. Pas de tonalité. Dans la vallée, sur la grand-route 74, j'ai de nouveau appelé Katy. Au bout de quatre sonneries, le répondeur s'est enclenché. J'ai bredouillé un message. Pas facile de se brancher sur le mode « Ne joue pas les mères poules » ! Pendant toute l'heure qui a suivi, je me suis concentrée sur ma conférence du lendemain, me forçant à chasser de ma tête le carnage laissé derrière moi et qu'il me faudrait affronter. Mais tous ces visages défigurés, tous ces membres sectionnés ne cessaient de resurgir devant mes yeux.

En désespoir de cause, j'ai allumé la radio. Toutes les stations relataient la mort des jeunes sportifs. Ton empreint de respect, derrière lequel on sentait l'excitation des reporters supputant les raisons du crash. Ne pouvant invoquer la météo, ils jonglaient avec les mille et une possibilités qu'offrent le sabotage et la défaillance mécanique.

Je n'ai pas voulu m'associer à leurs spéculations. En suivant la voiture de l'adjoint du shérif, j'avais aperçu des arbres étêtés formant une ligne droite, juste en face de l'endroit où j'avais accédé au site. Ce tracé, je le savais, correspondait à la phase finale de l'accident.

À l'embranchement avec l'autoroute inter-États I-40, j'ai changé de station de radio pour la centième fois : bruit de pales d'hélicoptère, un journaliste faisait état d'un incendie dans un entrepôt. Cela m'a rappelé que je n'avais pas demandé à Larke où l'hélico les avait déposés, le vice-gouverneur et lui. Je me suis promis de lui poser la question.

À vingt et une heures, j'ai rappelé Katy.

Toujours pas de réponse. Et en avant pour un bol de pensée positive !

À Knoxville, dès mon arrivée à l'hôtel, j'ai pris contact avec le responsable de la conférence, avant même de manger le poulet que j'avais acheté dans un Bojangle's aux abords de la ville. Puis, j'ai appelé mon ex-mari à Charlotte pour lui demander de prendre mon chat chez lui. Peter a accepté, non sans préciser qu'il m'enverrait sa facture pour le transport et la pâtée. Lui non plus n'avait pas eu Katy au téléphone depuis plusieurs jours. Il a promis d'essayer de la joindre et m'a tenu une version abrégée du discours que je me débitais moi-même. *Calme-toi, Brennan !*

J'ai prévenu mon patron du Laboratoire des sciences judiciaires et de médecine légale du Québec : il ne fallait pas compter sur moi la semaine prochaine. Mais Pierre LaManche attendait mon appel, il était au courant de l'accident. En dernier lieu, j'ai contacté mon département, à l'université de Charlotte.

Après quoi, sélection des clichés pour ma conférence. Une heure plus tard, mes chariots à diapositives dûment remplis, j'ai pris une douche et de nouveau tenté d'appeler ma fille.

Minuit moins vingt.

Elle va bien. Elle est en train de se taper une pizza. Ou alors elle est à la bibliothèque. La bibliothèque, c'est ça. J'y allais souvent, moi, quand j'étais étudiante.

J'ai eu du mal à m'endormir.

Au matin, Katy était toujours introuvable. J'ai appelé Lija à Athens. Une voix de robot m'a priée de laisser un message. Je suis partie pour le département d'anthropologie de l'université, le seul de toute l'Amérique à se trouver dans un stade de football.

Cette conférence a été l'une des pires de ma carrière. Comme l'organisateur du symposium avait précisé dans son introduction que j'étais affiliée au DMORT, j'ai été bombardée de questions sur le crash. Bien que je n'aie eu pour ainsi dire aucune information, le jeu de questions-réponses, après mon exposé, a duré une éternité.

La foule s'était enfin décidée à sortir quand un épouvantail affublé d'un nœud papillon, d'un cardigan et de lunettes demi-lune en sautoir s'est dirigé droit sur l'estrade. Simon Midkiff, impossible de ne pas le reconnaître. Nous ne sommes pas légion, nous, les anthropologues, et nous nous croisons à toutes sortes de réunions, conférences ou symposiums. Connaissant l'énergumène, j'avais intérêt à me montrer ferme. Sinon, il allait me tenir la jambe pendant des heures. Un regard ostensible à ma montre puis j'ai entrepris de fourrer mes notes dans ma serviette et suis descendue du podium.

— Comment allez-vous, Simon ?

— À merveille.

Avec ses lèvres gercées et sa peau desquamée, on aurait dit un poisson mort, abandonné au soleil. Sous les sourcils touffus, ses yeux étaient parcourus d'un entrelacs de veinules minuscules.

— Comment se porte l'archéologie ?

— À merveille, elle aussi. Comme on ne vit pas de l'air du temps, je me suis inscrit dans plusieurs projets commandités par le département des ressources culturelles de Raleigh. En gros, je passe mes journées à trier des données. (Il a fait retentir un rire haut perché tout en se tapotant la joue d'une main.) C'est incroyable, la quantité d'informations que j'ai pu accumuler au cours de ma carrière.

Diplômé d'Oxford en 1955 et considéré comme la superstar en archéologie, Simon Midkiff a débarqué aux États-Unis à la demande de Duke University. Six ans plus tard, n'ayant rien publié, il n'a pas été titularisé. L'université du Tennessee lui a offert une seconde chance mais, là encore, aucune publication scientifique n'a suivi, et il a été radié des effectifs.

Depuis trente ans, Midkiff végète à la périphérie du milieu universitaire sans avoir de poste stable, fouillant de temps en temps et enseignant en tant que remplaçant dans des collèges et universités du Tennessee et de Caroline du Nord et du Sud. Il est connu pour creuser, cataloguer ses découvertes et ne jamais faire connaître les résultats de ses travaux.

— J'adorerais que vous me racontiez ça, Simon, mais, malheureusement, je suis horriblement pressée.

— Oui, bien sûr. Une affreuse tragédie. Tant de vies brisées, et si jeunes. (Il a hoché la tête avec tristesse.) Où s'est produit l'accident ?

— Dans le comté de Swain. Je dois y retourner sans délai.

J'esquissais un mouvement de retraite quand il s'est déplacé légèrement, me bloquant le passage de son godillot Hush Puppy, taille 46.

— Où ça exactement, dans le comté de Swain ?

— Au sud de Bryson City.

— Vous pouvez être un peu plus précise ?

— Si c'est la latitude et la longitude exactes que vous voulez savoir, je ne peux pas vous les fournir, ai-je rétorqué sans plus chercher à masquer mon irritation.

— Pardon. Je suis d'une grossièreté… Pire qu'un animal. Voyez-vous, le fait est que j'ai fouillé dans le coin et, très égoïstement, je m'inquiétais pour mon site. (Encore un rire bêta.) Je vous présente toutes mes excuses.

Sur ces entrefaites, le responsable du symposium s'est approché de nous, brandissant un petit Nikon.

— Puis-je… ?

— Bien sûr.

Je me suis collé un sourire Kodak sur les lèvres.

— C'est pour le panneau du département. Nos étudiants adorent ça.

Il m'a remerciée pour la conférence et m'a souhaité bon travail. Je l'ai remercié à mon tour et, sur un mot d'excuse, j'ai quitté la salle, mes chariots à diapositives sous le bras.

Avant de prendre la route, j'ai fait quelques emplettes à Knoxville. Dans un magasin de sport : bottes, chaussettes et trois pantalons — j'ai enfilé l'un d'eux — ; dans une pharmacie voisine, deux pochettes de slips en coton Hanes Her Way. Ce n'est pas la marque que je porte d'habitude, mais à la guerre comme à la guerre ! En forçant, j'ai réussi à tout faire entrer dans mon sac de voyage. Et maintenant, cap sur l'est.

Née dans les monts de Terre-Neuve, la chaîne des Appalaches longe la côte Est du nord au sud et se dédouble, près de Harpers Ferry en Virginie-Occidentale, pour former les Blue Ridge Mountains et les Great Smoky Mountains, l'un des plus anciens massifs au monde et qui culmine à près de deux mille mètres au dôme Clingman, à la frontière du Tennessee et de la Caroline du Nord.

Moins d'une heure plus tard, ayant dépassé Sevierville, Pigeon Forge et Gatlinburg, je contournais le dôme par l'est, époustouflée comme toujours par la beauté surréelle de l'endroit. Modelées par des éternités de vent et de pluie, les Smoky Mountains se déroulent vers le sud en une succession de douces vallées et de crêtes où pousse une forêt luxuriante. Une grande partie est réserve nationale. Il y a ainsi les terres nantahala, pisgah, cherokee et le parc national des Great Smoky Mountains, lesquelles tirent leur nom de leur brume plus fine que de la fumée et de leurs verts tous différents, plus doux que du mohair. Ici, le monde offre le meilleur de lui-même avec un charme inégalé. Contraste saisissant qu'un spectacle de mort et de désolation au cœur d'une telle douceur !

À la sortie de Cherokee, en Caroline du Nord, pour la énième fois, j'ai laissé à Katy mon message : « C'est maman, rappelle-moi. »

Je me suis forcée à brancher mon esprit sur des sujets n'ayant rien à voir avec la tâche qui m'attendait : les pandas du zoo d'Atlanta, les programmes de NBC cet automne, la livraison des bagages à l'aéroport de Charlotte. Pourquoi faut-il toujours qu'on attende des heures ?

Puis j'ai pensé à Simon Midkiff — quel drôle d'oiseau, celui-là ! — et aux chances qu'avait un avion de tomber pile sur un champ de fouilles.

Ne voulant pas écouter la radio, j'ai mis un CD : la diva Kiri Te Kanawa interprétant Irving Berlin.

Il était presque deux heures quand je suis arrivée à proximité du site. Deux véhicules de patrouille bloquaient la route, là où elle passait sous contrôle des Services forestiers. Un garde national réglait la circulation, ordonnant à la plupart des voitures de faire demi-tour et de redescendre dans la vallée. Il a pris ma carte d'identification et a consulté sa liste.

— J'ai bien votre nom. Allez vous garer plus haut, à l'espace d'accueil.

Il a fait un pas de côté et je me suis faufilée entre les véhicules de patrouille.

On avait agrandi le terre-plein supportant la tour de guet contre les incendies et on avait déboisé la partie amont d'un petit champ situé de l'autre côté du chemin. L'esplanade ainsi aménagée avait été recouverte de gravier en prévision de la pluie. C'est là que, au début, se tiendraient les briefings, que les familles pourraient rencontrer des conseillers. En attendant qu'un centre mieux adapté soit installé.

Piétons et véhicules se massaient sur les deux côtés de la voie. Ambulances de la Croix-Rouge, fourgons de télévision surmontés d'antennes paraboliques, camions mastodontes et petites camionnettes. Il y avait aussi un véhicule spécial, pour la collecte des matériaux dangereux. Non sans peine, j'ai garé ma Mazda entre une Dodge Durango et une Ford Bronco sur le côté amont du chemin.

Zigzaguant entre les gens, lestée de mon bagage, je suis arrivée près de l'à-pic. Au pied de la tour de guet, sur une table pliante au cul d'un camion de la Croix-Rouge, une monumentale machine à café étincelait dans le soleil. Des parents s'étaient réfugiés là, les uns en pleurs et s'étreignant, les autres muets et raides comme la justice. Beaucoup avaient des gobelets à la main, certains téléphonaient de leur cellulaire.

Un prêtre allait des uns aux autres, tapotant une épaule ou serrant une main. Il s'est penché pour réconforter une vieille dame. Avec son dos arrondi, son crâne chauve et son nez crochu, il avait tout d'un charognard des plaines d'Afrique de l'Est. Comparaison qui ne rend pas justice à son ministère, je l'avoue.

Sa vue m'a évoqué un autre homme de Dieu, empli d'une même compassion et se penchant aussi sur une vieille dame. Ma grand-mère. C'est en découvrant sa présence que s'était éteint en moi tout espoir de la voir guérir. Au souvenir de son agonie et de sa veillée mortuaire, mon cœur s'est élancé vers tous les inconnus réunis en ce lieu pour réclamer leurs morts.

Près du remblai de pierres qui bordait le terre-plein, des équipes concurrentes de reporters, cameramen et ingénieurs du son luttaient à qui aurait la meilleure place. À n'en pas douter, des vues panoramiques de l'endroit seraient diffusées à l'envi sur toutes les chaînes, comme en 1999, à Peggy's Cove en Nouvelle-Écosse, lors du crash de l'avion de la Swissair.

Assurant mon sac sur l'épaule, j'ai entamé la descente. Un garde national m'a autorisée à emprunter le layon de bûcherons. On l'avait élargi pendant la nuit, en une sorte d'allée en ogive à deux voies qui allait jusqu'au site. Le gravier crissait sous mes pas. Une légère odeur de putréfaction commençait à vicier le parfum des pins.

Des camions de décontamination et des toilettes mobiles flanquaient l'entrée sur le site. Un centre de commandement avait été mis en place à l'intérieur du secteur délimité. On reconnaissait le camion du Bureau des transports à son antenne parabolique et à son générateur, et les camions frigorifiques, garés à côté, aux housses mortuaires empilées devant, à même le sol. L'endroit allait faire office de morgue provisoire jusqu'à ce que l'on transfère les restes.

Pelleteuses, camions-nacelles, bennes à ordures, pompes à incendie et autres véhicules appartenant aux diverses unités stationnaient çà et là. La présence d'une unique ambulance m'a fait comprendre que l'opération était officiellement passée du stade «recherche des survivants» à celui de «récupération des victimes». Elle n'était là qu'à l'intention des sauveteurs qui pourraient se blesser.

À l'intérieur du cordon, le shérif était en pleine conversation avec l'expert médical.

— Comment ça va ? ai-je demandé.

— Le téléphone sonne si souvent que j'ai bien failli le couper, cette nuit.

Elle avait l'air épuisée. Derrière elle, les équipes de recherche en masques et combinaisons de tyvek se déplaçaient en lignes droites parmi les décombres, les yeux rivés au sol. De temps en temps, l'un d'eux s'accroupissait, inspectait un objet et marquait l'endroit. Des fanions rouges, bleus ou jaunes pointillaient le paysage, là où les équipes étaient déjà passées. De loin, on aurait dit une carte hérissée d'aiguilles à tête colorée.

D'autres ouvriers en blanc s'affairaient autour des débris, photographiant la carlingue, les morceaux d'aile et de moteur ou bien prenant des notes par écrit ou au magnétophone. Leurs coiffes bleues les identifiaient comme relevant du NTSB.

— La troupe est au complet, on dirait.

— Pas un sigle qui manque à l'appel : NTSB, FBI, SBI, FAA, ATF, CBS, ABC, sans oublier le PDG, a soupiré le shérif. Suffit qu'ils aient des lettres pour qu'ils rappliquent.

— Et ce n'est que le début ! a renchéri Larke Tyrell. Donnez-leur encore un jour ou deux. (Retroussant son gant de latex, il a jeté un coup d'œil à sa montre.) Le gros des effectifs du DMORT se trouve au village, Tempe. Il y a un briefing à la morgue spéciale. Allez-y. Il est inutile que vous traîniez ici.

J'ai voulu objecter, mais il m'a coupée.

— Nous allons faire le bout de chemin ensemble.

Sur ce, il est allé au poste de décontamination. Lucy Crowe en a profité pour m'expliquer comment me rendre à la morgue.

— C'est la caserne des pompiers d'Alarka, à environ treize kilomètres d'ici. Vous verrez des balançoires et des toboggans, c'est une ancienne école. Et des camions à grande échelle dans le champ à côté.

En venant, sur la route du comté, j'avais repéré l'endroit et déduit ce qui s'y déroulait.

Tout en nous dirigeant vers l'espace d'accueil, l'expert médical m'a mise au fait des derniers développements. Le plus important était que le FBI avait reçu un appel anonyme l'informant qu'une bombe avait été placée à bord de l'appareil.

— Ce bon citoyen a eu l'intelligence de refiler aussi le tuyau à CNN et maintenant les médias en font leurs choux gras.

— Quarante-deux étudiants morts, ça peut vous valoir le prix Pulitzer.

— Surtout qu'il va falloir réviser ce chiffre à la hausse, et ça, c'est la seconde mauvaise nouvelle. En fait, l'université avait réservé plus de cinquante places sur ce vol.

— Vous avez la liste des passagers ? ai-je demandé, presque incapable d'articuler ma question.

— Ils la distribueront au briefing. (Un froid glacial m'a saisie, tandis qu'il enchaînait :) On a intérêt à ne pas se gourer, sinon la presse ne fera qu'une bouchée de nous.

Nous nous sommes séparés pour rejoindre nos voitures respectives.

Je roulais vers la morgue quand mon téléphone a émis un bip. J'ai freiné à mort, terrifiée à l'idée de quitter la zone de connexion. Message à peine audible.

— *Docteur Brennan, c'est Haley Graham, la compagne de chambre de Katy. J'ai écouté vos messages, quatre je crois, et aussi les deux du père de Katy. J'ai appris pour le crash... (Grésillements...) Heu, voilà. Katy est partie pour le week-end, je ne sais pas où exactement. Mais comme Lija a téléphoné une ou deux fois dans la semaine, je m'inquiète un peu que Katy soit allée la voir. Je sais que c'est idiot, mais je me suis dit que je devrais vous appeler pour savoir si vous aviez réussi à la joindre. Bon... (Grésillements plus forts.) Ça fait bête de dire ça, mais je me sentirais mieux si je savais où elle est. Bon, eh bien... au revoir.*

J'ai appelé le numéro de Peter. Il était toujours sans nouvelles de Katy. J'ai composé le numéro de Lija. Personne.

Un effroi glacé s'est diffusé dans ma poitrine, avant de vriller autour de mon sternum.

Une camionnette a klaxonné pour me doubler.

J'ai continué à descendre vers la vallée, à la fois impatiente d'assister à la réunion et terrifiée d'entendre la réponse à ma question. Celle que j'allais poser en premier, obligatoirement.

Chapitre 3

Confronté à une catastrophe impliquant un grand nombre de victimes, l'une des toutes premières tâches du DMORT consiste à mettre en place une morgue aussi près que possible du site de l'accident, en général à l'office du coroner ou dans les locaux de l'expert médical. Toutefois, un hôpital, une morgue déjà existante, une entreprise de pompes funèbres, un hangar, un entrepôt, voire un arsenal de la Garde nationale peuvent être réquisitionnés.

À mon arrivée à la caserne de pompiers d'Alarka, le stationnement de devant était déjà complet et une vingtaine de voitures attendaient pour entrer. On avançait à la vitesse d'une tortue. Tambourinant sur mon volant, j'ai regardé autour de moi.

Le stationnement de derrière était réservé aux camions frigorifiques affectés au transport des victimes. Près du grillage, deux femmes d'âge moyen tendaient un plastique opaque pour boucher la vue aux photographes, professionnels ou amateurs, qui voudraient violer l'intimité des morts. Mais la toile se tordait et se déchirait sous le vent, et elles avaient un mal fou à l'accrocher aux croisillons de fil de fer.

J'ai fini par atteindre le poste de garde. Sur la foi de ma carte d'identification, j'ai été autorisée à aller me garer. À l'intérieur du bâtiment, des dizaines de personnes s'activaient à monter des tables et à brancher les unités de radiologie portables, les ordinateurs, les générateurs et les chauffe-eau. On avait aseptisé les toilettes pour en faire des vestiaires et on organisait un coin détente à l'intention du personnel. Une pièce à l'arrière ferait office de salle de conférences, une autre accueillerait l'unité centrale des appareils de radiologie et des ordinateurs en réseau.

Le briefing avait déjà commencé. Les gens s'alignaient le long des murs ou étaient assis autour de tables de camping regroupées au centre. Des barres de néon répandaient une lumière bleutée sur les visages pâles et tendus. Je me suis glissée jusqu'à un siège resté libre dans le fond de la salle.

Le responsable de l'enquête, Magnus Jackson, du Bureau des transports, finissait d'exposer les grandes lignes du système de gestion des accidents. Le chef des Accidents, comme on le surnomme, a la maigreur et la dureté d'un pinscher-doberman, la peau presque aussi noire et des cheveux grisonnants coupés ras. Ses yeux se cachent derrière des lunettes en demi-lune à monture métallique.

Il en était à énumérer les diverses équipes du NTSB placées sous son commandement, donnant une brève explication à chacune : structure de l'avion, systèmes, alimentation électrique, intervention humaine, incendie et explosion, données météorologiques, données radar, boîtes noires et témoignages oculaires. À l'énoncé de son groupe, chaque responsable se levait ou agitait la main. Tous portaient le sigle *NTSB* en grosses lettres jaunes sur leur casquette et leur chemise.

C'est grâce au travail de tous ces hommes et femmes que l'on parviendrait à déterminer ce qui avait fait décrocher le vol TransSouth Air 228. J'avais beau le savoir, cela n'apaisait pas le sentiment de vide qui m'étreignait. Je n'arrivais pas à me concentrer, je bouillais d'impatience. Combien de temps encore, avant qu'on en arrive à la liste des passagers ?

Une question de l'assistance a forcé mon attention.

— On a repéré le CVR ou le FDR[1] ?

— Pas encore.

Le CVR retranscrit tous les bruits à l'intérieur du cockpit, transmissions par radio aussi bien qu'échanges entre

---

1. CVR : abréviation anglaise de *cockpit voice recorder*, enregistreur de voix à l'intérieur du cockpit ; FDR : abréviation anglaise de *flight data recorder*, enregistreur des données de vol. Ces sigles sont également utilisés en français (N.d.T.).

pilotes ou bruit des moteurs. Le FDR, lui, enregistre les conditions dans lesquelles le vol s'est effectué. Cap, altitude, anémométrie sont des facteurs importants pour déterminer l'origine d'un crash.

Un autre représentant du Bureau des transports a exposé le plan fédéral d'assistance aux familles à la suite des catastrophes aériennes, et annoncé que les liaisons entre TransSouth Air et les familles se feraient par l'intermédiaire du NTSB. Un centre d'assistance aux familles était en train d'être mis en place au motel Sleep Inn de Bryson City. Les parents pourraient s'y rendre et fournir tous les détails factuels, médicaux et autres, permettant l'identification de leurs enfants.

Le PDG de TransSouth Air est ensuite monté à la tribune. Un monsieur Tout-le-monde que ce Charles Hanover, et qu'on aurait imaginé pharmacien dans une petite bourgade et membre des Elks[2], plutôt que responsable d'une compagnie aérienne régionale. Visage couleur de cendre, des mains qui tremblaient. Un tic lui tirait l'œil gauche, un autre la commissure des lèvres, de sorte que tout un côté de son visage tressautait quand les deux mouvements se déclenchaient en même temps. Il se dégageait de lui quelque chose de bon et de triste, et je me suis demandé ce qu'il avait bien pu dire ou faire pour que le shérif le trouve agressif.

Il a signalé qu'un numéro gratuit avait été mis en place par sa compagnie pour informer le public des développements de l'enquête et que le réseau téléphonique au centre d'assistance aux familles allait être développé. Des personnes qualifiées avaient été engagées pour tenir des réunions avec les parents sur une base régulière et pour rester en contact avec ceux qui n'avaient pu faire le déplacement. De même, des arrangements avaient été pris en matière de soutien psychologique et religieux.

Le briefing s'éternisait, j'étais sur des charbons ardents. Allais-je devoir écouter tous les discours avant qu'on en vienne à la liste des passagers ?

Un représentant de l'Agence fédérale d'organisation des secours a expliqué sur quelles bases allait s'établir la

---

2. Elks : association comparable au Lions Club ou au Rotary (N.d.T.).

communication avec le public, notamment la diffusion des informations. Les liens entre le QG du Bureau des transports, le centre de commandement sur le site et la morgue spéciale sont enfin devenus clairs pour tout le monde.

Puis Earl Bliss a pris la parole. C'est un type anguleux et de haute taille, qui masque son début de calvitie en coiffant ses cheveux bruns en arrière de part et d'autre d'une raie inexorable. Ses premiers contacts avec les cadavres remontent à l'époque du lycée, quand il prit un petit boulot de week-end consistant à assurer le transport des défunts jusqu'au funérarium. Dix ans plus tard, il était à la tête de sa propre entreprise. Né prématuré et surnommé Early, il a vécu les quarante-neuf ans de sa vie à Nashville, au Tennessee. Quand il n'est pas en train d'œuvrer sur les lieux d'une catastrophe, il aime à traîner avec des musicos et à jouer du banjo dans un orchestre de musique country.

En préambule, il a souligné les caractéristiques du DMORT, organisme qu'il dirige et qui, à la différence des autres agences de secours, est constitué exclusivement de citoyens ordinaires recrutés au coup par coup sur la base de leur expertise dans des domaines bien précis. Il regroupe donc aussi bien des pathologistes, des anthropologues, des dentistes, des radiologues et d'autres psychiatres que des techniciens en empreintes digitales, des directeurs de pompes funèbres, des spécialistes en données médicales et des agents formés au travail administratif ou à la sécurité.

Organisme national, le DMORT est divisé en dix secteurs géographiques, chacun responsable d'une région. Il ne peut entrer en action qu'à la demande des autorités du lieu où s'est produite la catastrophe, de quelque origine qu'elle soit : cataclysme naturel, accident de transport — aérien, ferroviaire ou routier —, incendie, explosion, acte terroriste, meurtre ou suicide collectif. Earl a illustré son propos en rappelant divers événements tels que le plastiquage du bâtiment fédéral à Oklahoma City en 1995, le déraillement du train Amtrak à Bourbonnais dans l'Illinois en 1999, le crash du vol 261 des Alaska Airlines en Californie en 2000, etc.

Puis, il est passé au fonctionnement de la morgue spéciale. Y seraient entreposés non seulement les restes des victimes, mais aussi les effets personnels. Tout objet serait analysé dans des sections bien précises du bâtiment et selon une procédure toujours identique. L'étiquetage, le codage, la photographie et la radiologie s'effectueraient dans la section d'identification, et des lots seraient constitués pour chaque individu, que l'on dispose du corps entier ou seulement de fragments de tissu. Ces lots seraient ensuite adressés à la section de regroupement des données *post mortem*, aux fins d'autopsie. C'est là qu'auraient lieu les examens anthropologiques et dentaires et que seraient analysées les empreintes digitales.

Après quoi, les résultats obtenus seraient retransmis à la section d'identification, où ils seraient entrés dans un ordinateur, tout comme les informations *ante mortem* fournies par les familles. L'on pourrait enfin procéder à la comparaison des données. Cette étape achevée, les lots seraient regroupés dans la section entreposage et conservés jusqu'à ce que soit autorisée la remise des corps aux familles.

Larke Tyrell, l'expert médical, a été le dernier à parler. Ayant remercié Earl pour son exposé, il a pris une longue inspiration tout en promenant son regard sur la salle, avant de se lancer.

— Mesdames et messieurs, nous avons ici un grand nombre de familles qui n'aspirent qu'à une chose : trouver l'apaisement. Magnus et ses équipes vont les y aider en leur faisant connaître ce qui a bien pu faire tomber cet avion. Par notre travail, nous allons y contribuer, nous aussi. Notre tâche n° 1 sera d'identifier les victimes. Avoir un corps à enterrer accélère grandement le processus de deuil, et vous pouvez être certains que nous nous mettrons en quatre pour que toutes les familles reçoivent leur cercueil.

Me rappelant ce que j'avais vu dans les bois, j'ai imaginé sans mal le contenu d'un grand nombre d'entre eux, malgré le travail de fourmi du DMORT et des organismes municipaux et de l'État dans les semaines à venir pour récupérer tous les fragments de corps humain. Les empreintes digitales, les dossiers dentaires et médicaux, les échantillons d'ADN, les tatouages et les photos de famille seraient bien sûr les facteurs les plus importants pour identifier les victimes, mais les résultats obtenus grâce au dévouement de nos équipes d'anthropologues ne seraient pas négligeables non plus. Pourtant, malgré tous ces efforts, il n'y aurait souvent que peu de chose à porter en terre : parfois seulement un membre sectionné, une molaire calcinée et sa couronne ou un petit os du crâne. Dans bien des cas, ce qui serait rendu aux familles pèserait à peine quelques grammes.

— Pendant la période de récupération des victimes, poursuivait Larke, les restes seront regroupés dans la morgue provisoire sur le site, avant d'être transférés ici. Le transport devrait commencer dans les heures à venir. C'est alors que le vrai travail débutera pour nous. Tout le monde sait ce qu'il a à faire. Je me contenterai donc de vous rafraîchir la mémoire sur un point ou deux et puis je me tairai.

— Ce sera bien la première fois !

Léger rire dans l'assistance.

— Ne séparez aucun objet ou effet personnel des lots constitués, tant que tout n'a pas été dûment photographié et répertorié.

Erreur que j'avais bien failli commettre en découvrant la poupée Raggedy.

— Tous les restes ne passeront pas obligatoirement par toutes les analyses. La décision sera laissée à la personne responsable du lot. Cependant, si vous décidez de sauter une étape, indiquez-le clairement dans le dossier du lot. Je ne veux pas avoir à me creuser la cervelle plus tard, pour savoir si l'analyse dentaire n'a pas été effectuée parce que le lot en question ne comportait pas de dent ou parce que vous avez jugé cette étape inutile. Toutes les pages du rapport doivent être remplies. Et assurez-vous que le dossier reste toujours avec son lot. Nous voulons que tout soit parfaitement identifié.

« Et aussi… Je ne crois pas vous faire une révélation en vous disant que le FBI a reçu un appel anonyme concernant la présence d'un engin explosif à bord de l'appareil. En conséquence, pensez à l'effet de souffle. Sur les clichés radiologiques, vérifiez qu'il n'y a pas de fragments de bombe et de shrapnel et, quand vous analyserez les poumons et les conduits auditifs, pensez aux effets de la surpression. Idem pour les marques sur la peau, pointillés ou brûlures. Vous connaissez votre boulot. »

S'étant interrompu, Larke a parcouru des yeux l'assistance.

— Certains d'entre vous sont encore des bleus, d'autres ont déjà une longue pratique. Je n'ai pas besoin de vous dire que les semaines à venir seront pénibles. Prenez des moments de repos. Personne ne doit travailler plus de douze heures par jour. Ce n'est pas faire preuve de faiblesse que de s'adresser à un conseiller psychologique quand on se sent déprimé. Ils sont là pour vous aider, ne l'oubliez pas.

Larke a rangé son stylo dans son sous-main.

— Tout a été dit, je pense, sauf que je n'ai pas remercié mon équipe ni celles d'Earl pour avoir répondu si vite à l'appel. Et maintenant, débarrassez-moi le plancher, vous avez du pain sur la planche !

Rien sur la liste des passagers !

Bien décidée à la connaître, j'ai laissé la salle se vider et suis allée interroger Larke. Hélas, Magnus Jackson l'avait rejoint en même temps que moi. Il m'a saluée d'un signe de tête, car nous nous connaissons depuis le déraillement d'un train de banlieue, il y a plusieurs années. Occasion au cours de laquelle j'ai pu me convaincre qu'il n'était pas porté à la plaisanterie.

— Ça va, Tempe ? m'a lancé Larke et il a enchaîné, pour Jackson : Vous avez sorti l'armada au grand complet, à ce que je vois.

— On s'attend à pas mal de pression. Demain, j'aurai cinquante hommes sur le terrain.

Des hommes qui n'effectueraient qu'un examen préliminaire des décombres, je le savais, car ce qui restait de l'appareil, une fois photographié en l'état et catalogué, serait emporté ailleurs pour être réassemblé.

— Du nouveau sur la bombe ? a demandé Larke.

— Un tuyau crevé probablement, ce qui n'empêche pas les médias d'en avoir fait leurs choux gras. CNN se gargarise avec le « poseur de bombe des Blue Ridge », géographie de mes deux ! ABC renchérit avec le « footballeur terroriste », mais c'est nettement moins captivant.

— Le FBI va entrer dans la danse ? a demandé Larke.

— Ça ne saurait tarder, je les entends déjà gratter à la porte.

Incapable de me retenir davantage, j'ai interrompu ces messieurs.

— On a la liste des passagers ?

L'expert médical m'a tendu une feuille de son dossier.

Seigneur Dieu, je vous en supplie...

Une colonne de noms. Je l'ai descendue à toute allure, prise d'une angoisse comme j'en avais rarement connu jusque-là. Le monde aurait pu cesser de tourner. Anderson. Beacham. Bertrand. Caccioli. Daignault... Je n'entendais même plus ce que disait Larke.

Une éternité plus tard, j'ai respiré un grand coup. Pas de Katy Brennan Petersons, ni de Lija Feldman sur la liste. J'ai fermé les yeux.

Je les ai rouverts pour découvrir les regards interrogateurs de Jackson et de Larke braqués sur moi. J'ai rendu la feuille sans un mot d'explication. La culpabilité succédait déjà à mon soulagement. Ma fille était vivante, d'accord, mais des dizaines de jeunes corps jonchaient la montagne. Je devais y aller.

— Par quoi voulez-vous que je commence ? ai-je demandé à Larke.

— Allez rejoindre l'équipe de récupération. Earl saura très bien se débrouiller sans vous pour mettre en place les différents services de la morgue. Vous reviendrez ici quand les transferts auront commencé. J'aurai besoin de vous.

De retour sur le site, je suis allée au camion de décontamination revêtir une combinaison, un masque et des gants, puis, dans ma tenue d'astronaute, à la morgue provisoire m'informer de l'état des travaux.

Grâce à un logiciel de type CAD utilisant la technique dite de « station totale », on était en train d'établir le relevé exact de tous les objets signalés par un fanion — épaves, effets personnels et restes humains — qui seraient ensuite reportés sur des tableaux virtuels dont on tirerait autant de copies que nécessaire. Cette méthode a l'avantage de n'employer qu'un nombre restreint de techniciens et d'être beaucoup plus rapide que l'ancienne, laquelle consistait à faire les relevés à l'aide d'un cordeau.

L'enlèvement des restes avait déjà commencé. Le soleil déclinait et dessinait un délicat entrelacs d'ombres et de lumières sur le carnage. En dehors des lampes de chantier et de l'odeur plus forte de putréfaction, peu de choses avaient changé en mon absence.

J'ai passé les trois heures suivantes à étiqueter, à photographier et à mettre en sac ce qui restait des passagers du vol TransSouth Air. Cadavres entiers, membres et torses dans les grandes housses mortuaires ; fragments de corps dans celles plus petites. Au fur et à mesure, les housses étaient remontées plus haut sur la colline et entreposées sur les rayonnages des camions frigorifiques.

Il faisait chaud. Dans ma combinaison et mes gants, j'étais en nage. Entourée d'un nuage de mouches bourdonnantes, je récupérais des morceaux de viscères ou de cervelle en réprimant de mon mieux mes haut-le-cœur. Mon nez et mon esprit ont fini peu à peu par s'engourdir au point que je n'ai pas vu le ciel virer au rouge ni les lampes s'allumer.

C'est alors que je suis tombée sur une fille étendue sur le dos. Ses jambes, tordues vers l'arrière, étaient brisées à mi-hauteur des tibias. Des bêtes s'en étaient déjà repues et l'os à demi rongé de son visage jetait un éclat cramoisi dans la lumière du couchant.

Je me suis redressée pour respirer plusieurs fois. À fond et régulièrement, mains sur la taille.

Seigneur ! Ne suffisait-il de faire un plongeon d'une hauteur de dix mille mètres, fallait-il encore qu'un animal vienne dévorer ce qui restait de vous ?

Ces jeunes, qui avaient dansé, joué au tennis, fait du roller, reçu des courriels, qui avaient été le rêve de leurs parents, ne seraient bientôt plus que des photos dans des cadres sur des cercueils plombés.

Une main s'est posée sur mon épaule.

— Récréation, Tempe !

Earl Bliss me dévisageait par la fente entre masque et chapeau.

— Ça va très bien.

— Faites une coupure, c'est un ordre.

— OK.

— Une heure au minimum.

Je me suis dirigée vers le centre de commandement. À mi-chemin, je me suis arrêtée. Ce que j'allais trouver là-bas, ce serait le chaos et, moi, j'avais besoin de sérénité. De vie. D'oiseaux qui chantaient, d'écureuils qui couraient dans tous les sens. D'air pur. D'un air sans odeur de mort. J'ai fait demi-tour et suis partie vers les bois.

En bordure du champ de décombres, il y avait une trouée dans les arbres. Ce devait être par là que Larke et le vice-gouverneur étaient arrivés hier, quand l'hélicoptère les avait déposés. Jadis sentier, cours d'eau asséché ou les deux à la fois, ce chemin était à présent une percée qui zigzaguait parmi la broussaille, entre arbres et rochers. Me débarrassant de mon masque et de mes gants, je me suis enfoncée dans les taillis.

À mesure que je m'éloignais du site, le brouhaha s'estompait et les bruits de la forêt reprenaient leurs droits. Une trentaine de mètres plus loin, assise sur un tronc abattu, les pieds ramenés contre mes fesses, j'ai contemplé le ciel strié de rayures jaunes et roses. La nuit pointait à l'horizon. Bientôt, il ferait noir. Je ne pouvais rester longtemps.

J'ai laissé ma matière grise sélectionner un thème.

La fille au visage ravagé.

Non. Autre chose. Quelqu'un de vivant.

Katy. Elle commençait à voler de ses propres ailes, ce que j'avais toujours souhaité, bien sûr, mais c'est douloureux de rompre le cordon. Elle avait accompagné vingt ans de ma vie, et voilà qu'elle en sortait pour devenir une jeune femme, une Katy complètement différente mais que j'aimais beaucoup.

Où est-elle ?

Mes cellules cérébrales ont émis des signaux d'inquiétude. Mieux valait passer à un autre sujet.

Peter. Maintenant que nous étions séparés, nous nous entendions bien mieux que du temps de notre mariage. Il lui arrivait de me parler véritablement, de m'écouter. Que faire ? Demander le divorce et aller de l'avant avec ma vie ou demeurer dans le statu quo ?

Mon cerveau n'avait pas la réponse.

Andrew Ryan. Ces derniers temps, je pensais souvent à ce Canadien, enquêteur à la Sûreté du Québec. Cela faisait presque dix ans que je le connaissais, mais ce n'était que l'année dernière que j'avais commencé à sortir avec lui.

Sortir... Comme toujours, le mot m'a hérissée. On devrait inventer un terme spécifique pour les célibataires de plus de quarante ans.

Là encore, mon cerveau a tourné à vide.

Quoi qu'il en soit, Ryan et moi n'avions pas «sauté la clôture», pour peu que *sortir* sous-entende cet acte. Il était parti en mission secrète avant que nous ayons le temps d'afficher notre «liaison». Je ne l'avais pas vu depuis des mois. Parfois, comme maintenant, il me manquait horriblement.

Un bruit est monté du sous-bois. J'ai retenu mon souffle. La forêt était silencieuse. Quelques secondes plus tard, nouveau craquement. De l'autre côté cette fois. Craquement trop fort pour émaner d'un lapin ou d'un écureuil.

Soudain, ma matière grise a sonné l'alarme.

Du calme! Ce devait être Earl qui m'avait suivie. Je me suis redressée. Personne à l'horizon.

Pendant toute une minute, rien n'a bougé. Puis le rhododendron à ma droite a frémi et un grondement sourd a retenti. Je me suis retournée d'un coup. Rien. Uniquement les arbres et les buissons. Les yeux rivés sur le taillis, je me suis laissée glisser à bas du tronc, les pieds solidement ancrés en terre.

Second grognement, suivi d'une plainte aiguë.

J'ai senti l'adrénaline se propager dans les moindres vaisseaux de mon corps, tandis que mes cellules cérébrales appelaient à la rescousse leurs cousines du système limbique. Lentement, je me suis accroupie pour saisir une pierre.

Un bruit derrière moi. J'ai pivoté sur place.

Mes yeux en ont croisé d'autres, noirs et brillants.

Puis ils ont repéré des babines retroussées sur des crocs. Des crocs pâles et lisses dans la lumière du crépuscule.

Et, entre les mâchoires, la chose la plus banale qui soit : un pied!

J'avais le cerveau en ébullition. Mes yeux voyaient des crocs plantés dans un pied d'homme. Grotesque!

Connexion entre mes cellules, souvenir d'événements récents : le visage mutilé de la fille ; la phrase de l'adjoint du shérif.

Mon Dieu, un loup! Et moi qui n'étais pas armée! Que faire, le menacer?

L'animal me fixait. Maigre, sauvage.

Fuir ?

Non. Je devais récupérer le pied. C'était celui d'une victime. D'une victime qui avait une famille, des amis. Pas question de l'abandonner à un charognard !

C'est alors qu'un second loup est venu se planter derrière le premier. Fourrure autour de la gueule luisante de salive. Babines tremblotantes. Il a poussé un grognement. Je me suis relevée lentement en brandissant la pierre.

— Reculez !

Les bêtes ont marqué un arrêt. La première a laissé tomber le pied et s'est mise à humer l'air, la terre, puis l'air encore. Tête baissée, queue dressée, elle a marché sur moi et a fait brusquement un écart pour demeurer immobile, les yeux fixés sur moi. La seconde l'a rejointe. Hésitaient-elles ou avaient-elles un plan d'attaque ? J'ai esquissé un mouvement de retraite, mais un craquement m'a fait me retourner. Trois autres loups se tenaient dans mon dos. En fait, ils m'encerclaient. Se rapprochaient de plus en plus.

— Stop !

Hurlant à pleins poumons, j'ai lancé ma pierre sur l'animal le plus proche. Il l'a reçue presque dans l'œil et s'est cabré sous le choc. Poussant un jappement, il a reflué vers le sous-bois. Les autres loups se sont figés un instant et ont repris l'encerclement.

Dos calé contre l'arbre abattu, j'ai entrepris de couper une branche en la pliant dans tous les sens.

Le cercle de loups se rétrécissait. J'entendais leurs halètements, je sentais leur odeur. L'un d'eux est entré dans le cercle, agitant la queue de haut en bas. Immobile, silencieux, les yeux vrillés sur moi. Un autre l'a imité.

La branche a cédé avec un craquement. À ce bruit, l'animal a bondi en arrière et s'est immobilisé, le regard toujours fixé sur moi.

Tenant ma branche comme une batte de base-ball, je me suis jetée sur le chef de meute, en faisant des moulinets. « Tirez-vous, charognes ! »

L'animal m'a esquivée, d'un bond sur le côté, et il est revenu dans le cercle en grondant.

J'allais pousser le hurlement le plus strident jamais sorti de ma gorge, quand un projectile a atterri à côté du chef de meute, bientôt suivi d'un autre. Des cris ont retenti :

— Foutez le camp, saloperies !

L'animal a humé l'air en grognant et s'est éloigné au petit trot dans les taillis. Les autres ont marqué une hésitation, puis lui ont emboîté le pas.

Lâchant ma branche, je me suis serrée contre le tronc, les mains tremblantes.

Une silhouette en masque et combinaison courait vers moi, lançant une dernière pierre à la meute en déroute. Puis elle a levé la main et baissé son masque.

Est apparu alors un visage que je ne pouvais pas ne pas reconnaître, même si l'on n'y voyait qu'à peine.

Non, c'était impossible. Trop improbable pour être vrai.

Chapitre 4

— Pas mal, le moulinet. Encore un peu et Sammy Sosa aura du mouron à se faire.

— Ce salaud allait me sauter à la gorge !

J'en criais presque.

— Ils n'attaquent pas les vivants. Ils voulaient juste t'empêcher de leur piquer leur dîner.

— C'est eux qui te l'ont dit ?

Andrew Ryan a retiré délicatement une feuille de mes cheveux.

— Qu'est-ce que tu fous ici ? me suis-je écriée sur un ton quelque peu radouci.

— C'est comme ça que tu me remercies, Boucle d'Or ? Ou devrais-je dire Chaperon rouge, vu les circonstances ?

J'ai marmonné des mercis, tout en écartant ma frange de mon front. J'étais ravie de le voir, bien sûr, mais je préférais ne pas donner à son intervention l'étiquette de sauvetage.

— Pas mal, ta coupe !

Il a de nouveau levé la main vers mes cheveux. J'ai paré son geste. Pourquoi fallait-il toujours que je sois échevelée quand nos chemins se croisaient !

— Je récolte des cartons entiers de cervelle, je suis choisie par des loups en furie pour augmenter le nombre des victimes et tout ce que tu trouves à me dire, c'est que je devrais changer de gel coiffant ?

— Tu as une bonne raison de te trouver ici toute seule ?

— Et toi ? ai-je répliqué du tac au tac, irritée par son paternalisme.

Ses rides se sont creusées. Des rides attendrissantes, exactement là où elles devaient se trouver.

— Jean Bertrand était dans l'avion.

Le coéquipier de Ryan ! En effet, j'avais vu ce nom sur la liste des passagers. Un nom courant, je n'avais pas fait le lien.

— Il ramenait un prisonnier. (Ryan a inspiré bruyamment par le nez et exhalé de même.) À Washington, il devait prendre un vol Air Canada.

— Oh, mon Dieu ! C'est affreux.

Nous nous sommes tus, ne sachant que dire. Un son bizarre, perçant et tremblotant à la fois, a troué le silence, suivi de plusieurs jappements aigus. Les loups. Voulaient-ils disputer le match retour ?

— On ferait mieux de rentrer, a dit Ryan.

— Ça ne se discute pas.

Il a extrait de dessous sa combinaison une lampe de poche pendue à sa ceinture et l'a levée, allumée, à hauteur de l'épaule.

— Après vous.

— Attends. Passe-moi ta lampe.

Je suis allée à l'endroit où le premier loup s'était tenu, tout au début.

— Si c'est pour cueillir les champignons, le moment n'est pas des mieux choisis, a encore ironisé Ryan, en me suivant néanmoins.

À la vue de ce qui gisait à terre, il s'est interrompu.

Le pied, sectionné juste au-dessus de la cheville, avait un air particulièrement macabre dans le faisceau jaune de la lampe de poche. Les ombres dansantes faisaient ressortir la chair en bouillie et les marques et sillons laissés par les dents du carnivore.

Sortant des gants neufs de ma poche, j'en ai enfilé un pour ramasser le pied et j'ai déposé l'autre à sa place, prenant soin de mettre une pierre dessus pour qu'il ne s'envole pas.

— Je croyais qu'il ne fallait rien bouger.

— Ce sont les loups qui l'ont transporté ici. Si on le laisse, même un petit n'en fera qu'une bouchée.

— C'est toi le chef.

Tenant le pied à bout de bras, je suis sortie des bois à la suite de Ryan.

De retour au centre de commandement, je l'ai laissé près du camion du NTSB pour aller porter ma trouvaille à la morgue provisoire, où les agents chargés de la collecte des données l'ont numérotée, empaquetée et dirigée sur un camion frigorifique, non sans avoir entendu mes explications sur sa provenance et mes raisons de l'avoir emportée. Après quoi, j'ai rejoint l'équipe de récupération.

Deux heures plus tard, Earl venait me remettre une note de la part de Tyrell. *Rapport à la morgue, demain à sept heures.*

Il m'a donné l'adresse et intimé l'ordre de partir. La journée était terminée et pas de discussion !

Au camion de décontamination, j'ai pris une douche. La plus brûlante possible. En sortant, je brillais comme un sou neuf et j'étais débarrassée de l'odeur, à défaut d'être requinquée. À dire vrai, j'étais crevée, à ramasser à la petite cuillère, et c'est d'un pas lourd que j'ai descendu l'escalier du camion.

Trois mètres plus loin, sur la voie d'accès, Ryan discutait avec le shérif, adossé à une voiture de patrouille au toit en plastique transparent.

— Vous avez l'air à plat, m'a lancé Lucy Crowe.

— Ça va. C'est la première journée sur le front.

— Ça se passe bien ?

— Ça peut aller.

Comme Ryan, Lucy Crowe dépassait le mètre quatre-vingt-cinq, même si elle ne le lui cédait rien en carrure. Le Canadien était une sentinelle ; elle, une force en mouvement. À côté d'eux, je me sentais naine.

N'étant pas d'humeur à bavarder, je me suis contentée de demander au shérif comment me rendre à mon hébergement et suis partie récupérer ma voiture.

Ryan m'a hélée. J'ai ralenti pour lui permettre de me rattraper, mais je l'ai accueilli d'un regard exigeant le silence. Pas question de reparler des loups.

Je pensais à son coéquipier. Un type toujours tiré à quatre épingles, ce Jean Bertrand. La cravate assortie à la veste. L'air perpétuellement concentré, vigilant, attentif. Trop même, comme s'il se forçait, comme s'il craignait de rater un indice important ou de ne pas saisir une nuance. Je l'entendais encore, baragouinant un franglais bien à lui, riant de ses propres blagues sans se rendre compte que personne d'autre ne desserrait les dents.

Je l'avais rencontré peu de temps après mon arrivée à Montréal, à une fête de Noël organisée par la brigade criminelle de la Sûreté du Québec. Il était pompette. Il venait tout juste d'être désigné coéquipier d'Andrew Ryan, un héros pour lequel il ne cachait pas sa vénération. La réputation de Ryan n'était plus à faire, c'est vrai, il n'empêche que, vers la fin de la soirée, Bertrand avait atteint un degré d'enthousiasme embarrassant pour tout le monde, à commencer par l'objet de son culte.

— Quel âge avait-il ? ai-je demandé sans préambule, presque malgré moi.

— Trente-sept ans.

Ce Ryan, si souvent à l'unisson de mes pensées.

Nous avions atteint la route du comté, la grimpée continuait.

— Qui c'était, le type qu'il escortait ?

— Un certain Rémi Petricelli. Le Poivre, pour les intimes.

Un nom que j'avais déjà entendu. Une grosse pointure chez les Hells Angels du Québec et qu'on disait liée au crime organisé. Surveillé depuis des années tant par les Canadiens que par les Américains.

— Qu'est-ce qu'il fichait en Géorgie ?

— Depuis la mort d'un trafiquant à la petite semaine du nom de Jacques Fontana, qui a fini sa vie il y a deux mois sous forme de charbon de bois dans une Subaru Outback, le Poivre avait décidé de goûter, à Dixie, à l'hospitalité de ses frères, considérant qu'un peu trop de chemins menaient à sa porte. Pour abréger, il a été épinglé dans un bar d'Atlanta et, la semaine dernière, la Géorgie a bien voulu l'extrader. Bertrand avait pour mission de le ramener au Québec.

Nous étions arrivés au terre-plein. Un reporter, micro à la main et déjà éclairé par des projecteurs, tendait le nez pour qu'on le poudre.

— Ce qui ouvre la table à quantité de joueurs, tu t'en doutes, a poursuivi Ryan d'une voix lasse.

— Je ne comprends pas.

— Le Poivre était un gars renseigné. Pour peu qu'il se soit mis à table, pas mal de ses amis se seraient retrouvés dans le pétrin.

— Je ne pige toujours pas.

— Des gens importants voulaient peut-être sa mort.

— Au point de tuer quatre-vingt-six passagers ?

— Ce n'est pas ça qui les aurait dérangés.

— Mais il n'y avait que des jeunes dans cet avion !

— Et alors ? Je t'ai dit que ces gens étaient des enfants de chœur ?

Remarquant mon effarement, Ryan a changé de sujet.

— Tu as faim ?

— Plutôt besoin de dormir.

— Tu as besoin de manger.

— Je m'achèterai un hamburger en route, ai-je menti.

Il n'a pas insisté. J'ai démarré, trop épuisée et écœurée pour seulement lui souhaiter bonne nuit.

Comme la presse et le Bureau des transports avaient pris d'assaut tous les hôtels du coin, on m'avait retenu une chambre dans un petit *bed and breakfast* du nom de High Ridge House, la maison de la haute crête, en dehors de Bryson City. Je me suis trompée à plusieurs reprises pour arriver à destination, j'ai même dû demander mon chemin deux fois.

Perchée sur une hauteur tout au bout d'une allée étroite qui partait de la route, c'était une ferme blanche d'un étage, à la façade ornée d'éléments de bois joliment travaillé — portes, tours de fenêtre, poteaux et balustrade. Une véranda éclairée courait tout autour. Berceuses en rotin, corbeilles de fleurs en osier et fougères en pot. Très victorien.

J'ai ajouté ma voiture à la demi-douzaine déjà stationnées sur le mouchoir de poche, à gauche de la maison, et j'ai remonté un sentier dallé jalonné de chaises de jardin en fer. Un carillon a retenti quand j'ai ouvert la porte. L'endroit sentait la cire, le détergent et l'agneau qui mijote.

Du ragoût irlandais, mon plat préféré. Comme d'habitude, ça m'a rappelé ma grand-mère. Deux fois en deux jours... Qui sait ? Peut-être veillait-elle sur moi de là-haut.

Au bout d'un moment, une femme est apparue. Haute comme trois pommes à genoux, la cinquantaine non maquillée mais agrémentée d'une saucisse grise au sommet du crâne. Jupe longue en jean et sweat-shirt rouge, orné d'un gros *Louons le Seigneur!* sur la poitrine.

Je n'ai pas eu le temps d'ouvrir la bouche qu'elle me serrait déjà contre son cœur. Pliée en deux, bras ballants, j'ai freiné de mon mieux le balancement de mon sac de voyage et de mon ordinateur pour ne pas lui cogner les tibias.

Elle ne s'est dégagée — une éternité plus tard — que pour me considérer d'un regard intense, version champion de tennis à Wimbledon se concentrant avant le service.

— Docteur Brennan! s'est-elle exclamée.

— Appelez-moi Tempe.

— C'est l'œuvre du Bon Dieu que vous accomplissez pour ces malheureux enfants trépassés.

J'ai approuvé de la tête.

— Précieuse est aux yeux du Seigneur la mort de ses saints, nous dit-il dans le livre des Psaumes.

Oh, boy!

— Ruby McCready. C'est un honneur pour moi que de vous recevoir à High Ridge House. J'ai bien l'intention d'être aux petits soins pour vous tous en général et pour chacun en particulier.

D'autres que moi étaient donc hébergés ici, me suis-je étonnée intérieurement. Mais je n'ai rien dit. Je le découvrirais bien assez tôt.

— Merci, Ruby.

— Donnez-moi vos affaires, je vais vous conduire à votre chambre.

À sa suite, j'ai traversé une salle à manger, grimpé un escalier en bois à rampe sculptée et longé un couloir avec des portes des deux côtés, arborant chacune une petite plaque décorée à la main. Tout au bout, après un angle droit, nous nous sommes arrêtées devant une porte. La plaque indiquait *Magnolia*.

— Comme vous êtes la seule dame, je vous ai mise à Magnolia. (Bien que nous fûmes seules, c'est sur un ton de conspirateur qu'elle a ajouté:) La seule qui possède un water-closet. J'imagine que vous appréciez l'intimité.

Water-closet? Qui donc au monde employait encore ce terme?

50

Entrée derrière moi, Ruby a déposé mon sac sur le lit, puis elle a tapé les oreillers pour leur redonner du volume et a baissé les stores. Un vrai petit groom du Ritz.

Tissu et papier peint expliquaient le nom de la chambre. Rideaux à la fenêtre, table juponnée, lit et berceuse noyés sous les coussins. Il y avait des ruchés à tous les endroits possibles et imaginables et un million de figurines faisaient la causette dans un meuble vitrine. Sur le dessus s'ébattait un trio de statuettes en porcelaine : Annie la petite orpheline avec son chien Sandy, Shirley Temple déguisée en Heidi et un colley qui devait être Lassie, chien fidèle.

En ameublement, mes goûts tendent à la simplicité. Si je ne suis pas particulièrement attirée par le côté dépouillé du moderne, je me contente sans problème du style bois brut. Mais que l'on m'entoure de babioles inutiles, et j'ai le poil qui se hérisse.

— C'est joli, ai-je néanmoins commenté.

— Eh bien, je vais vous laisser. Vous avez raté le dîner, qui est à six heures, mais je vous ai gardé du ragoût au chaud. Vous en voulez une assiette ?

— Non, merci. Je vais me coucher tout de suite.

— Avez-vous seulement dîné ?

— À vrai dire, je n'ai pas très f…

— Regardez-vous, vous êtes aussi maigre qu'une soupe pour les sans-abri ! Vous ne pouvez pas rester sans rien dans l'estomac.

Qu'est-ce qu'ils avaient tous à s'inquiéter de mon régime ?

— Je vais vous monter un plateau…

— Merci, Ruby.

— Inutile de me remercier. Une dernière chose : la maison n'a pas de clef. Vous pouvez aller et venir, comme bon vous semble.

Mes affaires déballées, je me suis plongée dans un long bain chaud. Les gens qui œuvrent sur les lieux de telles catastrophes sont comme les femmes violées : ils éprouvent le besoin de se laver sans cesse, comme s'ils devaient se décrasser le corps et l'esprit.

Au sortir de la salle de bains, une assiette de ragoût, une tranche de pain noir et une tasse de lait m'attendaient.

J'étais en train de piquer ma fourchette dans un navet quand mon cellulaire a sonné. Pourvu que ce soit Katy ! Terrifiée à l'idée que le répondeur s'enclenche, j'ai secoué mon sac sur le lit. Dans le fouillis de laque, passeport, portefeuille, agenda, lunettes de soleil, clefs et maquillage, j'ai réussi à mettre la main sur l'appareil.

En entendant sa voix, mon soulagement était tel que j'ai dû me forcer pour ne pas fondre en larmes de joie.

Katy avait l'air contente et se disait en pleine forme. Elle était avec quelqu'un et rentrerait à Charlotte dimanche soir. Je n'ai pas cherché à connaître le sexe de ce quelqu'un, et elle n'a pas jugé bon de me l'apprendre. Je lui ai donné mon téléphone à High Ridge House.

Dissipées mes angoisses ! J'en étais presque étourdie. Et j'avais subitement une faim de loup. Je n'ai fait qu'une bouchée du dîner.

Ayant réglé la sonnerie du réveil, je me suis écroulée sur le lit. Finalement, la vie au royaume du chintz ne serait peut-être pas si terrible !

Le lendemain, lever à six heures. Pantalon propre, brossage des dents, blush sur les joues et cheveux relevés sous une casquette à la gloire des Hornets de Charlotte. Pas trop mal. Direction : le rez-de-chaussée. Ah ! demander à Ruby ce qu'il en est pour le blanchissage.

Quand je suis entrée dans la salle à manger, Andrew Ryan trônait déjà sur le banc de la longue table en pin. Prenant une chaise en face de lui, j'ai rendu à Ruby son joyeux bonjour et attendu qu'elle ait versé le café et que la porte de la cuisine cesse de battre pour lancer à Ryan :

— Qu'est-ce que tu fiches ici ?

— On ne peut pas dire que tes salutations soient très variées !

Je suis restée de marbre.

— C'est le shérif qui m'a conseillé l'endroit.

— Ben voyons ! Parmi tous ceux qui existent…

— C'est mignon et ça déborde d'amour.

Sa tasse à la main, il a désigné une plaque de pin vernissé. *Jésus est amour*, y était-il gravé à la pointe de feu.

— Comment as-tu su que j'étais ici ?

— Le cynisme est particulièrement déconseillé pour les rides.

— Mon œil. Qui te l'a dit ?

— Lucy Crowe.

— Tu ne pouvais pas choisir le Comfort Inn ?

— Complet.

— Qui d'autre est descendu ici ?

— Il y a deux types du Bureau des transports en haut, ainsi qu'un agent du FBI. Ils ont quelque chose de spécial ?

J'ai ignoré sa question.

— Je bous d'impatience à l'idée de faire ami-ami avec eux dans la queue pour la salle de bains. Il y en a encore deux autres au rez-de-chaussée et, paraît-il, une flopée de journalistes au sous-sol.

— Dans ce cas, comment t'es-tu débrouillé pour avoir une chambre ?

Ses yeux bleus de Viking se sont emplis d'innocence.

— Ce devait être mon jour de chance. Ou alors c'est que Lucy Crowe a le bras long.

— Ne compte pas sur moi pour te prêter ma salle de bains.

— Quand je parlais de cynisme !

Ruby est revenue avec du jambon, des œufs, des pommes de terre sautées et du pain grillé. Moi qui ne prends d'habitude que du café et des céréales, je me suis jetée sur la nourriture comme une recrue au lendemain de son premier jour à l'armée.

Tout en mangeant, j'ai tenté de réfléchir à mon énervement. Pourquoi Ryan m'agaçait-il ? Était-ce son côté sûr de lui, sa façon de me surveiller, le fait qu'il débarque comme en terrain conquis dans un domaine qui était le mien ? Était-ce parce que l'année dernière il avait subitement disparu de ma vie, choisissant de faire passer son travail avant moi ? Ou bien parce qu'il avait eu le talent de réapparaître hier, juste au moment où j'avais besoin de lui ?

Je tendais le bras vers un toast quand j'ai brusquement réalisé qu'il ne m'avait pas dit un mot sur sa mission secrète. Eh bien, qu'il ne compte pas sur moi pour lui demander de me la raconter !

— La confiture, s'il te plaît.

Il s'est exécuté.

Quand même… Sans lui, hier, j'étais plutôt mal prise.

J'ai étalé une couche de confiture de mûres, épaisse comme de la lave.

Cela dit, ce n'était pas sa faute si j'étais tombée sur des loups. Et il n'y était pour rien non plus si l'avion s'était écrasé.

Ruby est revenue avec du café.

Le pauvre, il venait tout juste de perdre son coéquipier !

La compassion a eu raison de mon irritation.

— Je te remercie pour les loups.

— Ce n'était pas des loups.

— Quoi !

Retour de l'agacement, aussi précis qu'un boomerang.

— J'ai dit : ce n'était pas des loups.

— Ben tiens ! C'était des cockers.

— Il n'y a pas de loups en Caroline du Nord.

— Ce n'est pas ce que m'a dit un adjoint du shérif.

— Il ne saurait pas distinguer un kangourou d'un élan.

— On a réintroduit des loups en Caroline du Nord, ai-je insisté, certaine d'avoir lu ça quelque part.

— Des loups rouges, et dans une réserve à l'est. Pas dans les montagnes.

— Je ne te savais pas à ce point expert dans la faune de mon pays.

— Comment est-ce qu'ils tenaient leur queue ?

— Pardon ?

— Leur queue, ils la tenaient en l'air ou en bas ?

— En bas, ai-je répondu après un moment de réflexion.

— Un loup tient sa queue à l'horizontale. Un coyote la tient en bas et la lève quand il menace.

J'ai revu l'animal humant l'air, puis levant sa queue en me regardant fixement.

— Tu veux dire que c'était des coyotes ?

— Ou bien des chiens sauvages.

— Il y a des coyotes dans les Appalaches ?

— Il y en a dans toute l'Amérique du Nord.

— Et alors ? ai-je jeté d'un ton sec, tout en me promettant de vérifier l'information.

— Alors rien. Je me disais seulement que ce détail pouvait t'intéresser.

— En tout cas, ils étaient terrifiants.

— Ça, c'est sûr. Mais tu as vu pire.

Exact. Aussi terrifiants soient-ils, ces coyotes n'étaient pas ce que j'avais connu de pire dans la vie. Et les jours suivants se sont chargés d'accroître mes connaissances. Pas un instant de la journée sans être plongée jusqu'aux coudes dans de la chair écrabouillée, que ce soit pour séparer des restes enchevêtrés ou pour rabouter les morceaux d'un même corps. Comme tous les gens de mon équipe, pathologistes, dentistes et anthropologues, je devais examiner des multitudes de résidus, déterminer des âges, des sexes, des races et des tailles, faire des analyses aux rayons X, comparer des données *ante* et *post mortem*, relever et comptabiliser les blessures, voir ce qu'elles avaient de typique. Tâche horrible et rendue plus horrible encore par la jeunesse de la plupart des victimes, dont un infime morceau se retrouvait sous mon scalpel.

Pour certains, le stress était insupportable, et ils pliaient bagages. D'autres refusaient de lâcher. Jusqu'à ce que les tremblements, les larmes ou les cauchemars finissent par avoir raison d'eux. Ceux-là nécessiteraient longtemps un suivi psychologique. Le gros des troupes « faisait avec », s'efforçait de s'adapter, et l'impensable devenait l'ordinaire. Mentalement détachés, les gens accomplissaient ce qu'on attendait d'eux.

Quant à moi, je puisais du réconfort à évaluer les progrès réalisés au cours de la journée. Le soir dans mon lit, hébétée de fatigue, je pensais aux familles des victimes et je me persuadais que le système fonctionnait. Oui, ces malheureux parviendraient à tourner la page et, d'une certaine façon, ce serait grâce à nous.

C'est alors qu'on m'a apporté le lot 387.

Chapitre 5

Le pied ! Il m'était complètement sorti de la tête jusqu'à ce qu'un agent technique le dépose sur ma table.

Je n'avais guère vu Ryan depuis ce premier petit déjeuner à High Ridge House. Le matin, je partais avant sept heures pour ne rentrer qu'à la nuit tombée et, alors, je n'avais que la force de prendre une douche et de m'écrouler sur mon lit. Nous n'échangions que des bonjour ! et des salut !, sans prendre le temps de parler de sa mission au Québec ou de celle qui l'amenait maintenant à enquêter sur le crash. Tout ce que je savais, c'est qu'un représentant de la loi québécois se trouvait parmi les passagers et que le gouvernement américain avait accédé à la demande des Canadiens d'autoriser la mission de Ryan.

Reléguant les thèmes Ryan et coyotes dans un coin de ma tête, j'ai sorti le pied du sachet. Au cours des derniers jours, j'avais analysé tant de fragments mutilés que ce pied-là ne m'a même pas paru horrible. En fait, parmi les victimes, le nombre de traumatismes à la cheville et au bas de la jambe était si élevé qu'à la réunion de ce matin, pathologistes et anthropologues étaient tombés d'accord pour considérer cela comme un élément significatif.

Au premier coup d'œil, un pied n'a guère de renseignements à offrir. Celui-ci avait des ongles épais et jaunes, un oignon bien distinct et le pouce dévié sur le côté, toutes caractéristiques indiquant la vieillesse. Sa taille donnait à penser qu'il s'agissait d'un individu de sexe féminin. La couleur pain grillé de la peau ne signifiait rien, puisque même un court laps de temps passé à l'air ou sous l'eau suffit à assombrir ou à éclaircir les chairs.

J'ai placé les radios du dossier 387 sur une réglette éclairante. Elles ne révélaient la présence d'aucun corps étranger, contrairement à la plupart de celles qui m'étaient passées entre les mains. J'ai noté le fait dans le rapport.

La partie corticale de l'os était mince et plusieurs articulations présentaient des anomalies au niveau des phalanges.

OK, c'était une vieille dame. Arthrite et absence de tissu osseux confirmaient ce que suggérait déjà l'oignon.

C'est alors que j'ai eu ma première surprise : de minuscules flocons blancs en suspension parmi les os des orteils, et des lésions au niveau des phalanges, entre le premier et le second métatarse. Impossible de ne pas reconnaître le symptôme. La goutte !

Conséquence d'un mauvais métabolisme de l'acide urique, elle se manifeste par un dépôt de cristaux d'urate, notamment dans les mains et les pieds. Des nodules se forment au niveau des articulations et, dans les cas chroniques, l'os à la base est usé. Ce n'est pas mortel, mais les gens qui en souffrent passent par des périodes de gonflement très douloureuses. La goutte est un mal relativement courant, qui se produit chez les hommes dans quatre-vingt-dix pour cent des cas.

Comment donc expliquer qu'une femme en soit atteinte ?

Retour à la table de dissection. Scalpel en main, j'ai eu ma seconde surprise.

Il est vrai que la conservation en milieu réfrigéré peut occasionner un dessèchement et un rapetissement, mais quand même ! Ce pied avait des caractéristiques tout à fait différentes des autres restes que j'avais analysés. Même ceux qui étaient calcinés présentaient des chairs rouges et fermes en profondeur, alors que ce pied-là avait une chair visqueuse et décolorée. Comme si, pour une raison X, la décomposition s'était accélérée. J'ai noté cette observation dans le rapport, en me promettant d'interroger des collègues.

Jouant du scalpel au niveau du muscle et du tendon arrière, j'ai réussi non sans mal à placer mes étriers tout contre le plus grand os du talon pour le mesurer. Longueur et largeur du calcanéum, puis longueur du métatarse. J'ai recopié les données du rapport dans mon cahier à spirale.

M'étant lavé les mains, j'ai emporté mon bloc-notes dans la salle du personnel. Là, après avoir enregistré mes données dans mon ordinateur portable, j'ai utilisé le logiciel Fordisc 2.0 pour obtenir une analyse sur la base des paramètres discriminatoires.

Le pied entrait dans les catégories sexe masculin et race noire. Toutefois, il était précisé que ces résultats n'étaient pas probants, en raison de certaines caractéristiques typiques et d'autres probabilités calculées ultérieurement. Laissant de côté le paramètre racial, j'ai effectué une comparaison homme/femme. De nouveau, l'ordinateur a placé le pied dans la colonne sexe masculin.

Bon. Pourquoi les hommes de petite taille, tels les jockeys, n'auraient-ils pas la goutte ? Peut-être que ce type était petit. Une taille atypique peut expliquer un haut degré d'incertitude dans la détermination de la race.

Que disait donc le dossier de ce lot ? En chemin vers la salle d'autopsie où je l'avais laissé, j'ai marqué un arrêt devant la section d'identification. Une douzaine d'ordinateurs avaient été branchés et des fils serpentaient sur tout le plancher. À chaque terminal, un technicien s'activait à entrer les données fournies par le centre d'assistance aux familles et par les divers spécialistes en empreintes digitales, radiologie, anthropologie, pathologie ou odontologie.

À ses lunettes en demi-lune piquées sur le bout de son nez et à sa façon de se mordiller la lèvre inférieure, j'ai reconnu Primrose Hobbs, une ancienne infirmière du Presbyterian Hospital de Charlotte qui, après plus de trente ans passés à surveiller les défibrillateurs aux urgences, avait tout abandonné pour s'occuper d'archivage. Cela dit, elle n'avait pas définitivement rompu avec les accidents traumatiques et, lorsque j'étais entrée au DMORT de la région 4, elle était même un des vétérans de l'équipe. À soixante ans sonnés, Primrose était une femme patiente, efficace, inébranlable. Que rien ne choquait jamais.

— On pourrait regarder un truc ensemble ? lui ai-je demandé en tirant une chaise à côté d'elle.

— Une seconde, bébé, je termine.

Elle s'est remise à son clavier, le visage illuminé par la lueur émanant de l'écran.

— C'est quoi, votre problème ? m'a-t-elle demandé en refermant son dossier

— Un pied gauche. Appartenant sans aucun doute à une personne âgée. Un homme probablement. Et probablement noir.

— Voyons voir à qui il manque un peton.

VIP, le logiciel qu'utilise le DMORT, peut stocker et comparer toutes les données *ante* et *post mortem*, ce qui permet de suivre pas à pas l'avancement des travaux d'identification. Pour chaque victime, il propose plus de sept cent cinquante marqueurs d'identification différents et il peut aussi conserver des données numériques, telles que photos et clichés radio. Une fois l'identité établie de façon définitive, un dossier est créé, qui regroupe tous les paramètres utilisés pour aboutir au résultat.

Quelques touches sur le clavier et une grille *post mortem* est apparue à l'écran. Première colonne : *N° des cas.* Primrose a déplacé la souris jusqu'à celle intitulée *Éléments non récupérés.* À ce jour, quatre corps n'avaient pas de pied gauche. À tour de rôle, elle a appelé leurs dossiers à l'écran.

Le 19 était un Blanc d'environ trente ans ; le 38, une Blanche d'une vingtaine d'années ; le 41, une Afro-Américaine de vingt-cinq ans ; et le 52, un Noir d'à peu près quarante-cinq ans, dont on n'avait récupéré que le bas du torse.

— Ça pourrait être lui.

Primrose est passée aux colonnes *Taille* et *Poids.* Selon les estimations, le monsieur en question mesurait près de un mètre quatre-vingt-dix et pesait dans les cent treize kilos.

— Impossible. Le propriétaire de mon pied est tout, sauf un sumo.

Renversée en arrière sur sa chaise, Primrose a retiré ses lunettes. Les mèches grises et bouclées échappées de son chignon en haut du crâne lui faisaient comme une auréole.

— Cet accident relève plus de l'analyse dentaire que du séquençage d'ADN, a-t-elle déclaré en laissant retomber ses lunettes au bout de leur chaînette. J'ai enregistré pas mal d'éléments corporels isolés. Jusqu'ici, les recoupements ont été rares. Ça ira mieux quand on aura davantage de données.

Vous serez peut-être quand même obligée de passer par une analyse d'ADN.

— Je sais. J'espérais un coup de chance.

— Vous êtes sûre que c'est un homme ?

Je lui ai expliqué le principe des analyses discriminatoires.

— Si je comprends bien, le programme prend votre inconnu et le compare aux groupes pour lesquels des mesures existent déjà.

— Exactement.

— Et ce pied est sorti dans la catégorie sexe masculin ?

— Oui.

— L'ordinateur a pu se tromper.

— C'est possible, je ne connais pas sa race.

— C'est un paramètre important ?

— Très. Certaines populations sont nettement plus petites que d'autres. Les Mbutis, par exemple.

En voyant ses sourcils se lever, j'ai précisé :

— Les Pygmées de la forêt tropicale d'Ituri.

— Chez nous, ils ne courent pas les rues, ma petite.

— Bien sûr. Mais il peut y avoir eu à bord des Asiatiques, et certains sont plus petits que les Occidentaux. Leurs pieds aussi.

— Pas comme moi, avec mon 41 fillette, s'est-elle esclaffée en tendant la jambe.

— Ce dont je suis absolument sûre, c'est l'âge de la victime. Plus de cinquante ans. Je dirais même nettement plus.

— Consultons la liste des passagers.

Ayant rechaussé ses lunettes, elle a tapé sur son clavier. Un tableau *ante mortem* est apparu, semblable à la grille précédente sauf que la plupart des cases étaient remplies. Colonne pour le prénom, le nom de famille, la date de naissance, le groupe sanguin, le sexe, la race, le poids, la taille, etc. Primrose a cliqué sur la colonne *Âge* et demandé un tri d'après ce critère.

Le vol 228 ne transportait que six passagers ayant plus de cinquante ans.

— Ils étaient bien jeunes pour que le Bon Dieu les rappelle dans sa maison.

— Ouais, ai-je soupiré en regardant l'écran.

Pendant un moment, nous n'avons plus rien dit. Primrose a déplacé le curseur. Nous nous sommes toutes deux tendues en avant.

Quatre hommes et deux femmes. Tous blancs.

— Voyons par race.

D'après le tableau *ante mortem*, il y avait soixante-huit passagers blancs, dix afro-américains, deux hispaniques et deux asiatiques. Les deux pilotes et l'équipage étaient tous blancs. Aucun Noir n'avait plus de quarante ans. Des deux Asiatiques, l'un et l'autre étudiants d'une vingtaine d'années, Masako Takaguchi était la mieux lotie : retrouvée entière, elle était déjà identifiée.

— Je vais tenter d'aborder le problème sous un autre angle. Mais vous pouvez d'ores et déjà inscrire cinquante ans comme âge approximatif. Et aussi que la victime avait la goutte.

— Comme mon ex. C'était bien la seule chose qui le rattachait à l'espèce humaine.

Elle a ri de nouveau. Un rire qui montait droit du ventre.

— Je pourrais vous demander encore un service ?

— Bien sûr, bébé.

— Jean Bertrand.

Elle a déplacé la souris à la colonne *État des recherches*.

Résultat provisoire : néant.

— Je reviendrai vous voir quand j'en saurai davantage sur ce lot, ai-je dit en rassemblant le dossier 387.

De retour à ma table d'autopsie, j'ai effectué un prélèvement d'os. Avec de la chance, on découvrirait un spécimen pouvant servir de référence — calcul biliaire, frottis vaginal, cheveux ou pellicules — et l'analyse d'ADN permettrait de déterminer à qui appartenait ce pied. À défaut de savoir son nom, on connaîtrait déjà le sexe de son propriétaire et l'on pourrait faire des rapprochements avec d'autres éléments corporels récupérés sur le site. Pour peu qu'on tombe ensuite sur une couronne dentaire ou un morceau de peau tatoué, et la victime, identifiée, pourrait être rendue à sa famille.

J'ai enfermé le pied dans son sachet et terminé de remplir le dossier, tracassée par le fait que le logiciel ait indiqué comme résultat sexe masculin. Se pouvait-il qu'il se trompe et que ce pied soit celui d'une femme, comme je l'avais pensé au début ? Oui, tout à fait possible. Ce ne serait pas la première fois qu'une erreur se produisait. Mais l'âge ? D'après l'état de ses os, l'individu était vieux, j'en étais sûre et certaine. Pourtant, aucun passager ne l'était. Celui-ci souffrait-il d'une pathologie autre que la goutte, susceptible de fausser mon estimation ?

Mais il y avait aussi l'état de conservation. Ce pied était à un stade de décomposition très avancé.

J'ai prélevé une seconde lamelle tout en haut du fragment de tibia, sur une partie intacte de l'os. L'ayant étiquetée, je l'ai rangée dans un sachet à part. Si l'on n'arrivait pas à identifier ce pied, j'essaierais d'évaluer son âge plus précisément en faisant un examen histologique au microscope à fort grossissement. Mais cela devrait attendre. La préparation des lames se faisait à Charlotte, au laboratoire de l'expert médical et, là-bas, ils avaient un retard monumental dans leur travail.

J'ai rendu lot et dossier 387 à l'agent responsable et je me suis intéressée au cas suivant. Autrement dit, ma journée a été en tous points semblable aux quatre précédentes : des heures durant, j'ai trié des corps plus ou moins complets et fouillé au plus profond l'intimité d'inconnus, sans prêter attention aux gens qui entraient et sortaient de la pièce, sans même voir par les fenêtres placées très haut, presque au ras du plafond, que le ciel devenait de plus en plus sombre.

Débouchant de derrière la pile de cercueils en pin à l'autre bout de la salle, Ryan s'est approché de ma table. Son visage avait une dureté que je ne lui connaissais pas.

— Ça marche comme tu veux ? lui ai-je demandé en baissant mon masque.

— Il faudra bien dix ans dans ce bain de sang pour tout trier !

Son regard était éteint et son visage plus pâle que le cadavre étendu entre nous. Le changement survenu en lui m'a bouleversée. Jusqu'à ce que j'en comprenne la raison : ma peine à moi était causée par des gens qui m'étaient étrangers ; la sienne, par son coéquipier, un homme avec lequel il avait travaillé presque dix ans.

J'aurais voulu lui dire des mots qui soulagent, mais je n'ai rien trouvé d'autre qu'un banal « J'ai bien de la peine pour Jean ».

Il a hoché la tête. J'ai redemandé doucement :

— Ça va ?

Sa mâchoire s'est crispée, ses muscles ont tressailli sous la peau. J'ai tendu le bras par-dessus la table pour lui prendre la main, nous sommes restés tous deux à fixer mon gant dégoulinant de sang.

— Hé, Quincy [1], épargne-moi ton déluge.

Son ironie a brisé net la tension. M'emparant d'un scalpel, j'ai répondu du tac au tac :

— J'ai cru que tu voulais me piquer mon outil !

— Il paraît que tu as fini pour aujourd'hui, *dixit* Tyrell.

— Mais…

— Il est vingt heures. Ça fait treize heures que tu es là.

J'ai regardé ma montre.

— On se retrouve au temple de l'amour, je te mettrai au parfum des derniers développements de l'enquête.

J'avais le dos et le cou cassés, les paupières brûlantes comme si on y avait versé du sable. Mains sur les hanches, j'ai effectué des rotations.

— Ou, alors, je t'aide…

Je suis revenue à la position verticale. Ryan s'amusait à monter et baisser ses sourcils sans me quitter des yeux.

— Hé, relaxe !

— Je serai endormie avant même que ma tête touche l'oreiller.

— Tu ne peux pas rester sans manger.

— Tu vas me ficher la paix avec mon régime ? Je croirais entendre ma mère.

Au même moment, j'ai aperçu Larke Tyrell me faisant des appels du bras, assortis de tapotements sur sa montre et du geste de se trancher la gorge. J'ai acquiescé, pouce levé en l'air.

J'ai enfermé les restes dans la housse mortuaire en jurant à Ryan que j'avais terminé, qu'il ne me restait plus qu'à

---

1. *Quincy*: série télévisée américaine ayant pour héros un médecin légiste (N.d.T.).

consulter le panneau pour demain. Mon dossier rempli, j'ai rapporté le lot au responsable du cas. Ayant retiré mon sarrau, je me suis lavé les mains et suis rentrée à High Ridge House.

Quarante minutes plus tard, j'étais dans la cuisine, attablée devant des sandwiches au pain de viande, à supporter les jérémiades de Ryan parce qu'il n'y avait pas de bière.

— La pauvreté guette l'ivrogne et le glouton, ai-je fini par rétorquer en martelant les mots avec la bouteille de ketchup.

— C'est de qui ?

— C'est dans le livre des Proverbes.

— Je déclarerai crime le fait de boire, ne serait-ce qu'une gorgée de bière.

Le temps s'était refroidi et Ryan portait un anorak bleu roi, parfaitement coordonné à la couleur de ses yeux. J'ai demandé :

— C'est Ruby qui t'a dit ça ?

— Shakespeare. *Henri VI.*

— Qu'est-ce que tu veux dire par là ?

— Qu'en matière d'autocratie, Ruby n'a rien à envier à ce monarque.

— Où en est l'enquête ? ai-je demandé en mordant dans mon sandwich. On a récupéré les boîtes noires ?

— Elles sont orange et tu as du ketchup sur le menton.

Bon Dieu, comment un type aussi attirant pouvait-il être aussi exaspérant !

— On a retrouvé les enregistreurs de vol ? ai-je insisté en m'essuyant le menton.

— Oui.

— Et alors ?

— On les a expédiés au labo du NTSB à Washington, mais on nous a fait écouter les voix dans le cockpit. Vingt-deux minutes abominables.

Je n'ai pas réagi.

— Interdit de bavarder à moins de dix mille pieds d'altitude. Sur ce point, l'administration fédérale de l'aviation est intraitable. Alors, en gros, pendant les huit premières minutes, les pilotes n'échangent que des phrases indispensables. Après, ils sont plus détendus. Ils parlent avec les aiguilleurs du ciel, se racontent leurs enfants, leurs bouffes, leurs parties de golf. Et soudain, un bruit se fait entendre et ils se mettent à haleter et à se hurler des ordres.

Ryan a dégluti.

— En bruit de fond, tu entends des bip, des gazouillements et ensuite des pleurs. Un type de l'équipe des enregistrements nous a identifié tous les sons. Coupure du pilote automatique. Vitesse excessive. Perte brutale d'altitude. Apparemment, ils ont réussi à stabiliser l'appareil un moment. Et toi, tu entends tout ça et tu te représentes ces types en train de se battre pour sauver leur coucou. Atroce.

Il a dégluti à nouveau.

— Après, il y a des détonations terrifiantes, tu devines que la terre se rapproche. Et puis un craquement très fort et plus rien !

Une porte a claqué dans la maison. De l'eau a coulé dans les canalisations.

— Comme dans les films animaliers où tu regardes le lion, en sachant pertinemment qu'il va bouffer la gazelle. Mais tu t'accroches, pas moyen de détacher les yeux. Et quand le lion bondit, tu te sens vraiment merdique. C'était pareil. Tu entends ces gens passer de la vie normale au cauchemar, tu sais qu'ils vont crever et que, toi, tu n'es pas foutu d'empêcher ça.

— Et l'enregistreur des données de vol ?

— Il faudra des semaines pour le décoder, pour ne pas dire des mois. Les enregistreurs fonctionnent, tant que les moteurs et le générateur sont en marche. Grâce à eux, on a des informations sur le déroulement des événements. En l'occurrence, ils nous disent qu'une coupure générale de courant s'est produite brusquement, pendant un vol apparemment normal. Ce qui donne à penser que la catastrophe a eu lieu en l'air.

— Une explosion ?

— Probablement.

— Due à une bombe ou à une défaillance mécanique ?

— Oui.

Du regard, je l'ai incité à poursuivre.

— Le carnet de maintenance de l'appareil fait état de problèmes mineurs au cours des deux dernières années. Des pièces qu'on a dû remanufacturer et une sorte d'interrupteur qu'il a fallu remplacer deux fois, mais il n'y a là rien d'anormal. L'équipe chargée de la partie maintenance n'a rien relevé qui sorte un tant soit peu des réparations de routine.

— On a du nouveau sur le type qui a donné le tuyau ?

— Il a passé ses appels à partir d'une cabine téléphonique d'Atlanta. Le FBI et CNN ont les bandes. On procède à l'analyse de la voix.

Ryan a descendu sa citronnade d'un trait et a reposé son verre avec une grimace.

— Et vous, vous en êtes où ?

— Que ça reste entre nous, Ryan. Toutes les déclarations officielles doivent émaner de Tyrell.

D'un geste de la main, il m'a signifié de poursuivre.

— Nous avons relevé de nombreuses incrustations et fractures à la cheville ou au bas de la jambe. Ce qui n'est pas typique d'un impact au sol.

J'ai hésité, me rappelant le pied atteint de goutte. Ryan a dû percevoir mon trouble, car il a demandé :

— Un problème, Boucle d'Or ?

— Je peux te dire un truc ?

— Accouche.

— Ça va te paraître fou.

— Ça me changera. Tu es tellement conventionnelle, d'habitude.

Et en avant les regards ironiques !

— Tu te rappelles le pied qu'on a arraché aux coyotes ?

Il a fait signe que oui.

— Il ne correspond à aucun passager.

— Comment ça ?

— À cause de l'âge surtout, et je suis assez sûre de mon fait. Aucun passager n'était aussi vieux. Tu crois qu'il aurait pu embarquer clandestinement ?

— Je peux me renseigner. À l'armée, je faisais souvent de l'avion-stop, mais je doute que ce soit aussi facile sur des vols commerciaux. Les employés de certaines compagnies aériennes voyagent parfois gratuitement. On appelle ça : remplir l'appareil. Mais eux, ils sont inscrits sur la liste d'embarquement.

— Tu as été dans l'armée ?

— Guerre de Crimée.

J'ai préféré ne pas relever son trait d'humour.

— Tu crois qu'un passager aurait pu refiler son billet à quelqu'un ? Le revendre ?

— À l'enregistrement, on est censé présenter une pièce d'identité avec photo.

— Et si on refile son billet à quelqu'un après s'être enregistré ?

— Je vais me renseigner.

J'ai terminé mon cornichon.

— Et s'il s'agissait d'un spécimen biologique ? Ce pied est plus dégoûtant que tous les éléments que j'ai analysés.

— Dégoûtant ? a répété Ryan en me considérant d'un air perplexe.

— La décomposition me semble arrivée à un stade nettement plus avancé.

— La décomposition ne dépend pas de l'environnement ?

— Bien sûr que si ! ai-je répondu en tartinant du ketchup sur mon dernier bout de sandwich.

— Pour autant que je sache, les spécimens biologiques sont censés être déclarés, a objecté Ryan.

En principe, bien sûr… Mais combien de fois n'en ai-je pas moi-même transporté en catimini, les prenant avec moi en cabine ? Un jour, j'en ai même transporté un dans une simple boîte Tupperware. Un fragment d'os qui présentait des marques de scie que je voulais analyser, les croyant faites par un tueur en série.

— Et si ce pied provenait d'ailleurs ? ai-je demandé.

— D'où ça ?

— D'un ancien cimetière.

— L'avion se serait crashé pile sur un cimetière ?

— Pas forcément pile dessus, ai-je rétorqué, me rappelant les craintes exprimées par Simon Midkiff à propos de ses fouilles.

Non, c'était absurde. Ryan avait toutes les raisons d'être sceptique. N'empêche, il m'énervait avec son air dubitatif.

— Un expert en canidés comme toi ne peut manquer de savoir que ces bestioles trimballent parfois leur proie sur des kilomètres, ai-je rétorqué plutôt sèchement.

— Peut-être que ce pied a pris un sale coup de son vivant. Ce qui fait qu'il paraît plus vieux...

Admettons, ce n'était pas impossible.

— Et plus décomposé.

— Peut-être.

Je suis allée porter serviettes, couverts et assiettes près de l'évier.

— Ça te dirait d'aller faire une balade du côté des coyotes demain ? Des fois qu'un malheureux boufferait des pissenlits par la racine dans le coin ?

J'ai tourné la tête vers Ryan.

— Tu dis ça pour de vrai ?

— Qu'est-ce que je ne ferais pas pour apaiser mon petit gâteau en sucre !

Mais ce n'est pas ainsi que les choses devaient se passer.

Chapitre 6

J'ai passé la matinée du lendemain à trier les chairs de quatre passagers. Le lot 432, retrouvé dans une vallée au nord du site, provenait d'une partie de carlingue calcinée : un corps auquel ne manquaient que le haut du crâne et les avant-bras, une partie de tête et un bras droit entier, avec un fragment de mâchoire inférieure incrusté dans le triceps. Le tout formait une masse compacte carbonisée.

J'ai réussi à établir que le cadavre presque complet était celui d'une Noire d'une vingtaine d'années mesurant à peu près un mètre soixante et onze. Les radios indiquaient des fractures bien ressoudées, l'une à l'humérus droit, l'autre à l'omoplate. Ayant donné à ce lot 432 le titre de *Fragments de restes humains*, j'ai transmis le corps complet et son dossier au département d'odontologie.

Peu après, le morceau de tête, celui d'un homme blanc âgé de moins de vingt ans, s'est retrouvé lui aussi à la section dentaire sous l'étiquette 432-A, tout comme le fragment de mâchoire, numéro 432-C, qui appartenait à un individu plus âgé, probablement une femme. Restait le bras. Le développement osseux me donnait à penser qu'il provenait d'un adulte ayant plus de vingt ans. En me fondant sur la taille des os les plus grands et les plus petits, j'ai réussi à calculer la taille approximative de son propriétaire, mais impossible de déterminer son sexe : d'après leur taille, ces os pouvaient aussi bien appartenir à un homme qu'à une femme. J'ai donc adressé ce bras à la section empreintes digitales, sous le numéro 432-D.

Midi et quart. Ryan devait déjà m'attendre dehors.

Par le carreau de la porte de derrière, je l'ai aperçu assis sur les marches du perron, parlant au téléphone, le coude posé sur un genou, l'autre jambe allongée devant lui. Immense, cette jambe.

« C'est pourtant bien ce qui va se passer ! » ai-je entendu en ouvrant la porte.

En anglais, et d'une voix énervée. Visiblement, il ne s'adressait pas à un collègue de travail.

M'apercevant, il s'est détourné. Ses réponses se sont faites plus laconiques.

« Fais ce que tu veux, Danielle. »

J'ai attendu qu'il coupe la communication pour m'approcher de lui.

— Désolée d'être en retard.

— *No problemo.*

Il a fourré l'appareil dans sa poche. Gestes raides, saccadés.

— Des complications sur le front domestique ?

— Poisson ou volaille pour le déjeuner ?

— Joliment esquivé, ai-je rétorqué avec un sourire. Presque aussi subtil qu'une mêlée de rugby.

— Mes ennuis domestiques ne sont pas tes oignons. Tu préfères cette formule ?

J'en suis restée bouche bée. Il a repris :

— Une petite divergence d'opinion sur le front personnel.

— Tu peux avoir des querelles d'amoureux avec l'archevêque de Cantorbéry si ça te chante, mais ne m'oblige pas à y assister.

La rage incendiait mes joues.

— Depuis quand mes amours t'intéressent-elles ?

— Tes amours ? Si tu savais comme je m'en fiche !

— Dans ce cas, pourquoi joues-tu les inquisiteurs ?

— Moi ?!

— Ça va, laisse tomber !

Il m'a tendu la main. J'ai reculé.

— C'est toi qui m'as dit de te retrouver ici, je te signale !

— On est à bout de nerfs, tous les deux.

— Peut-être, mais moi, je ne te tire pas dans les pattes.

— Eh, tu ne vas pas me faire le coup de l'intimidation !

Il a rabaissé ses lunettes de soleil devant ses yeux.

— De l'intimidation, moi ?

J'explosais.

— Poisson ou volaille ? a répété Ryan.

— Tu peux te les mettre où je pense !

Sur ce, j'ai claqué violemment la porte de la morgue. À l'intérieur, je me suis avachie contre le battant. J'avais les joues en feu. Colère, humiliation ou déception ? Allez savoir. Un bruit de moteur m'est parvenu, puis le crissement aigu de freins. Et allez donc, vingt cas de plus à traiter ! J'ai jeté un coup d'œil par le carreau. Ryan tapait des talons pour faire descendre sa jambe de pantalon et partait vers sa voiture.

Qu'est-ce qui m'avait pris de m'énerver comme ça ? Découvrir qu'il avait quelqu'un dans sa vie ? Pendant ses longs mois d'absence, pas une seule fois je n'avais envisagé cette éventualité. Je n'avais pensé qu'à m'habituer à son absence. Mais avait-il vraiment quelqu'un ? Je mourais d'envie de le savoir, bien sûr, mais plutôt crever que lui poser la question !

M'étant retournée, je me suis retrouvée nez à nez avec Larke Tyrell.

— Vous, vous avez besoin des deux R. Repos et récréation.

— Je prends justement deux heures, cet après-midi.

N'avais-je pas prévu d'aller avec Ryan fouiller les lieux où j'avais trouvé le pied. À présent, je devrais le faire seule.

— Sandwich ? a proposé Larke en désignant du menton la salle du personnel.

— Volontiers.

L'instant d'après, nous étions assis à une table de camping.

— Sandwich écrabouillé et miettes de chips ! a soupiré l'expert médical en jetant son dévolu sur un prétendu pain de mie thon-mayonnaise.

— Mon menu quotidien.

— Comment va Pierre LaManche ?

— Si on prend la grogne pour barème, il est parfaitement remis.

Atteint d'une crise cardiaque au printemps dernier, mon patron du Canada avait repris ses fonctions à l'Institut médico-légal de Montréal où il occupe un poste équivalent à celui de Tyrell. Étant tous deux membres de l'Association nationale des experts médicaux et de l'Académie américaine des sciences légales, ils se connaissaient depuis des années.

— Voilà qui fait plaisir à entendre ! s'est écrié Tyrell.

Nous nous sommes concentrés sur nos sachets de cellophane.

— Je peux vous poser une question ? ai-je demandé tout en extirpant mon sandwich.

— Bien sûr.

Il a braqué le regard sur moi. Des yeux noisette dans le rayon de soleil qui tombait de la fenêtre.

— Ne me scrutez pas comme ça, j'ai l'impression de passer un test de stress. Je vais très bien, je vous jure. C'est juste le lieutenant détective Ryan. Têtu comme une mule, celui-là.

— Message reçu. Vous dormez bien ?

— Comme Custer au lendemain de la bataille de Little Bighorn.

Je me suis retenue de faire rouler mes yeux.

— Quelle est votre question ?

— La semaine dernière, lorsque vous êtes arrivés avec le vice-gouverneur, où est-ce que l'hélicoptère vous a déposés ?

J'ai vidé mon sachet de chips dans le creux de ma main.

— À un jet de salive à l'ouest du site. Il y avait une maison avec un bout de terrain devant. D'en haut, le pilote a bien aimé l'endroit.

— Un carré d'atterrissage ?

— Non, juste une petite clairière. J'ai bien cru que Davenport allait saloper son Calvin Klein, tellement il avait la trouille. (Il a ri sous cape.) Une vrai scène de $M\text{*}A\text{*}S\text{*}H$[1] : Triggs exigeant qu'on s'en aille et le pilote répétant : « Oui, chef, oui chef », pour poser son coucou exactement là où il l'avait décidé.

Je me suis enfourné une poignée de débris de chips dans la bouche.

---

1. Film de Robert Altman (N.d.T.).

— C'est à peine si on a eu à marcher. Tout au plus quatre cents mètres.

— Il y a une maison, vous dites ?

— Un chalet, plutôt. Je n'ai pas vraiment fait attention.

— Vous avez vu un chemin ?

Il a secoué la tête.

— Pourquoi toutes ces questions ?

J'ai mentionné le pied.

— Je n'ai pas remarqué de cimetière, mais il n'y a pas de mal à aller faire un tour là-bas. Vous êtes sûre que c'était des coyotes ?

— Non.

— Soyez prudente. Emportez une radio et un jet paralysant.

— Ça chasse de jour, les coyotes ?

— Ça chasse quand l'envie les prend.

Sympa !

La Caroline du Nord a pour emblème un pin à longues aiguilles et la fleur du cornouiller. Elle vénère pareillement l'alose, le bar et la tortue de mer, et elle vante à qui veut bien l'entendre ses poneys sauvages des rives du Shakleford. Quant à son pont suspendu de Grandfather Mountain, elle n'en est pas peu fière : c'est le plus haut du pays. D'ouest en est, le vieil État du Nord déroule ses paysages depuis les hautes cimes des Appalaches du Sud jusqu'à l'océan Atlantique en traversant successivement une région de collines, des marécages, des plages et une étendue de mer, pour atteindre enfin la barrière d'îles qui jalonne ses côtes. Mount Mitchell et les Outer Banks, Blowing Rock et Cape Fear, Bald Head Island et Linville Gorge.

La géographie divise les habitants du pays en deux groupes à l'idéologie bien distincte. Les gens des hautes terres pratiquent le vélo, la glisse, le kayak, l'escalade, le ski alpin et la planche à neige, les moins hardis se cantonnant aux herbiers, à la chasse à la brocante et à la musique folklorique ; tandis que les habitants des basses terres n'auraient jamais l'idée de porter des gants fourrés ou de s'équiper de pneus à clous. Chez eux, la température est douce et la faune aimable, si l'on excepte de rares requins et alligators. Ils ne jurent que par l'air marin, le sable chaud, la pêche en mer et les grandes vagues de l'Atlantique. Toutefois, il existe un passe-temps qui unit les deux communautés : le golf.

Pour ma part, si j'apprécie les rivières bouillonnantes des montagnes, la violence des cascades et la hauteur impressionnante des arbres, je n'en demeure pas moins une amoureuse de la mer. Je préfère les zones d'habitat où une seule couche de vêtement suffit — de préférence un short ou une robe bain de soleil. Si vous voulez me faire plaisir, offrez-moi votre catalogue de maillots de bain et gardez pour vous celui du Vieux Campeur.

Tout bien considéré, me disais-je en contournant le champ d'épaves, j'aurais préféré me trouver à la plage plutôt qu'au cœur de ces montagnes. La journée était belle mais fraîche, l'odeur de décomposition s'était un peu dissipée et moins de corps jonchaient le sol. Cela dit, l'aspect général du site n'avait guère changé. On y voyait autant de gens en combinaison, bien que le sigle *FBI* orne à présent la casquette de plusieurs d'entre eux.

J'ai repéré la percée dans les bois mentionnée par Larke. C'était bien celle que j'avais empruntée l'autre fois. Sous les arbres, la température était nettement plus basse. Je m'arrêtais de temps à autre pour décoder les bruits : heurts de branches entre elles, froissement des feuilles sous mes pas, staccato d'un pivert, très haut au-dessus de ma tête.

Je portais une veste jaune canari, espérant que cette couleur aurait un effet répulsif sur les coyotes, et je m'étais munie d'un vaporisateur d'autodéfense. Les emmerdeurs n'avaient qu'à bien se tenir !

Arrivée à l'arbre abattu, j'ai mis un genou à terre pour examiner le sol. M'étant relevée, j'ai regardé autour de moi. En dehors de ma Louisville Slugger [2] de fortune, la branche cassée, rien ne rappelait mon aventure avec les coyotes.

J'ai repris mon chemin, suivant la ligne de buissons à peine moins hauts qui signalait le sentier. Par endroits, la végétation m'arrivait presque aux genoux. Le sol était assez raviné et je devais faire attention à ne pas me tordre une cheville sur une pierre en partie enterrée.

---

2. Célèbre marque de battes de base-ball en frêne, fabriquées à Louisville dans le Kentucky (N.d.T.).

Mes yeux furetaient partout, cherchant un signe de vie quelconque. Si Larke avait vu une maison, c'est que des gens habitaient là. Et l'on trouve bien souvent des tombes à proximité de fermes anciennes. Un été, alors que je fouillais tout en haut de Chimney Rock, je suis tombée sur un cimetière minuscule, non loin d'une cabane. Aucune carte n'en faisait état.

Me souvenant des innombrables crotales et mocassins d'eau qui peuplaient l'endroit, j'ai pressé le pas. Mes vêtements s'accrochaient aux épines et aux branchages. Le sous-bois était sombre et frais et des nuées d'insectes me bombardaient le visage, ombres dansantes qui avançaient en même temps que moi.

Puis, sans aucun signe avant-coureur, les arbres ont disparu, formant une petite clairière. Au moment où je suis sortie dans le soleil, un daim à queue blanche m'a regardée fixement avant de prendre la fuite.

Juste en face de moi, accotée à un pan de rocher vertical de plusieurs dizaines de mètres de haut, il y avait une maison à soubassement de pierre. Un chalet plutôt, avec de petites fenêtres et un toit en pente se prolongeant par de grands avant-toits. La véranda n'était pas ajourée, de sorte qu'on ne voyait pas l'entrée. Sur la gauche, s'élevait un drôle de mur de pierre en saillie.

J'ai agité la main. Attendu. Appelé. Réitéré mes grands gestes.

Pas de réponse. Ni cri hargneux ni aboiement. Pas davantage de bonjour sympathique.

J'ai appelé encore. Silence total.

Et si un forcené me tenait en joue ?

Duel de banjos dans ma tête.

J'ai avancé. Loin des arbres, la lumière était intense, mais mieux valait que je retire mes lunettes de soleil. Outre les marginaux qu'on trouve en tout lieu isolé, la région est connue pour abriter des adeptes de la Suprématie blanche, le genre de zigotos à vous accueillir avec un fusil à pompe.

La nature, à l'évidence, avait depuis longtemps repris ses droits. Ce qui avait été jadis une pelouse, voire un jardin, était envahi par des aulnes chétifs, des taillis, des clochettes de Caroline et de nombreux arbustes dont j'ignorais le nom.

Au-delà, poussaient des trembles à larges feuilles, des magnolias Fraser, des peupliers, des érables, des chênes, des hêtres et des pins blancs, pour ne mentionner que les espèces connues de moi. Le *kudzu* enrobait tout, en lourdes grappes vertes.

À mesure que j'avançais, je sentais la chair de poule remonter le long de mes bras et un sentiment de malaise m'envelopper comme un châle froid et humide. Une impression de menace planait sur l'endroit. Venait-elle de ces murs au bois délavé par les intempéries, de ces fenêtres aveugles, ou de l'oppressante luxuriance alentour ?

— Hou-hou ! ?

Mon cœur s'est mis à battre plus fort. Toujours aucune réponse, qu'elle vienne d'un chien ou d'un ermite.

Inutile d'examiner le chalet à la loupe pour comprendre qu'il n'avait pas été construit l'an passé ni en un jour de temps. S'il évoquait la prison Newgate à Londres pour la solidité, il était clair que George Dance n'en avait pas signé les plans, même si l'obscur architecte qui l'avait bâti partageait la méfiance de son illustre collègue à l'égard des baies vitrées. Pas un encorbellement d'où admirer la vue. Pas une seule lucarne. Pas le moindre belvédère. Ce chalet, fait de pierres et de larges bardeaux en bois brut, avait été construit pour servir, mais je n'aurais su dire si la dernière fois qu'il avait été habité remontait à la fin de l'été ou à la crise de 29.

Pas plus que je ne pouvais dire si quelqu'un, retranché à l'intérieur, observait mes faits et gestes par une fente du bois ou à travers la lunette d'un fusil.

— Il y a quelqu'un ?

Rien.

J'ai grimpé les marches du perron et frappé à la porte.

— Hou-hou !

Pas le moindre signe de présence. Les fenêtres étaient barricadées par des volets. J'ai essayé de voir entre les lattes. Un rideau épais et sombre bouchait les vitres. Pliée en deux, je me dévissais le cou à tenter de trouver un angle de vue meilleur. Quelque chose m'a frôlée. J'ai fait un bond en arrière. Une araignée.

Redescendue dans le jardin, j'ai suivi un chemin dallé fermé par une arche basse. L'ayant franchie, je me suis retrouvée dans une petite cour toute sombre, cernée de murs mesurant bien deux mètres de haut. Une sorte de lilas courait tout autour et le feuillage obscur tranchait sur les verts et les jaunes de la forêt au-delà. À part un peu de mousse, rien ne poussait sur le sol tassé et humide, comme si ce petit carré de terre hostile était inapte à produire de la vie.

Un choucas faisait des ronds dans le ciel. Il s'est posé sur une branche non loin de moi, fine silhouette noire sur fond de bleu étincelant. Il a lancé deux croassements et claqué du bec, puis il a baissé la tête vers moi.

— Tu diras à ton maître que je suis passée le voir, lui ai-je lancé avec une assurance que j'étais loin d'éprouver.

L'oiseau s'est envolé avec bruit.

Faisant demi-tour, j'ai perçu un bref éclat de lumière, comme un reflet de soleil sur du verre brisé. Je me suis figée. Y avait-il eu un mouvement à une fenêtre du haut ? J'ai laissé passer une minute entière. Rien n'a bougé. Et cette cour n'avait qu'un seul accès.

Rebroussant chemin, j'ai arpenté la propriété. À la jungle de roses trémières desséchées qui poussait au pied du chalet, succédait une étendue de broussailles et de buissons jusqu'à la forêt. Aucune tombe, intacte ou violée. Uniquement, une barre de métal. De quoi être frustrée !

De retour dans la véranda, j'ai introduit la barre entre deux volets. Sans résultat. J'ai recommencé en appuyant plus fort. La crainte d'écorner le bois freinait ma curiosité. Non, le volet ne céderait pas.

Trois heures moins le quart. Cela ne rimait à rien, c'était inutile. Idiot même, si jamais la maison était habitée. Ou bien les propriétaires étaient absents, ou bien ils voulaient qu'on le croie. J'étais fatiguée, en nage et couverte d'égratignures qui me picotaient.

Et puis, cet endroit me flanquait la frousse, comme si le mal suintait de partout. Sensation irrationnelle, je le savais, mais que je ne pouvais surmonter. J'ai laissé tomber la barre et m'en suis retournée à la morgue, la tête pleine de questions.

Qui avait bien pu construire ce mystérieux chalet au fond des bois, et pourquoi ? Qu'avait donc cet endroit pour me mettre aussi mal à l'aise ?

Il fallait que j'en aie le cœur net. J'allais poursuivre mon enquête en ville, c'était décidé.

Chapitre 7

Il était peu après neuf heures du soir quand je suis arrivée à High Ridge House. Ryan était dans la véranda, étendu sur la balancelle. Ce n'est qu'en l'entendant dire : « Apparemment, c'est une explosion », que je me suis rendu compte de sa présence.

Je me suis arrêtée, la main déjà sur la poignée de la moustiquaire.

— Je suis crevée, Ryan.

— Jackson l'annoncera officiellement demain.

Le talon posé sur la balustrade, il se balançait mollement. Il a tiré sur sa cigarette et une lueur rouge a éclairé ses traits.

— C'est sûr ?

— Aussi sûr que la Sainte Vierge est vierge.

J'ai hésité. J'avais envie d'en savoir davantage, mais je me méfiais du porteur de nouvelles.

— La journée a vraiment été merdique, Brennan. Désolé si je me suis mal conduit ce matin.

Si je n'avais guère pris le temps de creuser la question, la dispute m'avait au moins servi à prendre une décision : finies les relations bancales avec Ryan ! Dorénavant, je n'aurais plus que des rapports strictement professionnels avec lui.

— Je t'écoute.

Il a tapoté la place à côté de lui. Je me suis approchée, sans aller jusqu'à m'asseoir.

— Comment sait-on que c'est une explosion ?

— Pose-toi.

— Si c'est un revenez-y, tu peux…

— À cause de la cratérisation et des inclusions de fibres. Dans la lumière de la faible ampoule au-dessus de lui, son visage paraissait privé de vie. Il a tiré une longue bouffée avant d'expédier son mégot dans les fougères. La comète d'étincelles dans le noir m'a évoqué le plongeon du vol 228.

— Je t'explique ?

Je me suis laissée tomber sur la balancelle, non sans avoir érigé mon sac en frontière entre nous.

— C'est quoi, la cratérisation ?

— Les creux en forme de cratères qui résultent de la brutale transformation d'un solide ou d'un liquide en gaz.

— Comme dans une détonation ?

— Oui. L'explosion fait monter d'un coup la température de plusieurs milliers de degrés, et le gaz génère des ondes de choc qui produisent un effet de balayage sur les surfaces métalliques. C'est comme ça que les experts ont décrit le phénomène au briefing de ce matin. Sur les diapos, ça faisait un peu comme de la peau d'orange.

— Et ils ont repéré des cratérisations ?

— Oui, sur plusieurs fragments. Et aussi un autre signe : les relèvements de bords.

Il a donné une légère poussée à la balancelle.

— Et les inclusions de fibres ?

— Ça, c'est lorsque des fibres appartenant à certains matériaux se retrouvent à l'intérieur d'autres matériaux qui, eux, sont demeurés intacts. Ils en ont vu au microscope à fort grossissement. Et ils ont repéré des fractures dues aux effets thermiques, ainsi que des traces de fusion instantanée sur les extrémités de certaines fibres.

Nouvelle oscillation. La salade grecque que j'avais dévorée en quittant la morgue s'est rappelée à mon bon souvenir.

— Arrête de balancer !

— Certains gros plans étaient ahurissants.

J'ai remonté la fermeture éclair de ma veste et enfoncé mes mains dans mes poches. Il commençait à faire frisquet, la nuit, même si la température était encore douce pendant la journée.

— Si je comprends bien, roulements de bords et cratérisation sur des pièces métalliques, plus fusion instantanée et pénétration de fibres sont la manifestation d'une explosion. Oui… Ça colle avec nos blessures au bas des jambes.

— Tout comme le fait qu'une grande partie du fuselage ait atterri intacte.

J'ai planté un pied par terre pour stopper le balancement.

— Tous les éléments convergent sur l'explosion.

— Causée par ?

— Une bombe. Un missile. Une défaillance mécanique. L'unité chargée de la sécurité et des explosifs à la FAA va mener des analyses chromatographiques en vue de répertorier les éléments chimiques présents. Ils feront aussi des examens de radiophotographie et de diffraction X en vue d'identifier les espèces moléculaires. Et un autre truc encore. Oui… des analyses de spectrophotométrie infrarouge. Je ne sais pas très bien de quoi il retourne, mais à l'oreille ça fait sérieux. Enfin, tout ça à condition qu'ils remportent leur bras de fer avec le labo criminel du FBI.

— Un missile ? me suis-je écriée.

C'était la première fois que cette possibilité était évoquée devant moi.

— Il y a peu de chances, mais on envisage l'hypothèse. Tu te souviens du scandale, quand on a supposé qu'un missile était peut-être à l'origine du crash du vol TWA ? Pierre Salinger en pariait ses couilles que c'était la faute de la US Navy.

J'ai hoché la tête.

— Ces montagnes cachent pas mal de milices paramilitaires. Des petits Blancs ont pu se payer un nouveau joujou. Des partisans d'Eric Rudolph, par exemple.

J'ai frémi. Ce Rudolph, qui court toujours, est recherché pour plusieurs attaques contre des cliniques d'avortement, et il est soupçonné d'avoir participé à l'attentat aux JO d'Atlanta, en 1996. Des rumeurs persistantes affirment qu'il se cacherait dans la région.

— On a une idée de l'endroit d'où est partie l'explosion ?

— C'est trop tôt pour le dire. Le groupe qui enquête sur la cabine établit la carte des dégâts subis par les sièges. Cela permettra de déterminer la puissance du souffle.

Ryan avait recommencé à pousser la balancelle du bout des pieds. Tout en bloquant le mouvement, j'ai répondu :

— Nous aussi, on fait une carte des blessures et des fractures. (En effet, plusieurs anthropologues et pathologistes de mon département travaillaient à un relevé des traumatismes selon les places occupées par les victimes en vue de constituer un diagramme général.) Pour le moment, il semble que les dégâts les plus importants se soient produits à l'arrière. L'équipe des radars a du nouveau ?

— Chez eux, rien d'anormal. Après le décollage, l'appareil a mis le cap sur Athens, au nord-est. C'est la tour de contrôle d'Atlanta qui supervise le trafic jusqu'à Winston–Salem. À partir de là, Washington prend la relève. Mais l'avion n'a pas quitté la zone d'Atlanta. Les enregistrements prouvent que les pilotes ont adressé un appel d'urgence, vingt minutes et trente secondes après le décollage. À peu près quatre-vingt-dix secondes plus tard, l'avion s'est brisé, probablement en trois morceaux, et il a disparu des écrans radars.

Au loin, en contrebas, des phares ont troué la nuit. Nous avons suivi des yeux leur progression jusqu'à ce qu'ils bifurquent dans l'allée menant à la maison et disparaissent à gauche. Quelques instants plus tard, une silhouette s'est matérialisée sur le chemin du stationnement.

— Dure journée ? a lancé Ryan quand elle est arrivée à notre hauteur.

— Qui parle ?

L'homme n'était qu'un contour sur le noir du ciel.

— Andy Ryan.

— Ah, *bonsoir*[1], monsieur. J'avais oublié que vous étiez logé ici, vous aussi.

Une voix chargée de pas mal d'années de whisky et une stature massive surmontée d'un casque de chantier, voilà bien tout ce que j'aurais pu dire du nouveau venu.

— Le gel de douche violet est à moi.

— Je lui ai manifesté tout mon respect, détective Ryan.

— Je vous aurais bien payé une bière, mais le bar vient de fermer.

---

1. En français dans le texte (N.d.T).

L'homme a grimpé les marches. Ayant posé son sac de sport par terre, il a rapproché une chaise de la balancelle. La faible lumière révélait un nez charnu et des joues sillonnées de couperose.

— Byron McMahon, agent spécial du FBI, s'est-il présenté en retirant son couvre-chef. (Inclinaison du buste à mon adresse, puis:) Ce coup-ci, c'est ma tournée!

Il a sorti de son sac un pack de Coors, me donnant tout loisir d'admirer une épaisse toison blanche dressée sur le haut du crâne et retombant sur le côté comme une crête de coq.

— Boisson du diable! s'est exclamé Ryan, et il a dégagé une cannette des attaches en plastique.

— Bénie soit-elle! a renchéri McMahon en faisant rouler une cannette jusqu'à moi.

Cette bière, j'en rêvais plus qu'à n'importe quoi, en cette minute. Je sentais déjà l'alcool se répandre dans mes veines, sa chaleur m'inonder à mesure que ses molécules se mélangeraient aux miennes et j'éprouvais le soulagement, la sensation de bien-être qui en découle.

Mais je savais aussi certaines choses sur moi-même, des choses qu'il m'avait fallu des années pour comprendre. Notamment que mes doubles hélices étaient esclaves de Bacchus. Toutes, sans exception. Que l'euphorie tant espérée ne serait que temporaire, alors que colère et dégoût de moi-même subsisteraient longtemps. Boire était une chose que je ne pouvais plus me permettre, hélas.

— Non, merci.

— Il y en a encore plein, là-dedans.

— C'est bien ça le problème.

Avec un sourire, McMahon a dégagé une cannette et laissé retomber le pack dans son sac.

— Que pense le FBI de l'affaire? s'est enquis Ryan.

— Qu'un salopard a fait exploser l'avion.

— Le Bureau a des chouchous?

— Vos potes motards sont sur le carnet de bal de pas mal de nos gens. Ce Petricelli était un voyou, avec du mou de veau à la place de la cervelle. Mais il avait des relations.

— Et alors?

— Le coup pourrait avoir été commandité.

Des ombres valsaient sur la balustrade et le plancher, silhouettes déformées des fleurs dans les corbeilles qui se balançaient sous la brise.

— Scénario n° 2 : la Martha Simington assise à la 1-A. Il n'y a pas trois mois, le sieur Haskell Simington a souscrit une assurance sur la vie de son épouse. Le montant de la prime : deux millions de dollars.

— Ça fait un paquet.

— De quoi l'aider à surmonter son chagrin ! Et je ne vous ai pas dit le meilleur : ils sont séparés depuis quatre ans.

— Il serait du genre à rayer des vivants quatre-vingt-huit personnes ? a demandé Ryan, avant de vider sa Coors et de l'expédier dans le sac de McMahon d'un lancer parfaitement ajusté.

— On essaie de se faire une idée sur l'individu, a répliqué celui-ci en reproduisant la performance de Ryan. Mais il y a un scénario n° 3 : le gardien de but de la 12-F, Anurudha Mahendran. Un Sri Lankais de dix-neuf ans.

McMahon a libéré deux autres bières et en a passé une à Ryan.

— Dans son pays, il a un oncle qui travaille pour la radio La Voix des Tigres.

— Comme Les Tigres tamouls ?

— Tout juste, madame. Une grande gueule, que son gouvernement verrait volontiers frappé de maladie mortelle.

— Vous ne soupçonnez quand même pas le gouvernement du Sri Lanka ? me suis-je exclamée, ahurie.

— Non. Mais il y a des extrémistes dans tous les camps.

— Pour persuader tonton on s'attaque au neveu, histoire de faire passer le message, a renchéri Ryan en faisant sauter la capsule de la cannette.

— Une possibilité qui ne mènera probablement nulle part, mais on ne peut pas l'ignorer. Pas plus qu'on ne peut faire l'impasse sur les spécialités régionales.

— Les spécialités régionales ? ai-je répété.

— Les révérends Isaiah Claiborne et Luke Bowman, des prédicateurs du coin. Le premier jure ses grands dieux que c'est l'autre qui a abattu l'avion. Le bruit court qu'ils manipulent tous les deux les serpents. Des rivaux, en somme.

— Ils manipulent les serpents ? a demandé Ryan, mais je l'ai interrompu :

— Et ce Claiborne a vu des choses ?

— Il soutient qu'une traînée blanche est partie de derrière chez Bowman, juste avant l'explosion.

— Le FBI prend l'info au sérieux ?

McMahon a levé les épaules.

— L'heure indiquée correspond. Et aussi le point de lancement par rapport à la trajectoire de l'avion.

— Qu'est-ce que c'est que ce truc de serpents ? a insisté Ryan, mais je l'ai coupé pour la seconde fois, n'ayant aucune envie d'entendre d'autres horreurs sur la ferveur spirituelle des habitants de nos montagnes.

— Rien de nouveau sur le tuyau fourni à la presse ?

— Les appels ont été passés par un homme de race blanche, a précisé McMahon. Sans accent particulier.

— Ce qui réduit le champ d'investigation à combien de millions de gens ?

Il a plissé les paupières. À croire qu'il prenait ma question au sérieux.

— Un bon nombre, a-t-il laissé tomber.

Sur ce, il a éclusé sa cannette et l'a broyée avant de l'ajouter à sa collection. Nous ayant souhaité le bonsoir, il s'est dirigé vers la porte. Le carillon a tinté. Quelques instants plus tard, une fenêtre s'éclairait à l'étage.

Le silence était total, en dehors des petits craquements provenant des bacs à fleurs en osier. Ryan a allumé une cigarette.

— Tu es allée en repérage chez les coyotes ?

— Oui.

— Et alors ?

— Ni coyote ni sépulture violée.

— Tu as découvert quelque chose d'intéressant ?

— Une maison.

— Habitée ?

— Par Hansel, Gretel et la méchante sorcière. (Je me suis levée.) Comment veux-tu que je le sache ?

— Il n'y avait personne ?

— S'il y avait quelqu'un, il ne s'est pas précipité pour m'offrir une tasse de thé.

— L'endroit est abandonné ?

J'ai pris un moment pour considérer la question. Le temps de récupérer mon sac et d'en passer la bandoulière sur mon épaule.

— Ce qui est sûr, c'est qu'il y a eu un jardin autrefois, mais plus personne ne s'en occupe. Quant au chalet, il est si solide qu'on ne peut dire s'il est entretenu ou s'il a encore de longues années à tenir avant de s'écrouler.

Ryan n'a pas réagi.

— Cela dit, il y a un truc bizarre. À l'avant, ce n'est rien d'autre qu'un chalet de bois comme tous les autres, mais, derrière, il y a un drôle d'enclos avec de hauts murs de pierre.

Le visage de Ryan est sorti un instant de l'ombre, illuminé par une lueur abricot.

— Parle-moi un peu de ces dresseurs de serpents. Vous avez des dresseurs de serpents, en Caroline du Nord ?

Je m'apprêtais à répondre quand le carillon a de nouveau tinté. Je me suis retournée, croyant voir ressortir McMahon. Il n'y avait personne. J'ai dit : « Une autre fois » et me suis dirigée vers l'écran moustiquaire. La porte de la maison était restée ouverte. Je l'ai refermée de l'intérieur en poussant des deux mains, et j'ai tiré sur la poignée pour vérifier que le pêne était bien enclenché. Avec un peu de chance, Ryan ferait de même. J'ai monté l'escalier d'un pas lourd, direction Magnolia. Une douche et au lit, voilà ce que j'allais faire.

Je n'étais pas dans ma chambre depuis une minute qu'un toc-toc a retenti.

Croyant que c'était Ryan, j'ai pris une mine sévère. C'était Ruby. Malgré sa tenue, robe de chambre en flanelle grise, chaussettes roses et chaussons marron en forme de patte d'animal, elle se tenait dans une attitude solennelle, les mains serrées contre sa poitrine, doigts croisés. Je lui ai souri.

— J'allais me mettre au lit.

L'air grave, les traits tirés, elle me dévisageait.

— Et j'ai dîné !

Elle a levé une main, comme si elle voulait saisir quelque chose. Une main qui tremblait légèrement.

— Qu'y a-t-il, Ruby?

— Le diable prend bien des apparences…

— Oh, je vous fais confiance pour savoir lui tenir tête, ai-je répondu gentiment même si je voyais déjà s'envoler mes rêves de douche et de dodo bien mérités.

J'ai voulu lui caresser l'épaule, mais elle a fait un pas en arrière et a joint les mains de nouveau.

— Ils volent à la face du Divin en compagnie de Lucifer, ils profèrent des blasphèmes…

— Qui ça?

— Ils se sont emparés de la clef de l'Hadès. Comme il est dit dans le livre des Révélations.

— Ruby, je vous en prie, parlez-moi dans une langue que je comprenne.

Elle avait un regard exalté, le coin des yeux rose et humide.

— Vous n'êtes pas de chez nous, vous ne pouvez pas savoir.

— Savoir quoi? ai-je jeté d'une voix où perçait l'irritation.

— Le mal règne par ici.

De quoi voulait-elle parler? Du fait qu'on ait bu de la bière?

— Le détective Ryan…

Elle m'a interrompue:

— Les hommes mauvais se gaussent du Tout-Puissant.

Cela ne rimait à rien. Saisissant la poignée de la porte, j'ai déclaré fermement:

— Nous en reparlerons demain.

Sa main s'est abattue sur mon bras. Crissement des paumes calleuses sur le nylon de ma veste.

— Le Seigneur Dieu a envoyé un signe.

Elle s'est encore rapprochée de moi.

— La mort!

Délicatement, j'ai décrispé ses doigts osseux et les ai serrés entre les miens, tout en reculant dans ma chambre sans la quitter des yeux. Frêle silhouette immobile sous une torsade de cheveux gris. Comme un serpent lové sur sa tête.

Chapitre 8

Le lendemain était un jour férié, la fête de Christophe Colomb, je crois bien. Dès le milieu de la matinée, ma vie s'est transformée en cauchemar.

Tout d'abord, le brouillard était tel qu'on ne devinait même plus les montagnes. Ensuite, à dix heures et demie, pendant la pause café, je suis tombée sur Larke Tyrell dans la salle de repos. Il a attendu que je remplisse ma tasse de goudron industriel et y ajoute de la poudre blanche pour s'approcher de moi.

— J'ai quelque chose à vous dire.

— Bien sûr.

— Pas ici.

Son regard lourd et insistant m'a presque inquiétée.

— De quoi s'agit-il, Larke ?

— Venez.

Me prenant par le bras, il m'a propulsée jusque dans la cour.

— Je ne sais pas très bien comment vous dire cela, Tempe.

Des auréoles iridescentes se succédaient à la surface de son café qu'il touillait sans relâche.

— Eh bien, dites-le, tout simplement !

J'avais parlé d'une voix égale, mais en baissant le ton.

— Il y a eu une plainte.

J'ai gardé le silence.

— Je suis très gêné d'avoir à vous en parler.

Les yeux rivés sur sa tasse. Enfin, il les a relevés.

— Contre vous, la plainte.

— Contre moi ?

J'étais ahurie. Il a opiné de la tête.

— J'ai fait quelque chose de mal ?

— Il est fait état d'un comportement à ce point dénué de professionnalisme que l'enquête tout entière pourrait en souffrir.

— C'est-à-dire ?

— Pénétration sur le site sans autorisation et altération d'indices.

Je l'ai regardé, incrédule.

— Et aussi, entrée par effraction dans une propriété.

— Quoi ? !

J'ai senti une main glacée se refermer sur mes entrailles.

— Vous êtes allée fouiner du côté de cette maison dont nous avons parlé ?

— Je n'y suis pas entrée. Je voulais simplement rencontrer les propriétaires.

— Vous avez tenté de forcer la porte ?

— Évidemment pas !

Un flash : la barre rouillée dont je m'étais servie comme levier.

— Quant à la pénétration sur le site du crash, l'autorisation m'a été donnée la semaine dernière.

— Par qui ?

— Earl Bliss. C'est lui qui m'a dit d'y aller. Vous le savez très bien.

— C'est justement là qu'il y a un problème, Tempe, a fait Larke en se passant la main sur le menton. Car à ce moment-là, le DMORT n'avait pas encore été contacté par les autorités locales.

J'étais atterrée.

— En quoi ai-je altéré des indices ?

— Croyez bien que je déteste avoir à vous demander cela. (Sa main est de nouveau montée à son menton.) Tempe…

— Allez-y, interrogez-moi !

— Auriez-vous déplacé des restes qui n'avaient pas été répertoriés ?

— Le pied. Je vous l'ai signalé moi-même. (Surtout, ne pas m'énerver.) Je ne vois pas ce que j'aurais pu faire d'autre dans la situation.

Il a gardé le silence.

— Si je l'avais laissé sur place, vous n'auriez plus qu'à le chercher dans les déjections des coyotes. Vous pouvez demander à Andrew Ryan. Il était là.

— Je le ferai.

Il m'a serré le bras.

— Nous réglerons cette histoire.

— Vous prenez cette accusation au sérieux ?

— Je suis bien obligé.

— Comment ça ?

— J'ai la presse aux fesses, vous imaginez bien. Ils vont se jeter sur l'info comme un chien de chasse sur un lièvre borgne.

— Qui a porté plainte ? ai-je demandé en battant des paupières pour refouler mes larmes.

— Je ne suis pas autorisé à vous le dire.

Il a laissé retomber sa main et s'est mis à fixer le brouillard. Les nuages commençaient à se dissiper de bas en haut, comme un fruit qu'on pèle, révélant peu à peu le paysage. Il a retourné vers moi un visage dénué d'expression.

— Mais sachez que des gens puissants sont sur le coup.

— Le sous-secrétaire d'État ? Le dalaï-lama ?

Sous la colère, ma voix était devenue dure.

— Ne m'en veuillez pas, Tempe. L'enquête fait la une de tous les journaux. Personne n'a envie de porter le chapeau, au cas où il y aurait un problème.

— Et on me refile le bébé, au cas où l'on aurait besoin d'un bouc émissaire !

— Mais non, pas du tout. C'est seulement que je dois respecter la procédure habituelle.

J'ai pris une profonde inspiration.

— Et qu'est-ce que je fais, maintenant ?

Il a planté ses yeux dans les miens.

— Je vais devoir vous demander de partir, m'a-t-il dit sans fuir mon regard, d'une voix radoucie.

— Quand ?

— Tout de suite.

À mon tour de fixer la brume.

En ce milieu de journée, High Ridge House était déserte. J'ai laissé un mot à Ruby, la priant d'excuser mon départ précipité et mon indifférence de la veille. Mes bagages jetés dans ma Mazda, je suis partie sur les chapeaux de roues. Et merde pour les gerbes de gravier !

Avant l'autoroute, j'ai démarré à tous les feux dans un crissement de pneus ; après, j'ai zigzagué d'une file à l'autre à grands coups de klaxon pour remonter les kilomètres de voitures qui roulaient pare-chocs contre pare-chocs. En me voyant débouler, les conducteurs préféraient me laisser de l'espace.

« C'est ignoble ! Bas, dégueulasse… », n'ai-je cessé de me répéter trois heures durant jusqu'à Charlotte, rageant contre l'injustice de cette accusation anonyme et contre l'impuissance à laquelle j'étais réduite.

Moi qui venais de consacrer une semaine de ma vie à travailler dans des conditions abominables, à ne faire que voir, toucher et sentir la mort, voilà qu'on me renvoyait comme une bonniche soupçonnée de larcin ! Sans même m'entendre ! Sans seulement me permettre d'expliquer ma conduite. Quant aux mercis, je pouvais repasser. Fais ta valise et décampe !

Outre l'humiliation professionnelle, il y avait la déception. Larke me fréquentait depuis des années, il connaissait mon sens de l'éthique, et il ne m'avait pas défendue. Pourtant, ce n'était pas un lâche. Je n'aurais jamais attendu ça de lui.

Ma conduite de fou m'a calmée, c'était déjà ça. Aux abords de Charlotte, ma fureur s'était muée en une froide détermination : je n'avais rien fait de mal, j'allais laver mon nom. Découvrir les charges qui pesaient sur moi, les éliminer et me remettre au boulot. Et le calomniateur allait voir un peu de quel bois je me chauffais !

La seule vue de ma maison vide a balayé ces belles résolutions. Personne pour m'accueillir. Personne pour me serrer dans ses bras et me dire que tout irait bien. Ryan se disputait avec une Danielle inconnue et m'avait dit clairement que ce n'étaient pas mes affaires. Katy était avec un ami dont elle ne m'avait pas précisé le sexe et Birdie était chez Peter, à l'autre bout de la ville. Je me suis affalée sur le canapé. En larmes.

Une crise de dix minutes, dont je suis sortie lessivée et respirant lourdement, comme un enfant après une colère. Je me suis traînée jusqu'à la salle de bains. M'étant mouchée un bon coup, je suis allée écouter mon répondeur.

Pas davantage de message sur mon répondeur pour égayer ma vie. Un étudiant, des démarcheurs, ma sœur Harry du Texas et Ann qui voulait savoir si j'étais libre pour déjeuner avec elle avant son départ pour Londres avec Ted, son mari.

Elle devait être en train de se bourrer la fraise au Savoy pendant que j'effaçais son invitation. Mieux valait aller chercher mon chat. Au moins, il ronronnerait sur mes genoux.

Peter habite toujours dans la maison où nous avons vécu ensemble pendant près de vingt ans. Une maison qui vaut plusieurs centaines de milliers de dollars, contrairement à ce qu'on pourrait croire en voyant sa barrière rafistolée à la va-comme-je-te-pousse et, dans le jardin à l'arrière, le but de foot déglingué, preuve de l'amour que ma fille porte à ce sport. La façade cependant est repeinte à neuf, les gouttières nettoyées, la pelouse tondue par un homme de l'art et l'intérieur tenu par une domestique. En dehors de l'entretien courant, mon ex-mari est un adepte du laisser-faire. À ses yeux, un petit coup par-ci par-là est amplement suffisant. Il n'est pas de ceux qui considèrent de leur devoir de contribuer à la promotion immobilière du quartier. C'est moi qui devais subir les protestations du voisinage. Notre séparation m'aura au moins soulagée de cette tracasserie.

Derrière la grille, un museau brun a regardé ma voiture s'engager sur l'allée. Un grognement sourd m'a accueillie tandis que je m'extirpais de mon siège.

— Il est là ? ai-je demandé en claquant la portière.

Le chien a baissé la tête et laissé pendre une langue pourpre.

Je suis allée sonner. Pas de réponse.

J'ai sonné encore. Pas question d'ouvrir avec la clef que j'ai toujours à mon trousseau, deux ans après notre séparation. L'utiliser équivaudrait à enfreindre nos nouvelles relations et impliquerait une intimité que je ne veux pas renouer.

Cela dit, nous étions jeudi. Peter devait être au bureau et, moi, je voulais mon chat.

Je fouillais au fond de mon sac quand la porte s'est ouverte.

— Salut, belle étrangère. Vous cherchez un endroit où trouver le repos ? a lancé Peter en m'examinant des pieds à la tête.

Je portais encore le pantalon de toile et les baskets que j'avais enfilés à six heures du matin pour aller à la morgue. Peter, lui, était en costume trois pièces et mocassins Gucci.

Tout en effaçant d'éventuelles coulures de rimmel, j'ai jeté un œil dans la maison. Si une dame était là, j'allais mourir de honte.

— Comment se fait-il que tu ne sois pas au bureau ?

Après un coup d'œil de conspirateur à gauche et à droite, il m'a fait signe de me pencher vers lui pour me confier un secret hautement confidentiel.

— J'ai rendez-vous avec le plombier.

J'ai préféré ne pas savoir quel nouveau désastre M. le Bricoleur avait engendré.

— Je suis venue chercher Birdie.

— Je crois que sa conférence est terminée.

Peter s'est reculé jusque sous le lustre de ma grand-tante pour me laisser entrer dans le vestibule.

— Je te sers un verre ?

Comment osait-il, lui qui avait assisté à tant de glorieuses performances de ma part ! Je lui ai retourné un regard qui aurait découpé en rondelles une roche magmatique.

— Tu sais ce que ça veux dire.

— Va pour un Coke Diète.

Le laissant s'occuper des boissons à la cuisine, je me suis avancée vers l'escalier en appelant Birdie. Coup d'œil dans le salon, dans la salle à manger, dans le bureau. Pas de chat.

Il y avait eu un temps où j'avais vécu dans ces pièces. J'y avais lu, parlé, écouté de la musique et fait l'amour avec Peter. Ensemble, nous avions veillé sur Katy à tous les stades de sa croissance, de l'âge du nourrisson à celui de l'adolescence, changeant la décoration de sa chambre aux différentes étapes et adaptant notre vie à ses besoins. Tous les ans au printemps, le chèvrefeuille devant la cuisine s'était étoffé un peu plus et, maintenant, il dépassait la fenêtre… Jours de bonheur, jours de contes de fées, à une époque où le rêve américain semblait réel et à portée de la main.

Peter est réapparu en version yuppie décontracté. Cravate desserrée et manches de chemise roulées au-dessous du coude. Il avait belle allure.

— Où est Birdie ? ai-je demandé.

— Il se cantonne au pont supérieur depuis que Boyd est entré dans la maison.

Uz to mums atkal jaiedzer, disait la chope qu'il m'a remise. Ce qui, traduit du letton, signifie : Ça mérite bien qu'on s'en jette un petit coup derrière la cravate.

— Boyd, c'est le chien ?

Geste d'acquiescement de Peter.

— Il est à toi ?

— La question mérite qu'on s'y arrête. Prends un siège, que je te raconte la saga du toutou.

Peter est allé chercher des bretzels à la cuisine et s'est posé à côté de moi sur le divan.

— Boyd appartient à un certain Harvey Alexander Dineen qui a récemment eu besoin de mon aide. Son arrestation l'ayant pris au dépourvu, il m'a demandé de m'occuper de son fidèle compagnon, le temps que son affaire soit réglée.

— Et tu as accepté ?

— Il n'avait pas de famille. J'ai apprécié qu'il me témoigne sa confiance.

Peter a léché le sel d'un bretzel. L'ayant cassé en deux, il en a enfourné une moitié et l'a fait passer avec une lampée de bière.

— Ensuite ?

— Comme Boyd devait affronter entre dix et vingt ans de solitude, je me suis dit qu'il risquait d'avoir faim.

— Et c'est quoi ?

— Le juge l'a qualifié d'escroc et de fraudeur professionnel. Lui-même se considère comme un homme d'affaires entreprenant.

— Je parlais du chien.

— Boyd est un chow-chow. Enfin, plus qu'autre chose, mais un test d'ADN serait nécessaire pour clarifier ses multiples ascendances.

Peter a avalé sa seconde moitié de bretzel.

— Des cadavres intéressants parmi tes dernières fréquentations ?

— Très drôle.

— Pardon, s'est-il excusé, en voyant mon expression. Ça doit être plutôt sinistre, là-haut.

— On survit.

Nous avons bavardé ainsi, à bâtons rompus, jusqu'à en arriver au rite habituel : il m'invite à dîner, je refuse. Mais, aujourd'hui, à la pensée des allégations qui pesaient sur moi, de ma maison vide, sans personne pour y apporter de la joie, de mes amis Ann et Ted partis pour Londres, j'ai dérogé à la tradition.

— C'est quoi, le menu ?

D'effarement, les sourcils de Peter se sont relevés jusqu'au milieu de son front.

— Linguini à la sauce vongole.

Sa spécialité. Traduire : palourdes en boîte et béton de nouilles.

— Si je filais chercher des steaks pendant que tu règles tes affaires avec le plombier. Quand l'eau sera remise, on fera griller la viande.

— C'est une chiotte à l'étage.

— Qu'importe !

— Ce sera bien pour Birdie, de voir qu'on est toujours amis. J'ai l'impression qu'il continue de se croire responsable.

Du Peter, tout craché.

Boyd s'est mis à table entre nous, les yeux rivés sur les steaks, nous rappelant sa présence par de petits coups de patte sur le genou.

Nous avons parlé de Katy, d'amis communs et du bon vieux temps. Peter m'a raconté le procès sur lequel il travaillait actuellement et moi, le cas d'un étudiant retrouvé pendu dans la grange de sa grand-mère, neuf mois après sa disparition. Nous en étions arrivés dans nos relations à un stade où il était possible de bavarder sans s'étriper, sans voir le temps passer. Je ne pensais plus ni à Larke ni à la plainte dont je faisais l'objet.

Fraises sur lit de glace à la vanille et café dans le bureau tout en regardant les infos. Le crash faisait la une.

De l'esplanade qui donnait sur la chaîne des Great Smoky Mountains, une femme souriante évoquait un match auquel trente-quatre jeunes sportifs ne participeraient pas. La cause de l'accident n'était pas encore élucidée, bien que la certitude soit pour ainsi dire acquise qu'une explosion s'était produite en cours de vol. Quarante-sept victimes étaient déjà identifiées et les recherches se poursuivaient, vingt-quatre heures sur vingt-quatre.

— C'est bien qu'on vous donne des congés de temps en temps, a fait remarquer Peter.

Silence radio de ma part.

— À moins qu'on ne t'ait envoyée ici en mission secrète ?

Le cœur serré, j'ai gardé les yeux sur mes baskets. Il s'est rapproché de moi et m'a soulevé le menton de l'index.

— Hé, c'était pour rire. Ça va ?

J'ai hoché la tête, incapable de parler.

— On dirait pas.

— Si, si !

— Tu veux qu'on parle ?

Ce devait être le cas, car les mots se sont déversés de ma bouche comme un torrent. Mon travail horrible, les coyotes, ma visite au chalet, la plainte contre moi et enfin mon renvoi. Hormis Andrew Ryan, j'ai tout déballé et puis je me suis tue.

Peter me regardait attentivement. Les jambes repliées sous moi, je serrais un coussin contre ma poitrine. Pendant un long moment, ni lui ni moi n'avons rien dit. La grosse horloge d'école a fait entendre son tic-tac et, bizarrement, je me suis demandé qui se chargeait maintenant de la remonter.

Tic-tac. Tic-tac.

Je me suis rassise normalement.

— Tout ça c'est bien gentil, mais… (Peter m'a pris la main, sans me quitter des yeux.) Qu'est-ce que tu comptes faire ?

— Qu'est-ce que je peux faire ? ai-je jeté méchamment en dégageant ma main, gênée de m'être laissée aller.

Il allait me dire « Les gens, qu'ils aillent tous se faire foutre ! » et ça m'énervait à l'avance. Mais il m'a étonnée.

— Le fait que tu aies pénétré sur le site sans y être formellement autorisée est l'affaire de ton supérieur au DMORT. Il réglera ça sans peine. Le reste tourne autour du pied. Tu étais seule quand tu l'as trouvé ?

— Il y avait un flic pas loin.

Mes yeux fixés sur l'oreiller.

— Un flic du coin ? a insisté Peter.

J'ai fait signe que non.

— Il a vu les coyotes ?

— Oui.

— Tu le connais ?

Je me suis cantonnée à un hochement de tête.

— Eh bien, voilà qui devrait régler également la question. Qu'il explique la situation à Tyrell. Le plus duraille sera la violation de propriété.

Il s'est calé dans son siège.

— Mais je n'y suis pas entrée, dans ce chalet ! ai-je rétorqué violemment.

— Ce pied est important ?

— Je ne crois pas qu'il appartienne à une victime du crash. C'est pour ça que je suis allée fureter là-bas.

— À cause de l'âge ?

— Oui, mais aussi parce qu'il est à un stade de décomposition plus avancé.

— Tu peux prouver son âge ?

— Comment ça ?

— Est-ce que tu es à cent pour cent certaine que le propriétaire de ce pied avait l'âge que tu lui prêtes ?

— Non.

— Existe-t-il des tests susceptibles de confirmer ton estimation ?

Peter, dans son rôle d'avocat.

— L'analyse histologique. Mais il faut en faire la demande et attendre qu'elle soit acceptée.

— Quand peux-tu l'obtenir ?

— Ça prend des éternités de préparer des lames.

— Occupe-t'en dès demain. Débrouille-toi pour être traitée en priorité. Ne lâche pas le morceau avant de connaître le tour de col de ton type et le nom de son book-maker.

— Je pourrais essayer…

— Fais-le !

Il avait raison, j'étais trop gnangnan.

— Comment je m'y prends ?

— Si ce pied n'est pas celui d'un passager, c'est qu'il provient de quelqu'un du cru, non ?

J'ai attendu qu'il poursuive.

— Commence par savoir à qui appartient ce chalet.

— Comment ça ?

— Le FBI l'a déjà examiné ?

— Pas pour le moment, ils ne sont pas officiellement mandatés. Mais je doute qu'ils fassent des confidences à quelqu'un soupçonné d'avoir saboté l'enquête.

— Débrouille-toi de ton côté.

— Comment ?

— Va consulter l'acte de propriété et les taxes foncières au tribunal du comté.

— Tu peux m'expliquer la procédure ?

J'ai pris des notes. À mesure que Peter parlait, je sentais ma détermination revenir. Les pleurnicheries, au vestiaire ! De gré ou de force, ce pied allait me livrer le CV détaillé de son propriétaire. Et quand je saurais son nom, j'irais coller son acte de naissance sur le front de Larke Tyrell.

— Tu ne peux pas savoir combien je te remercie.

Comme je me penchais vers lui pour l'embrasser, Peter m'a tirée contre lui, bloquant tout mouvement de ma part. Il a posé un baiser sur la joue, puis un autre et un autre, dans le cou, près de l'oreille, jusqu'à ce que ses lèvres glissent vers ma bouche. En sentant à nouveau ce mélange d'Aramis et de son odeur d'homme, des millions de souvenirs ont explosé dans ma tête. Des bras qui m'avaient enlacée pendant vingt ans me serraient contre une poitrine qui, jadis, n'offrait son réconfort qu'à moi seule.

J'aimais faire l'amour avec Peter. J'avais aimé cette magique fulgurance dès la première fois, à Champaign dans l'Illinois, dans sa minuscule chambre qui donnait sur Clarke Avenue. J'avais aimé les transports plus lents et plus profonds de nos années tardives, quand le plaisir était devenu une mélodie aussi familière que les courbes de mon propre corps. Faire l'amour avec Peter englobait tout. Sensation pure et détachement total. Exactement ce dont j'avais besoin en cet instant. Besoin de retrouver des sensations connues, d'être réconfortée, de sentir ma conscience éclater. Besoin d'arrêter le temps.

J'ai pensé à mon appartement vide et silencieux. J'ai pensé à Larke et aux puissants devant lesquels il courbait la tête. J'ai pensé à Ryan et à sa Danielle inconnue, à la séparation et à l'éloignement.

La main de Peter a glissé vers mon sein.

Qu'ils aillent tous se faire foutre ! me suis-je dit.

Et je n'ai plus pensé à rien.

Chapitre 9

Je me suis réveillée au son d'un téléphone. Un grelot si faible qu'il m'a fallu laisser passer plusieurs sonneries pour réussir à localiser l'appareil. Peter avait fait dans la délicatesse.

— Retrouve-moi ce soir au Sundries de Providence Road, je t'offrirai un hamburger.

— Peter, je…

— Tu vas devoir affronter des négociations ardues. Chez Bijoux, alors.

— Le restaurant n'est pas le problème.

— Demain soir, alors?

— Non plus, je ne crois pas.

Bourdonnement sur la ligne.

— Tu te rappelles quand j'ai bousillé la Volkswagen et que j'ai refusé qu'on s'arrête?

— Tu parles, de Géorgie jusqu'en Illinois sans lumière!

— Surtout, mille kilomètres sans que tu desserres les dents.

— Aujourd'hui, c'est différent.

— Tu n'as pas aimé la nuit dernière?

Oh, que si, justement!

— Ce n'est pas le sujet.

On entendait des voix dans le fond. Huit heures dix, indiquait le réveil.

— Tu es déjà au bureau?

— Oui, madame.

— Pourquoi tu appelles?

— Tu m'as demandé de te réveiller.

Par habitude, sans doute.

— Ah ? Eh bien, merci.

— Tout le plaisir est pour moi.

— Et merci de garder Birdie.

— Il a fini par se montrer ?

— Pas longtemps. Il avait l'air énervé.

— Il n'aime pas qu'on change ses habitudes.

— C'est plutôt les chiens qu'il n'aime pas.

— Les changements non plus.

— C'est vrai.

— Pourtant, c'est bénéfique parfois.

— Oui.

— J'ai changé.

Air connu. Il m'avait sorti ça après un rendez-vous galant avec une journaliste judiciaire et, plus tard, après une aventure avec une fille dans l'immobilier. Je n'avais pas attendu qu'il remporte un triplé.

— J'étais dans une mauvaise passe, poursuivait-il.

— Et moi donc !

Sous la douche, j'ai réfléchi à nos erreurs du passé. C'est vrai que Peter était mon filet de sûreté, le calme après la tempête. Il était toujours là quand j'avais besoin de conseil, de réconfort ou de soutien. Notre séparation m'avait désespérée. Cependant, elle avait fait surgir de moi une force que j'ignorais posséder.

Que je n'avais encore jamais utilisée.

Quelle bêtise, l'aventure d'hier soir ! Où avais-je donc la tête ?

Nue, une serviette autour des cheveux, je me suis étudiée dans le miroir.

Réponse : j'étais fâchée, blessée, vulnérable. La solitude me pesait. Et je n'avais pas fait l'amour depuis très longtemps.

Question : est-ce que cela va se reproduire ?

Réponse : non.

Question : pourquoi ?

En effet, pourquoi ? J'aimais toujours Peter. Je l'avais aimé dès l'instant où je l'avais aperçu, sans chaussures et torse nu, assis sur les marches de la bibliothèque de la fac de droit. Je l'avais aimé alors qu'il me mentait à propos de Judy, et ensuite à propos d'Ellen. Je l'avais aimé quand j'étais en train de faire mes valises et quittais la maison.

Et, à l'évidence, je continuais de le trouver hyper sexy.

«Con comme un cul plat», dit souvent ma sœur qui vit au Texas, c'est une expression courante là-bas. Eh bien justement : si j'aimais Peter et le trouvais sexy, je n'étais pas conne comme un cul plat. Voilà pourquoi la nuit dernière ne se reproduirait pas.

Essuyant la buée sur le miroir, je me suis revue à l'époque où nous avions emménagé ici. Avec les cheveux blonds. Blonds, raides, et longs jusqu'aux épaules. Depuis, j'ai abandonné le style surfeuse bronzée. Je porte les cheveux court et j'ai des mèches grises. Le temps n'est pas loin où j'en viendrai à étudier la palette des bruns de chez Clairol. Mes pattes-d'oie se sont multipliées, mais mes paupières ne sont pas fripées et le bas de mon visage tient le choc.

Du côté des fesses, mon plus bel atout selon Peter, pas de dégâts non plus. Mais c'est grâce à des efforts constants. Contrairement à bien des gens, je n'ai pas d'instruments de gym chez moi — ni tapis roulant, ni marches d'escalier, ni vélo d'appartement. Et je n'ai pas de professeur qui vienne à domicile. Je ne pratique ni l'aérobic ni le kick-boxing, et je n'ai pas couru un marathon depuis cinq ans. En revanche, je suis inscrite à un centre sportif. Là, en t-shirt et en short du FBI retenu à la taille par un cordonnet, je fais un peu de jogging et de lever de poids, je nage quelques longueurs de piscine et au revoir. Quand le temps est beau, je sors courir.

Et, bien sûr, je n'avale pas n'importe quoi. Des vitamines tous les jours, de la viande rouge trois fois par semaine au maximum et jamais plus de cinq plats tout préparés.

J'étais en train d'enfiler mon slip quand mon cellulaire a sonné. J'ai piqué un sprint dans la chambre à coucher, vidé mon sac sur le lit et enfoncé le bouton de l'appareil.

— Où est-ce que tu avais disparu ?

Ryan ! Mon slip dans une main, le téléphone dans l'autre, j'étais incapable de prononcer un mot.

— Hou-hou ?

— Je suis là.

— *Où*, là ?

— À Charlotte.

Il y a eu une pause, que Ryan a fini par briser.

— On nage en pleine merde.

— Tu as vu Tyrell ?

— Deux minutes.

— Tu lui as raconté, pour les coyotes ?

— Avec gestes à l'appui.

— Qu'est-ce qu'il a dit ?

— Merci monsieur, a fait Ryan en imitant l'accent traînant de l'expert médical.

— Il n'y est pour rien.

— Il y a quelque chose qui ne tourne pas rond, je le sens.

— Quoi ?

— Je ne sais pas exactement.

— Qu'est-ce qui ne tourne pas rond ?

— Tyrell était à cran. J'ai beau ne le connaître que depuis une semaine, ce n'est pas son genre. Quelque chose le turlupine. Il le sait que tu n'as pas trafiqué de preuves et que tu t'es rendue sur le site parce qu'Earl Bliss te l'a demandé.

— On t'a dit qui était à l'origine de la plainte ?

— Non, mais je le saurai.

— Ne t'en mêle pas, Ryan, ce n'est pas ton problème.

— Si !

Mieux valait changer de sujet.

— Il y a du nouveau dans l'enquête ?

Une pause. Un craquement d'allumette et une longue inspiration.

— Les recherches sur Simington ont l'air de donner quelque chose.

— Le type de l'assurance-vie ?

— Ce veuf tout neuf est à la tête d'une compagnie de construction d'autoroute.

— Et alors ?

— Accès facile au plastic X.

— Le plastic X ?

— Un explosif utilisé dans le temps au Vietnam et maintenant par les industriels du bâtiment. Pour les ouvrages d'art, les mines, les démolitions. Maudit, même les agriculteurs s'en servent pour dynamiter des souches d'arbres !

— Je croyais que les explosifs étaient sous haute surveillance ?

— Oui et non. Les règlements concernant le transport sont plus stricts que ceux concernant le stockage ou l'utilisation. Pour emprunter une autoroute par exemple, tu as besoin d'un camion spécial, d'une escorte et d'un itinéraire qui évite les zones trop fréquentées. Mais une fois sur le chantier, on abandonne le plus souvent la remorque en plein champ en se contentant d'écrire *Explosif* en gros dessus, et on la fait garder par un retraité payé au salaire minimum, vu qu'il est surtout là pour satisfaire au contrat d'assurance. Et la remorque peut être forcée, égarée ou simplement déplacée.

Un chuintement m'est parvenu : Ryan tirait sur sa cigarette.

— Si l'armée est astreinte à comptabiliser chaque gramme d'explosif en sa possession, sur les chantiers le pointage est loin d'être aussi minutieux. Un artificier peut toucher dix bâtons, ne les utiliser qu'aux trois quarts chacun et se garder le reste sous le coude. Ni vu ni connu. Tout ce qu'il lui faut, après, c'est un détonateur. Ou bien il peut fourguer son excédent au marché noir, les clients ne manquent pas.

— À supposer que Simington ait eu des explosifs, il aurait pu les embarquer dans l'avion ?

— Apparemment, ce n'est pas très difficile. On en a retrouvé de si bien aplatis, sur des terroristes, qu'on aurait dit une liasse de billets dans leur portefeuille. Tu t'es fait souvent éplucher tes factures par un douanier, au moment de passer sous le portique ? Quant aux détonateurs, il en existe actuellement de la taille d'une montre. Dans l'attentat de Lockerbie, les Lybiens avaient dissimulé la charge dans un boîtier de cassette vidéo. Simington a dû trouver un moyen.

— *Jesus !*

— J'ai aussi reçu des nouvelles de la Belle Province, en début de semaine. Des gens, intrigués de voir une Ferrari passer la nuit devant leur porte, ont prévenu la police. Des bagnoles de plus de cent mille dollars dormant à la belle étoile, ce n'est pas courant dans leur quartier. Un tuyau inespéré. Dans le coffre, il y avait le propriétaire du véhicule avec deux balles dans la tête. Un certain Alain Barboli dit le Renard, membre des Rock Machine et connu pour ses liens avec la mafia sicilienne. Le Carcajou est sur le coup.

Le Carcajou, un organisme avec lequel j'avais collaboré sur plusieurs meurtres. Spécialement constitué pour enquêter sur les gangs de motards qui sévissent au Québec, il regroupe des policiers appartenant à différents services.

— Ils pensent que Barboli aurait été assassiné pour venger Petricelli ?

— Ou bien que Barboli aurait été impliqué dans le meurtre de Petricelli — si on peut parler de meurtre —, et que les commanditaires ont préféré réduire le nombre des témoins.

— Si un type comme Simington peut mettre la main sur du plastic, ça ne devrait pas poser de problème aux Hells Angels.

— Pas plus que ça ne t'en pose à toi d'acheter du fromage à tartiner à l'épicerie du coin. Dis, et si tu revenais pour dire à ce Tyrell…

— Je veux d'abord faire analyser mes prélèvements du pied, pour m'assurer de son âge. Si j'arrive à prouver qu'il ne provient pas de l'avion, l'accusation contre moi tombera d'elle-même.

— J'ai parlé de tes doutes à Tyrell.

— Et alors ?

— Rien. Il n'en a pas tenu compte.

J'ai ressenti une bouffée de colère.

— Tu as pu savoir s'il y avait des passagers non inscrits sur la liste ?

— Non. Hanover jure que les passagers en possession d'un billet gratuit ne bénéficient d'aucun passe-droit. Ils sont tenus de prouver leur identité comme tout le monde. Sinon pas d'embarquement. C'est confirmé par les agents au sol de TransSouth Air.

— Personne sur la liste qui aurait pu transporter un élément de corps humain ?

— Il n'y avait à bord ni anatomiste, ni anthropologue, ni podologue ou chirurgien orthopédique. Pas même un marchand de chaussures. Et Jeffrey Dahlmer [1] ne sévit plus de nos jours.

---

1. Jeffrey Dahlmer : tueur en série homosexuel, qui dépeçait ses victimes.

— Tu es à mourir de rire, Ryan.

Nouvelle pause et j'ai enchaîné.

— Jean a été retrouvé ?

— Non. Ni lui ni Petricelli.

— On le retrouvera !

— Ouais.

— Ça va ?

— Solide comme le roc. Et toi ? Tu ne t'ennuies pas, toute seule ?

— Ça va, ai-je répondu, les yeux sur les draps froissés.

La Caroline du Nord dispose d'un système de médecine légale centralisé. Le siège, situé à Chapel Hill, a des antennes régionales à Winston-Salem, Greenville et Charlotte. Par souci de proximité et de répartition des tâches, il avait été décidé que ce crash serait traité par le bureau de Charlotte. Entendre : par l'expert médical du comté de Mecklenburg. On avait donc monté provisoirement une unité d'histologie à la morgue et dépêché un technicien de Chapel Hill.

Les locaux de l'expert médical du comté de Mecklenburg se trouvent au Harold R. « Hal » Marshall Building, dans le Centre de services du comté, lequel occupe les deux côtés de College Street, entre la Neuvième et la Dixième Rue, là où la jardinerie Sears se trouvait dans le temps.

Bien que moderne et pratique, ce complexe fait un peu figure d'orphelin du point de vue de l'urbanisme, et ce statut lui a valu longtemps le mépris des agents immobiliers. De nos jours, sa proximité du centre-ville et le joli panorama qu'on découvre sur les beaux quartiers suscitent leur convoitise. Ils transformeraient volontiers les offices municipaux, les stationnements et la morgue en quartier de résidences et de commerces. Qui sait, peut-être les American Express Gold, les machines à cappuccino et les sièges au sigle des Hornets ou des Panthers fleuriront-ils bientôt là où scalpels, civières et tables d'autopsie tenaient le haut du pavé.

Vingt minutes après avoir enfin passé mon slip, je me garais dans le stationnement de College Street. Sur le trottoir d'en face, on distribuait des hot-dogs et des boissons aux sans-abri. Des chaussures, des chemises et des chaussettes s'étalaient sur des couvertures posées à même le gazon, entre la chaussée et la partie asphaltée du trottoir. Une vingtaine d'indigents traînaient autour, n'ayant nulle part où aller et n'étant pas pressés de s'y rendre.

Ma portière verrouillée, je suis allée sonner à la porte vitrée d'un bâtiment bas en brique rouge. Après un salut aux dames de l'accueil, je suis montée chez Tim Larabee, l'expert médical du comté de Mecklenburg. Sur un ordinateur spécialement affecté aux analyses des victimes du crash, il a fait apparaître le lot 387. Ce que je faisais là violait probablement les termes de mon bannissement, mais qui ne risque rien n'a rien.

Les résultats des tests d'ADN effectués ici n'étaient pas encore disponibles, contrairement aux analyses histologiques. Mes prélèvements sur la cheville et les os du pied avaient été découpés en lamelles faisant moins de cent microns d'épaisseur, et qui avaient été ensuite traitées, teintées et placées sur des lames. Je me suis installée au microscope.

Le tissu osseux est un univers en miniature. L'unité de base, l'ostéone, se compose de boucles concentriques, d'un canal, d'ostéocytes, de vaisseaux et de nerfs. Dans un tissu vivant, les ostéones naissent, se développent et meurent constamment.

Agrandies et observées en lumière polarisée, on dirait de minuscules volcans, petits cônes ovoïdes avec un cratère au centre et des flancs qui s'étendent jusqu'aux plaines de l'os primaire. Le nombre de ces volcans augmente avec l'âge, tout comme celui des caldeiras abandonnées. C'est la densité de ces deux caractéristiques qui permet de déterminer l'âge de l'individu.

J'ai commencé par rechercher des signes d'anomalie. Dans la coupe transversale d'un os long, les problèmes tels que fracture ou transformation exceptionnellement rapide se remarquent au rétrécissement de l'axe, à la présence d'un feston sur les bords internes ou externes ou à celle d'un dépôt anormal de tissu osseux.

Aucune anomalie dans l'échantillon présent. Bonne nouvelle. J'allais pouvoir évaluer l'âge de mon individu.

Passant à un grossissement de cent fois, j'ai introduit dans l'œilleton un micromètre gradué consistant en une grille de cent carrés d'un millimètre de côté. Puis j'ai fait défiler les diapositives, comme autant de paysages miniatures, étudiant leurs caractéristiques et comptant soigneusement chaque grille. Cette étape achevée, il ne me restait plus qu'à faire les calculs, en utilisant la formule adéquate.

Le propriétaire du pied avait soixante-cinq ans au minimum, et il était sûrement beaucoup plus près des soixante-dix.

Calée contre mon dossier, j'ai réfléchi. À en croire la liste d'embarquement, aucun passager n'avait cet âge. Alors, de qui s'agissait-il ?

Plusieurs cas de figure étaient à considérer :

1. Un passager non enregistré. Un vieux de soixante-dix ans jouant les passagers clandestins ? Peu probable.

2. Un passager transportant le pied avec lui. D'après Ryan, personne n'avait de raison de le faire.

3. Le pied n'était pas à bord de l'avion. Mais, alors, d'où venait-il ?

Sortant une carte de visite de mon sac, j'ai composé un numéro.

— Comté de Swain, département du shérif.

— Lucy Crowe, s'il vous plaît.

— Qui la demande ?

J'ai donné mon nom. Quelques instants plus tard, une voix rocailleuse me lançait :

— Je ne devrais probablement pas vous parler.

— Vous êtes au courant ?

— Oui.

— Je vous expliquerais volontiers la situation si j'y comprenais moi-même quelque chose…

— Je ne vous connais pas assez pour juger.

— Alors, pourquoi acceptez-vous de me parler ?

— L'instinct.

— Je m'efforce de régler le problème.

— Bonne idée, parce que, ici, ça bourdonne comme des mouches sur un pot de miel.

— Que voulez-vous dire ?

— Le vice-gouverneur vient de m'appeler pour m'ordonner de vous interdire l'accès au site.

— Il n'a pas d'affaire plus importante à traiter ?

— Apparemment, vous êtes un sujet brûlant. Mon adjoint a pris un appel ce matin. Un type qui voulait savoir où vous étiez et où vous habitiez.

— Qui ça ?

— L'a pas voulu donner son nom.

— Un reporter ?

— Non, on sait les repérer, ceux-là.

— Shérif, vous pourriez faire quelque chose pour moi ? Cela m'aiderait beaucoup dans ma situation.

Silence au bout du fil.

— Shérif ?

— J'écoute.

Je lui ai parlé du pied et de mes raisons de croire qu'il n'avait rien à voir avec le crash.

— Pourriez-vous vérifier si on a signalé la disparition de personnes âgées récemment à Swain et dans les comtés environnants ?

— Vous avez d'autres paramètres, en dehors de l'âge ?

— La taille. Entre un mètre soixante et un mètre soixante-huit. Quelqu'un ayant des problèmes aux pieds. J'attends les résultats d'ADN pour connaître son sexe.

— Disparu depuis quand ?

— Un an.

L'état de conservation n'indiquait pas un laps de temps aussi long, mais je préférais avoir de la marge.

— On a des gens disparus ici même, à Swain. Je vais sortir leurs dossiers. Il n'y a pas de mal à questionner un peu les gens, j'imagine.

Ayant refermé et scellé le boîtier contenant les lames, je l'ai rendu au technicien et suis rentrée chez moi, des questions plein la tête.

Questions brûlantes et qu'attisaient encore ma colère et mon humiliation.

Pourquoi Larke Tyrell ne prenait-il pas ma défense ? Il connaissait mon dévouement, il savait que je n'aurais jamais fait capoter une enquête. Il est vrai qu'un expert médical de l'État n'était pas élu mais nommé à son poste.

Ce vice-gouverneur, Parker Davenport, faisait-il partie des gens puissants que Larke avait évoqués et qu'il semblait craindre ? Faisait-on pression sur lui ? Mais pourquoi ?

Comment comprendre la réaction du shérif à propos de Davenport? Le vice-gouverneur avait-il peur pour son image? Voulait-il m'utiliser pour se faire mousser?

Je le revoyais sur le site, le mouchoir serré contre sa bouche et les yeux rivés au sol pour ne pas voir le carnage. À moins que ce ne soit moi qu'il évitait de regarder. Cette pensée m'a mise mal à l'aise, mais impossible de la chasser de mon esprit. À croire que ma tête était un ordinateur auquel manquait la touche « supprimer ».

J'ai pensé au conseil de Ryan et de Peter : identiques tous les deux. « Les autres, qu'ils aillent tous se faire foutre. »

J'ai obtenu le numéro de High Ridge House par les renseignements. Ruby a répondu au bout de deux sonneries.

J'ai demandé si la chambre Magnolia était libre.

— Je l'ai proposée à un des types qui dorment en bas.

— Je voudrais la reprendre.

— On m'avait dit que vous étiez partie pour de bon. La note a été réglée.

— Je vous paierai une semaine d'avance.

— Ce doit être la volonté du Seigneur, si l'autre n'a pas encore emménagé.

— Oh, certainement! ai-je répondu avec un enthousiasme que je n'éprouvais pas. La volonté du Seigneur!

Chapitre 10

Charlotte, ville sibylline s'il en est, pourrait servir de symbole aux troubles de la dissociation. Avec ses gratte-ciel, son aéroport, son université, ses courses NASCAR et ses équipes sportives — Panthers pour le basket, Hornets pour le football —, elle est l'emblème du Sud nouveau : à la fois deuxième centre financier de la nation — la Bank of America et la First Union Bank y ont toutes deux leur siège —, mais aussi ville intellectuelle grâce à sa branche de l'université de Caroline du Nord. Bref, Charlotte aime à se considérer comme une grande métropole internationale.

Et pourtant, à bien des égards, c'est un monument à la mémoire du Vieux Sud. En témoigne la partie au sud-est, avec ses imposantes demeures et ses bungalows proprets disséminés dans une jungle d'azalées, de rhododendrons, de cornouillers et de magnolias ; avec ses rues tortueuses, ses balancelles sur les vérandas et son nombre d'arbres au kilomètre carré, le plus élevé de toutes les grandes cités de la planète. Au printemps, la ville déploie un kaléidoscope de roses, de blancs, de violets et de rouges, alors qu'à l'automne elle explose en un incendie de jaunes et d'orangés. Il y a des églises à tous les coins de rues, et elles sont loin d'être désertes. Quant à la décadence du style et des mœurs, c'est un sujet qui revient perpétuellement dans les conversations. Mais ceux-là mêmes qui pleurent l'élégance passée ne quittent pas de l'œil les fluctuations de la Bourse.

Pour ma part, j'habite à Sharon Hall, un gracieux manoir de style géorgien, édifié au tournant du siècle dans le vieux quartier élégant de Myers Park. Dans les années cinquante, ce n'était plus qu'une propriété à l'abandon, léguée à une université. Racheté et réhabilité par des promoteurs au milieu des années quatre-vingt, ce domaine de plus d'un hectare s'est réincarné sous forme de résidence.

La plupart des copropriétaires logent dans la demeure principale ou l'un des bâtiments récemment adjoints. Pour ma part, j'ai élu domicile tout au bout du parc, à l'ouest, dans une maison de poupée qui était autrefois une dépendance des écuries, si l'on en croit certains documents. Comme aucun papier ne stipule clairement sa destination originelle, on l'a baptisée l'Annexe, ne sachant quel autre nom lui donner.

J'habite là depuis mon divorce et cela me convient parfaitement. Mon duplex, bien que minuscule, est clair et ensoleillé, et mon petit patio est un véritable paradis pour les géraniums et les rares espèces capables de survivre à mes talents horticoles.

Le ciel était résolument bleu quand j'ai franchi le portail de Sharon Hall. Dans le jardin, pétunias et soucis, sentant venir l'automne, mêlaient leur parfum à celui des feuilles mortes. Un soleil éclatant baignait les briques du manoir principal, du mur d'enceinte et des allées.

J'ai contourné l'Annexe. Surprise ! La Porsche de Peter était garée devant le patio, Boyd tête à la fenêtre, côté passager. En me voyant, il a pointé les oreilles et rentré sa langue pour aussitôt la laisser pendre encore.

Sur la banquette arrière, Birdie s'agitait dans son panier, visiblement furieux d'être transbahuté comme un vulgaire paquet.

Peter a émergé de derrière la maison, l'air anxieux.

— Ouf, je t'attrape au vol !

— Que se passe-t-il ?

— Un client vient d'avoir son usine de textiles ravagée par un incendie. L'affaire a toutes les chances de passer au tribunal. Je dois foncer là-bas avec nos experts avant que ces fumiers d'assureurs de la partie adverse ne bousillent toutes les pièces à conviction sous prétexte d'inspection.

— Et c'est loin ?

— À Indianapolis. Je me suis dit que tu accepterais de prendre Boyd en pension quelques jours.

Le chien a rentré sa langue un instant.

— Je pars, moi aussi. Je retourne à Bryson City.

— Boyd adore la montagne. Il te tiendra compagnie. Il te protégera.

— Tu l'as bien regardé ?

Avachi sur le rebord de fenêtre, Boyd laissait goutter de longs filets de salive d'un air béat.

— Je te jure ! Son maître, qui n'appréciait pas beaucoup les visites impromptues, l'a dressé à sentir les étrangers.

— Ceux en uniforme, je suppose.

— Les gentils, les méchants, les moches, les beaux, Boyd ne s'arrête pas à ces contingences.

— Tu ne pourrais pas le confier à un chenil, plutôt ?

— Ils sont tous pleins, et mon avion... (coup d'œil à sa montre et regard d'enfant de chœur) décolle dans une heure.

Je me suis inclinée. Peter n'avait jamais refusé de prendre Birdie quand je le lui demandais.

— C'est bon, je vais trouver une solution.

— Tu es sûre ?

— Oui, un chenil.

— Tu es mon héroïne, s'est écrié Peter en me saisissant les bras et en serrant fort.

Une heure plus tard, j'avais pu me convaincre que sur les vingt-trois chenils de Charlotte et de sa grande banlieue, quatorze étaient complets, cinq aux abonnés absents, deux n'acceptaient que les chiens pesant moins de vingt-cinq kilos, et les deux derniers exigeaient d'avoir un entretien d'évaluation avec le postulant avant d'accepter de le prendre en pension.

— Qu'est-ce que je vais faire de toi, hein ?

Le chow-chow m'a regardée, la tête penchée de côté, et s'est remis à flairer le sol de ma cuisine.

En désespoir de cause, j'ai appelé Ruby. Elle n'a pas ergoté. Pour trois dollars par jour, le chien était le bienvenu, sans évaluation psychologique préalable.

Mon voisin a pris Birdie, et moi la route avec ce nouveau compagnon.

Halloween tire ses origines des fêtes païennes de Samhain qui, chez les Celtes, marquaient le début de la nouvelle année, au commencement de l'hiver. En cette période, croyait-on, les vivants et les morts n'étaient plus séparés que par un voile très fin, de sorte que les esprits des défunts avaient tout loisir de sillonner la terre des mortels. Pour les mettre en fuite, les gens se revêtaient de tenues effrayantes et passaient leur temps à éteindre et rallumer les feux.

À deux semaines des fêtes, goules, araignées et chauves-souris avaient envahi Bryson City. Cours et jardins se hérissaient de pierres tombales et d'épouvantails, et l'on ne comptait plus les squelettes, chats noirs, sorcières et autres fantômes pendus aux branches des arbres et aux lampes des vérandas. Pas une fenêtre qui n'ait une agressive lanterne creusée dans une citrouille, et deux ou trois voitures avaient même des pieds plutôt réalistes qui dépassaient du coffre arrière.

Époque idéale pour se débarrasser d'un cadavre.

Aux alentours de cinq heures, Boyd avait pris ses quartiers dans un enclos derrière High Ridge House et moi j'avais retrouvé les miens dans la chambre Magnolia. Il était temps d'aller rendre visite au shérif.

Lucy Crowe parlait au téléphone quand j'ai frappé à sa porte. Sur un signe d'elle, je suis allée prendre place dans l'un des deux fauteuils en face de son bureau — un meuble monumental pour la taille de cette pièce et derrière lequel on imaginait volontiers un confédéré apposant son sceau sur un pli destiné aux alliés. Le siège du shérif, ancien lui aussi, était tendu de cuir brun clouté. Du crin s'échappait du bras gauche.

— Quelle superbe table ! me suis-je exclamée quand elle eut raccroché.

— Elle est en frêne, je crois. (Ses yeux écume de mer me dévisageaient d'un regard aussi perçant que lors de notre première rencontre.) C'est le prédécesseur de mon grand-père qui l'a fabriquée de ses mains.

Elle s'est calée dans son fauteuil qui a émis un grincement plaisant.

— Racontez-moi donc ce que j'ai manqué, lui ai-je demandé.

— On dit que vous avez porté atteinte au bon déroulement de l'enquête.

— On ne peut pas avoir bonne presse en permanence.

Elle a eu son petit hochement du menton.

— Et de votre côté, des résultats intéressants ?

— Ce pied a foulé la terre pendant soixante-cinq ans au bas mot, privilège dont n'a bénéficié aucun des passagers du vol 228. Ce n'est donc pas une pièce à conviction dans le cadre de l'enquête sur le crash. Mais encore faut-il le démontrer.

Le shérif a ouvert un dossier sur son sous-main.

— J'ai ici trois personnes signalées disparues. Elles étaient quatre, mais l'une d'elles a été retrouvée.

— Je vous écoute.

— Jeremiah Mitchell. Un Noir de soixante-douze ans, originaire de Waynesville. Disparu il y a huit mois, le 15 février. Au dire des habitués, il a quitté le Mighty High Tap [1] aux alentours de minuit pour aller biberonner ailleurs. Dix jours plus tard, un voisin a signalé sa disparition.

— Il n'avait pas de famille ?

— Pas que l'on sache. C'était un solitaire.

— Alors, pourquoi le voisin s'est-il inquiété ?

— Mitchell lui avait emprunté sa hache. Après s'être rendu chez lui plusieurs fois pour la récupérer, il est allé jeter un œil à la police, croyant que l'autre cuvait son vin au « dessoûloir ». Il en a profité pour signaler sa disparition, se disant que la police réussirait peut-être à remettre la main sur l'emprunteur.

— Et lui-même sur sa hache.

— Que vaut un homme sans ses outils ? !

— Il mesurait combien ?

L'index de Lucy Crowe est descendu jusqu'en bas de la page à la même vitesse que ses yeux.

— Un mètre soixante-sept.

— Ça correspond. Il avait une voiture ?

— Il ne se déplaçait qu'à pied, il buvait trop pour conduire. Les gens pensent qu'il s'est perdu et qu'il est mort de froid.

— Le suivant ?

— George Adair, a dit Lucy Crowe en sortant une autre feuille du dossier. Blanc, soixante-sept ans. Domicilié du côté

---

1. Mighty high tap : un robinet sacrément haut placé (N.d.T.).

de Unahala. Sa disparition a été signalée, il y a deux semaines. D'après sa femme, il ne serait pas revenu d'une partie de pêche avec un copain.

— Et le copain, il raconte quoi ?

— Qu'il s'est réveillé un matin et n'a pas trouvé Adair sous la tente. Il a attendu un jour entier avant de remballer son attirail et de rentrer chez lui.

— Où a eu lieu cette fatidique partie de pêche ?

— Au Petit Tennessee. (Pivotant sur son siège, le shérif a posé le doigt sur une carte au mur.) C'est dans les montagnes, en territoire nantahala.

— Où se trouve Unahala ?

Son doigt s'est décalé vers le nord-est.

— Et où l'avion est-il tombé ?

Son doigt s'est à peine déplacé.

— Qui est votre numéro trois ?

Elle s'est retournée et son fauteuil en a profité pour pousser à nouveau la chansonnette.

— Daniel Wahnetah, soixante-neuf ans. Un Cherokee de la réserve. Il n'est pas venu à l'anniversaire de son petit-fils, le 27 juillet. La famille a signalé sa disparition le 26 août quand, là non plus, il ne s'est pas pointé à son propre anniversaire. (Elle a baissé les yeux sur le rapport.) La taille n'est pas précisée.

— La famille a attendu tout un mois ?

— Sauf en hiver, Daniel passe les trois quarts de son temps dans les bois. Il y possède toute une série de campements, selon qu'il chasse ou qu'il pêche.

Elle s'est calée sur son dossier et le fauteuil a grincé un air encore inédit.

— Ces disparus, c'est comme la Rainbow Coalition de Jesse Jackson, a-t-elle poursuivi. Si jamais le pied appartient à l'un d'entre eux, il suffit de déterminer la race, et vous aurez votre homme.

— Qu'est-ce que vous voulez dire ?

— Dans le coin, les gens sont du genre à rester où ils sont. Ils aiment bien l'idée de mourir dans leur lit.

— Vous pourriez essayer de savoir si l'un d'eux se plaignait de ses pieds ? Ils doivent avoir laissé des chaussures chez eux. Les empreintes de semelle seront peut-être utiles.

115

Et il ne faut pas oublier l'ADN : cheveux, dents gardées en souvenir. Sur les brosses à dents aussi on en trouve, si elles n'ont pas été nettoyées à fond ou utilisées par quelqu'un d'autre. Si on ne trouve rien qui puisse servir aux analyses, on prélèvera un échantillon sur un parent.

Elle a pris en note ma demande.

— Surtout, soyez discrète. Si le reste du corps est caché quelque part, ce serait bête de donner aux assassins l'idée d'aider les coyotes à terminer leur boulot.

— Je n'y avais pas pensé, a-t-elle lâché d'une voix sans expression.

— Eh oui.

De nouveau, elle a eu son mouvement de tête de bas en haut.

— Shérif, vous savez à qui est la maison près du site du crash, à environ quatre cents mètres à l'ouest ? Un chalet avec un enclos entouré de hauts murs ?

Elle a fixé sur moi ses yeux couleur de marbre vert pâle.

— Je suis née dans ces montagnes et ça fera bientôt sept ans que j'y exerce les fonctions de shérif. Pourtant, jusqu'à l'autre jour, je ne pensais même pas qu'il puisse y avoir autre chose que des conifères dans ce vallon.

— Ce serait difficile d'obtenir un mandat de perquisition, j'imagine.

— Vous imaginez bien.

— C'est bizarre, non ? que personne ne sache rien de cet endroit.

— Les gens d'ici ne sont pas très expansifs.

— Et ils meurent dans leurs lits.

De retour à High Ridge House, j'ai emmené Boyd faire une longue promenade, à moins que ce ne soit l'inverse. À l'aller, dans la descente, il a reniflé et baptisé toutes les plantes et pierres du chemin, tandis que j'admirais le panorama, éblouie par ce paysage à la Monet où les montagnes floues se déployaient en vagues jusqu'à l'horizon. L'air frais et humide embaumait la terre et le pin et apportait par instants des effluves de feu de bois. Cachés dans le feuillage, les oiseaux qui se préparaient pour la nuit faisaient un tel remue-ménage que les arbres semblaient subitement pris de vie.

Le retour n'a pas été une mince affaire. Tout à son enthousiasme, Boyd tirait sur la laisse avec la détermination de Croc-Blanc traversant l'Arctique. Le temps d'atteindre son enclos, je n'avais plus de bras droit et des crampes plein les mollets.

J'étais en train de refermer la barrière quand Ryan s'est exclamé dans mon dos :

— C'est qui, ton copain ?

— Boyd. Et c'est pas un gentil !

Hors d'haleine, j'avais parlé involontairement d'une voix dure et hachée.

— Tu t'entraînes pour les JO, épreuve promenade de chien ?

Je n'ai pas réagi. J'ai souhaité bonne nuit au chow-chow. Il faisait déjà craquer sous ses dents de petits granulés marron, genre bœuf haché fossilisé.

— Tu fais la causette avec les animaux et tu ignores tes partenaires ?

Je me suis retournée d'un bloc. Les yeux vrillés dans les siens, j'ai susurré :

— Ça va, mon gros loulou ?

— Inutile de me gratter entre les oreilles. Je vais bien. Et toi ?

— Super. On n'a jamais été partenaires.

— Tu as fait les analyses que tu voulais ?

— J'avais vu juste. (Ayant vérifié la bonne fermeture de l'enclos, j'ai repris :) Le shérif a recensé trois personnes âgées disparues. De ton côté, du nouveau sur le motel Bates[2] ?

— *Nada.* Personne n'est au courant de son existence. Si des gens l'utilisent, ils y entrent et en sortent à la vitesse de l'éclair. Ou alors, c'est la loi du silence.

— Demain à la première heure, j'irai consulter les registres des taxes foncières. De son côté, Lucy Crowe va réactiver les recherches sur les disparus.

— On est samedi, demain.

— Merde !

Imbécile que j'étais ! Je m'en suis presque donné un coup sur la tête. Le fait d'être exclue de l'enquête m'avait

---

2. Nom du motel dans *Psychose* de Hitchcock (N.d.T.).

tellement bouleversée que j'en avais perdu la notion du temps. Maintenant, il faudrait attendre lundi. « Merde ! », ai-je répété et j'ai repris le chemin de la maison. Ryan m'a emboîté le pas.

— Le briefing n'était pas inintéressant aujourd'hui.

— Ah bon ?

— Le Bureau des transports a présenté les premiers diagrammes des dégâts. Passe me voir au QG demain, je te les montrerai.

— Ça ne risque pas de te causer des problèmes ?

— Dis que je suis fou.

Les différentes équipes chargées de l'enquête avaient investi la plus grande partie de Bryson City et des environs. Partout, se déployait une activité intense. Les services d'identification occupaient la caserne de pompiers d'Alarka et le centre d'assistance aux familles, le motel Sleep Inn, boulevard des Vétérans. Le Bureau des transports avait son centre de commandement sur la route de Big Laurel et des locaux avaient été aménagés par les autorités fédérales dans la caserne de pompiers de Bryson City à l'intention, entre autres, du FBI, du NTSB et de l'ATF.

Le lendemain, à dix heures du matin, je me trouvais devant un ordinateur dans l'un des postes de travail minuscules qui quadrillaient à présent tout le dernier étage de ce bâtiment, séparée de Ryan par deux membres du Bureau des transports : Jeff Lowery, du groupe de recherches sur la cabine, et Susan Katzenberg, du groupe chargé des structures de l'avion.

Tout en écoutant les explications de cette dernière sur le premier relevé des débris au sol établi par son équipe, je surveillais la porte. J'avais beau être en compagnie d'agents fédéraux et ne pas, à proprement parler, transgresser l'exil que m'avait imposé Larke Tyrell, je redoutais de me trouver nez à nez avec lui.

— Voyez la répartition des débris, disait Susan, ils s'étalent sur plus de six kilomètres en formant un triangle. Au sommet, le site principal du crash. Ce tracé-là indique la trajectoire suivie par l'avion. Il est cohérent avec une descente parabolique depuis vingt-quatre mille pieds à la vitesse approximative de quatre mille pieds/minute jusqu'à la chute verticale pure.

— J'ai analysé des corps retrouvés à plus d'un kilomètre et demi du site principal, ai-je dit.

— Des passagers ont probablement été éjectés en vol, car la cellule pressurisée s'est rompue alors que l'avion était en l'air.

— À quel endroit a-t-on retrouvé les boîtes noires ? ai-je encore demandé.

— À peu près à mi-distance dans la traînée de débris. Avec des morceaux de la partie arrière du fuselage. (Susan Katzenberg s'est rapprochée de l'écran.) Dans les Fokker 100, les enregistreurs sont situés dans la partie non pressurisée du fuselage, de l'autre côté de la cloison arrière. Ils ont été expulsés très tôt, après l'explosion dans la queue de l'avion.

— La répartition des débris au sol permet d'affirmer qu'il s'est agi d'une désintégration en vol ?

— Oui. Tout objet dépourvu d'aile, c'est-à-dire de portance, chute selon une trajectoire balistique, et les objets les plus lourds parcourent une plus longue distance horizontale.

Elle a déplacé son doigt le long de la traînée.

— Les plus petits et les plus légers sont les premiers à toucher terre.

Elle s'est tournée vers Ryan, puis vers moi.

— Il faut que je me sauve. J'espère que mes explications vous auront aidés.

Lowery lui a succédé au clavier. La lueur qui émanait de l'écran creusait ses rides tandis qu'il tapait des commandes, tendu vers le moniteur. Est apparu un tableau qui rappelait un peu un Seurat, avec sa prédominance de couleurs primaires.

— En ce qui concerne les sièges, on a commencé par établir une liste de dégâts caractéristiques pour tous, qu'il s'agisse d'une rangée entière ou d'un seul élément.

Il a désigné les différentes couleurs sur le diagramme.

— Les sièges ayant le moins souffert sont en bleu clair, ceux moyennement abîmés en bleu foncé et ceux très abîmés en vert. Le jaune correspond aux sièges partiellement détruits et le rouge à ceux qui se sont brisés.

— Qu'est-ce que vous entendez par là exactement?

— Les sièges sont constitués de cinq éléments : le pied, le dossier, l'assise, les accoudoirs et la ceinture de sécurité, laquelle est faite de plusieurs parties. Le bleu clair signifie que la totalité des éléments est intacte ; le bleu foncé, qu'un élément a subi une détérioration mineure ; le vert, qu'il y a plusieurs ruptures et déformations ; le jaune, que deux éléments sur cinq sont brisés ou manquants ; le rouge, qu'au moins trois éléments sur cinq sont complètement fichus.

Le diagramme représentait une cabine d'avion. Après le cockpit venait une section comprenant les toilettes et un office avec des placards ; ensuite, la première classe et ses huit rangées de sièges ; puis les dix-huit rangées de la classe touriste, deux sièges à bâbord, trois sièges à tribord. Enfin, un second office et des toilettes, après la dernière rangée qui ne comportait que deux sièges, de part et d'autre de l'allée.

Un enfant aurait pu interpréter le diagramme. À mesure qu'on avançait vers la queue de l'appareil, les couleurs passaient du bleu clair au rouge écarlate.

Lowery a fait apparaître une autre carte.

— Le plan d'affectation des sièges. Cela dit, l'avion n'étant pas plein, des gens ont pu changer de place. D'après l'enregistreur des voix, le capitaine n'avait pas éteint le signal « Attachez votre ceinture », de sorte que la plupart des passagers auraient dû se trouver à leur place, ceinture bouclée. En revanche, le service avait été autorisé. L'équipage pouvait donc se trouver n'importe où.

— Saura-t-on un jour avec certitude qui était assis et qui ne l'était pas ?

— L'analyse des sièges donnera des indications sur la résistance de la ceinture : par exemple la charge qu'elle a supportée ; si elle s'est déformée ou rompue sous l'effet du poids du passager. Quand nous disposerons des résultats médico-anthropologiques, nous tenterons d'établir une corrélation entre les dégâts subis par les sièges et la fragmentation des corps.

Des corps qui seraient codés eux aussi, je le savais. Vert : corps intact. Jaune : tête écrasée ou un membre manquant. Bleu : deux membres manquants, avec ou sans tête écrasée. Rouge : corps sectionné ou plus de trois membres manquants.

— Comme les rapports d'autopsie mentionneront les inclusions de matériaux et l'origine des brûlures — thermique ou chimique —, poursuivait Lowery, nous pourrons dire où les passagers étaient assis. Nous essaierons alors d'établir une corrélation entre la déformation des sièges à droite ou à gauche et le côté du corps atteint.

— Et ça vous dira quoi ? a demandé Ryan.

— Si on obtient un taux d'adéquation élevé, ça voudra dire que les passagers sont restés assis pendant la plus grande partie de l'accident. Si ce taux est bas, ça indiquera soit qu'ils n'occupaient pas le siège qui leur avait été assigné, soit qu'ils en ont été éjectés tout de suite après l'explosion.

La pensée de ces passagers terrifiés m'a donné le frisson.

— Les toubibs nous apprendront également si le corps a été plus touché devant ou derrière, et nous mettrons ces données en corrélation avec la déformation subie par les sièges, face avant et face arrière.

— Pourquoi ? a demandé Ryan.

— On considère en général que l'effet combiné de la marche en avant de l'appareil et de la protection offerte par le siège au niveau du dos occasionne des blessures au haut du corps.

— À condition que l'occupant du siège n'ait pas été éjecté.

— Bien sûr. Dans les accidents en général, en raison du mouvement vers l'avant, les sièges placés dans le sens de la marche présentent des déformations allant de l'arrière vers l'avant. Dans les accidents en vol, ce n'est pas systématique, car les parties éjectées sont détériorées par l'impact au sol.

— Et dans le cas présent ?

— De tous les sièges récupérés jusqu'ici, plus de soixante-dix pour cent présentent une nette déformation dans le plan avant-arrière. Parmi ceux-là, moins de quarante pour cent sont déformés dans le sens de la marche.

— Ce qui signifie destruction en plein vol ?

— Sans aucun doute. L'équipe de Susan continue d'étudier le processus de désintégration. Ils vont tenter de recréer l'enchaînement exact des événements, mais on a déjà la certitude qu'ils ont été causés par une catastrophe subite, survenue pendant le vol, et qu'une partie du fuselage a été éjectée avant de s'écraser au sol. Personnellement, je m'étonne qu'il n'y ait pas plus de variation entre les différentes sections de l'appareil, mais il n'y a pas de règle dans ce genre d'accident. Ce qui est évident, c'est que, dans chaque section, tous les sièges ont subi une charge à l'impact quasi identique.

Il a tapé sur le clavier et le tout premier diagramme est revenu à l'écran.

— L'endroit où l'explosion s'est produite ne fait guère de doute.

Il a pointé du doigt la partie rouge sang du tableau : l'arrière gauche de la carlingue.

— Explosion ne veut pas nécessairement dire bombe.

D'un même mouvement, nous nous sommes tous retournés. Magnus Jackson se tenait sur le seuil. Il m'a considérée un assez long moment, mais n'a pas émis de commentaire. Derrière nous, une palette de couleurs illuminait toujours l'écran.

— Le scénario missile est de plus en plus crédible, a fini par lâcher le chef suprême de l'enquête.

Nous sommes restés cois, attendant qu'il poursuive.

— Nous avons à présent trois témoins qui prétendent avoir vu un objet traverser le ciel.

Retourné sur son siège, un bras par-dessus le dossier, Ryan a lancé :

— J'ai eu le grand bonheur de bavarder avec les révérends Claiborne et Bowman. Je ne leur prêterais ni à l'un ni à l'autre un QI supérieur à celui d'une mite.

L'espace d'une seconde, je me suis demandé d'où Ryan tirait ses connaissances sur les invertébrés, mais je n'ai pas réagi.

— Tous les trois mentionnent une heure et des faits pratiquement identiques.

— À l'instar de leurs codes génétiques, a ironisé Ryan.

— Ils seront soumis au détecteur de mensonge ? ai-je voulu savoir.

— Tu rêves, a rétorqué Ryan. Ils croient que la seule vue d'un micro-ondes peut leur griller le zizi !

Il commençait à m'agacer avec ses plaisanteries. Jackson, lui, avait l'air d'apprécier.

— Nos montagnards se distinguent en effet par une franche et saine suspicion à l'égard de l'autorité et de la science, a-t-il répondu avec un semblant de sourire. Les témoins refusent de se soumettre à la procédure, prétextant que le gouvernement pourrait modifier leur cerveau par des moyens technologiques.

— Les améliorer, peut-être ?

Jackson s'est permis un bref sourire avant de tourner les talons sans ajouter un mot.

Mais non sans avoir fait peser sur moi son regard.

J'ai demandé à Lowery de me faire revoir le plan de répartition des places.

— C'est possible de lui superposer la carte de dégradation des sièges ?

Quelques frappes sur le clavier et le Seurat est venu se placer là où il le fallait.

— Où était assise Martha Simington ?

— À la 1-A.

Lowery a désigné la première rangée des premières classes. Bleu clair.

— Et l'étudiant du Sri Lanka ?

— Anurudha Mahendran ? À la 12-F. À droite, juste avant l'aile.

Bleu foncé.

— Jean Bertrand et Rémi Petricelli ?

Le doigt de Lowery s'est déplacé tout au fond, côté gauche.

— Rang 23. Places A et B.

Rouge ardent.

Point zéro de l'explosion.

Chapitre 11

Après le briefing, j'ai déjeuné avec Ryan au Hot Dog Heaven, près du dépôt ferroviaire des Great Smoky Mountains. Il y avait foule. Le temps s'était réchauffé et, à une heure et demie, il faisait dans les vingt-deux degrés. Soleil étincelant et brise légère, été indien au pays cherokee.

Ryan m'a promis de s'informer sur les progrès réalisés dans l'identification des victimes et moi, de dîner avec lui ce soir-là. Je l'ai regardé démarrer avec le sentiment de la maman qui abandonne pour la première fois son bambin à l'école, la journée entière : comment m'occuper jusqu'au retour des troupes ?

Rentrée à High Ridge House, j'ai emmené Boyd en promenade. Il était ravi, bien sûr. En vérité, c'est plutôt moi qui avais besoin d'exercice. Sans nouvelles du shérif, contrainte de reporter à lundi ma visite au cadastre, déclarée *persona non grata* par mes collègues, je tournais à vide, exaspérée d'être obligée de mettre en veilleuse mes recherches sur le pied.

J'ai bien essayé de lire mais, à trois heures et demie, j'en avais ma claque. Saisissant mon sac et mes clefs de voiture, j'ai décidé d'aller quelque part.

À la sortie de Bryson City, un panneau indiquait la réserve cherokee.

Daniel Wahnetah était cherokee. Y vivait-il à l'époque de sa disparition ? Impossible de m'en souvenir.

Quinze minutes plus tard, j'étais sur place.

La nation cherokee a régné jadis sur un territoire de presque un million de kilomètres carrés, couvrant ce qui constitue aujourd'hui huit États de l'Amérique du Nord. À la différence des Indiens des plaines, petits chéris des producteurs de westerns, les Cherokees vivaient dans des cabanes en rondins, portaient un turban et s'habillaient à l'occidentale. Dès les années 1820, leur langue put être transcrite grâce à l'alphabet inventé par Sequoyah.

Mais voilà qu'en 1838, à la suite de l'une des trahisons les plus infâmes de l'histoire moderne, les Cherokees furent contraints de quitter leurs terres et de parcourir près de deux mille kilomètres vers l'ouest jusqu'en Oklahoma, en une marche de la mort appelée route des Larmes. Ceux qui y survécurent formèrent ce qui constitue aujourd'hui la Bande cherokee occidentale. La Bande orientale regroupe les descendants des rares Indiens qui réussirent à se cacher dans les Smoky Mountains.

J'ai atteint le village d'Oconaluftee. Je roulais, la rage au cœur, comme chaque fois que je me retrouve confrontée à des destins sur lesquels la cruauté et l'arrogance se sont acharnées. Des panneaux signalaient le musée de l'Indien cherokee et aussi un théâtre où l'on jouait une pièce intitulée *À la gloire de ces collines*. Entreprises commerciales visant à rapporter des dollars, bien sûr, mais aussi efforts louables pour préserver le patrimoine. Et qui démontraient bien la ténacité de ce peuple que les nobles pionniers, mes ancêtres, roulèrent dans la farine comme tant d'autres.

Des publicités vantaient le Harrah's Casino et le Cherokee Hilton, autres preuves que les descendants de Sequoyah ont hérité de ses dons d'adaptation dans le domaine culturel.

Dans le centre-ville de Cherokee, t-shirts, objets en cuir, couteaux et mocassins poussaient comme des champignons sur les étals des boutiques de souvenirs, coincés entre les marchands de glace, les pâtisseries et autres fast-foods. L'Indian Store. Le Spotted Pony. Le Tomahawk Mini-Mall. Le Buck and Squaw. Tipis sur les toits des échoppes et totems multicolores à l'entrée. Kitsch indigène dans sa manifestation la plus pure.

Il n'y avait pas une place de libre sur la route 19, de sorte que j'ai fini par me garer plus loin, dans un petit stationnement. Une heure de lèche-vitrines au milieu d'une masse grouillante à admirer des cendriers, porte-clefs, gratte-dos et autres tam-tams véritablement cherokees, à soupeser d'authentiques tomahawks, à caresser des bisons en céramique, des couvertures en acrylique et des flèches en plastique, en m'émerveillant du concert ininterrompu des caisses enregistreuses. A-t-on jamais vu un bison en Caroline du Nord?

Qui trompe qui, de nos jours? me suis-je demandé en voyant un gamin allonger sept dollars pour une couronne de plumes avec des néons.

Pourtant, quitte à tomber dans la culture du profit à tout crin, j'étais heureuse d'avoir quitté mon monde de tous les jours — un monde où les femmes avaient des entailles aux seins, les petites filles de deux ans, des déchirures vaginales et les clochards, l'estomac rempli d'antigel. Un monde où un pied sectionné traînait dans la nature. Finalement, mieux valait des couronnes de plumes en néon que la violence et la mort.

Et puis, c'était un soulagement que d'échapper au bourbier de mes sentiments. J'ai acheté des cartes postales. Une glace au beurre de cacahuète et une pomme d'amour ont eu raison de ma fureur contre Larke Tyrell et de mes atermoiements entre Peter et Ryan. Envolés pour une autre galaxie, tous ces gens!

Le Boot Hill Leather Shop m'a subitement évoqué les chaussons au pied du lit de Peter, cadeau de Katy quand elle avait six ans. J'ai eu envie de le remercier pour m'avoir remonté le moral.

Et peut-être pour autre chose.

Va pour des mocassins indiens! Tout en fouillant parmi les casiers, j'ai pensé à Ryan, démoralisé par la mort de son coéquipier. Une authentique imitation de chaussures indigènes l'aiderait peut-être à remonter la pente. OK, faisons d'une pierre deux coups!

Peter, c'était facile. Il chaussait du 45. En langage mocassins, ça se traduit: taille large. Mais que je sois pendue si je connaissais la pointure de Ryan! J'en étais à me demander si un extra-large conviendrait à un Irlando-Canadien de Nouvelle-

Écosse mesurant un mètre quatre-vingt-dix, quand une mise à feu en chaîne s'est produite à l'intérieur de mon cerveau.

Les os du pied. Nos troupes en Asie du Sud-Est. Les formules permettant de différencier les restes appartenant à des Asiatiques de ceux appartenant à des Blancs ou à des Noirs américains.

Et si je les appliquais au pied inconnu?

Mais… avais-je bien pris toutes les mesures nécessaires?

Saisissant deux paires de mocassins, une large et une extra-large, j'ai foncé à la caisse et de là au stationnement. Je n'avais plus qu'une seule idée en tête : rentrer dare-dare à Magnolia vérifier dans mon carnet à spirale si j'avais pris les bonnes mesures.

J'allais atteindre ma voiture quand un bruit de moteur m'a fait me retourner. Une Volvo noire roulait vers moi. Au début, mon cerveau n'a enregistré que son allure : bien trop rapide pour un stationnement.

Puis, mon ordinateur mental est entré en action. Vitesse plus trajectoire : l'auto fonçait sur moi !

Fuir !

Mais où ? De quel côté ?

Bond à gauche, au hasard, et atterrissage à plat ventre. Deux secondes plus tard, la Volvo longeait mon corps à toute allure dans un tourbillon de terre et de gravier. Carambolage des sensations : le frôlement de l'air sur ma peau ; le grincement tout à côté de mes oreilles d'une vitesse qu'on pousse ; la puanteur âcre des gaz d'échappement.

Le rugissement diminuait.

Immobile, hébétée, je restais à écouter battre mon cœur.

Mes facultés mentales ont enfin repris le dessus.

Regarde !

La Volvo était déjà au coin de la rue et j'avais le soleil dans les yeux. Vision fugitive d'une silhouette penchée sur le volant, un chapeau rabattu sur les yeux.

Roulant sur moi-même, je me suis rassise et j'ai brossé mes vêtements. Pas âme qui vive dans le stationnement.

Vacillant sur mes jambes, j'ai lancé sac et achats sur le siège arrière et me suis glissée derrière le volant. Portières fermées, je suis restée à me masser l'épaule. Je tremblais comme une feuille.

Que s'était-il passé, exactement ?

Pendant tout le trajet de retour, j'ai fait défiler la scène en boucle dans ma tête. Étais-je parano ou avait-on voulu m'écraser ? Mais qui, un ivrogne, un aveugle, un idiot ?

Devais-je garder cette histoire pour moi ou la rapporter au shérif ? À McMahon ?

La silhouette au volant. Machinalement, j'avais pensé à un homme, mais ce pouvait aussi bien être une femme.

En parler ce soir à Ryan.

De retour à High Ridge House, je me suis fait un thé pour me calmer et je l'ai bu lentement, dans la cuisine. Quand j'ai regagné ma chambre, mes mains ne tremblaient plus. À tout hasard, j'ai appelé l'université à Charlotte. Mon assistante a décroché dès la première sonnerie.

— Qu'est-ce que vous fabriquez au labo un samedi ?

— Du classement.

— C'est du dévouement, Alex, mais j'apprécie, vraiment.

— Ça fait partie de mon boulot. Où êtes-vous ?

— À Bryson City.

— Je croyais que vous aviez terminé, là-bas... Je veux dire, votre travail... Qu'il était fini...

Elle hésitait, gênée, ne sachant trop que dire. Visiblement, toute l'université était au courant de mon renvoi de l'enquête.

— Je vous expliquerai à mon retour.

— OK...

Ton dénué de conviction.

— Dites, vous pourriez regarder dans mon livre, j'ai besoin d'un renseignement.

— La première édition ou la réédition ?

En 1986, j'avais supervisé la rédaction d'un manuel de médecine légale devenu un classique grâce aux excellents auteurs que j'avais su réunir et à quelques chapitres de ma plume. Huit ans après, j'en avais publié une édition révisée.

— Celle de 86.

— Tout de suite.

Un instant plus tard, elle était de retour.

— Qu'est-ce qu'il vous faut ?

— Le chapitre traitant de la différenciation des populations sur la base du calcanéum.

— J'y suis.

— Quel est le taux d'exactitude dans la classification quand on compare des os du pied appartenant à des populations mongoloïde, noire et blanche ?

La pause a duré. Elle devait parcourir le texte, le front creusé de rides, les lunettes glissant sur l'arête de son nez.

— Juste en dessous de quatre-vingts pour cent.

— Pas terrible.

— Attendez. (Une pause.) C'est parce que la distinction entre Blancs et Noirs n'est pas très nette. Pour les mongoloïdes, le taux d'exactitude peut aller de quatre-vingt-trois à quatre-vingt-dix-neuf pour cent, ce qui n'est pas trop mal.

— OK. Lisez-moi la liste des mesures à prendre pour effectuer les calculs.

Il y en avait une ribambelle. De quoi se noyer. Je les ai notées toutes.

— Je crois qu'il y a un tableau qui donne les coefficients canoniques et non standardisés des discriminants concernant les Indiens, les Noirs et les Blancs dans la population américaine.

Coefficient avec lesquels je devrais comparer ceux du pied inconnu.

La pause a duré.

— C'est le tableau quatre.

— Vous pouvez me le faxer ?

Je lui ai donné le nom de Primrose Hobbs et son numéro de fax à la morgue spéciale.

Ensuite, j'ai appelé Primrose à la morgue. Elle n'était pas là, mais on m'a donné son numéro au motel Riverbank Inn.

Primrose aussi a décroché à la première sonnerie, c'était mon jour de chance.

— Alors, mon petit bonbon en sucre, ça va la vie ?

— On fait aller.

— Surtout, ne vous laissez pas abattre. Dieu agira comme il l'entend, mais il sait que toutes ces calomnies ne sont que du blabla.

— Je sais.

— Un jour, en jouant au mistigri, on se rappellera cette histoire et on en rigolera comme des bossus.

— Je sais.

— Et pourtant, Tempe Brennan, permettez-moi de vous dire que pour quelqu'un d'intelligent, vous êtes particulièrement nulle à ce jeu.

Elle a ri de son rire de gorge.

— Les cartes et moi, ça fait deux.

— Ça, c'est sûr.

Autre rire guttural.

— Primrose, vous pourriez me rendre un service?

— À vos ordres, mon bijou.

Je lui ai fait un condensé de l'histoire du pied et elle a accepté d'aller à la morgue le lendemain matin, dimanche, et de me rappeler sitôt qu'elle aurait lu le fax pour que je l'aide à prendre les mesures qui manquaient. Elle m'a encore donné son opinion sur les accusations dont je faisais l'objet et a mentionné les endroits de son corps où Larke Tyrell ferait bien de se les mettre.

J'ai raccroché, non sans l'avoir remerciée pour sa fidélité.

Comme bistrot pour le dîner, Ryan avait choisi le Injun Joe's Chili Joint et moi, le Misty Mountain Café pour sa *nouvelle cuisine*[1] et sa vue splendide sur la Balsam Mountain et la Maggie Valley. Aussi têtus l'un que l'autre, nous avons tiré au sort.

Avec ses murs en rondins, son plafond élevé, ses cheminées et ses grandes baies vitrées, le Misty Mountain avait tout d'un chalet. Une heure et demie d'attente avant qu'une table se libère, nous a-t-on annoncé sur le seuil. Nous n'allions pas patienter derrière un verre dans le patio. Direction l'Injun Joe. Je vous le dis: même quand je gagne, je perds!

Au premier coup d'œil, il était clair que cet endroit ne cherchait pas à rivaliser avec le précédent. Une demi-douzaine de télés retransmettaient un match de football entre deux équipes universitaires. Au comptoir, des hommes en casque de chantier; aux tables et dans les banquettes, des

---

1. En français dans le texte (N.d.T.).

couples ou des bandes de jeunes en bottes et en jeans pour qui se raser ou aller chez le coiffeur était visiblement le cadet de leurs soucis. Quelques anoraks criards çà et là : des gens manifestement pas du coin. J'ai reconnu des gars qui travaillaient sur l'enquête.

Au bar, deux serveurs à mine de déterrés actionnaient des manettes de bière et autres boissons, jetaient des glaçons dans les verres et attrapaient des bouteilles d'alcool alignées devant un miroir terni. Avec leur queue de cheval déplumée et leur bandana, ils n'avaient pas vraiment l'air d'Indiens injuns. Et leurs t-shirts ne les désignaient pas non plus comme des accros d'Armani. L'un vantait une bière anglaise, la Johnson's Brown Ale, l'autre un groupe de rock, les Bitchin' Tits.

Sur une estrade dans le fond, derrière le billard et les flippers, des musiciens branchaient leur équipement sous la direction d'une vamp en pantalon de cuir noir, maquillée façon Cruella. Toutes les dix secondes, le micro renvoyait son toc-toc et ses un, deux, trois, quatre, mais les essais de sono se noyaient dans le tintamarre des télés et des clic et ding-ding des flippers. Cela dit, l'orchestre semblait avoir assez de puissance pour être entendu depuis Buenos Aires.

Le patron nous a trouvé une table dans la seconde. J'ai proposé qu'on passe la commande.

Balayant la salle des yeux, Ryan a agité la main. Une serveuse s'est approchée de notre table. La quarantaine, les cheveux paralysés par des strates de gel, un bronzage hors saison et un badge l'identifiant comme Tammi. Avec un *i* au bout.

— Seuss'ra ?

Le Bic déjà sur le carnet.

— Je peux avoir un menu ?

Profond soupir de Tammi qui est allée en chercher deux au bar et les a jetés à travers la table en me lançant un regard d'une patience archangélique.

Clic. Clic. Clic. Ding. Ding. Ding. Ding.

Joe l'Injun proposait neuf sortes de chilis, quatre types de hamburgers, un hot-dog et un pain de viande montagnard. Je n'ai pas été longue à me décider : « hamburger Ours grimpeur » et un Coke Diète.

— Vos chilis sont du tonnerre, à ce qu'on dit, a susurré Ryan, un sourire resplendissant aux lèvres.

— Les meilleurs de l'Ouest.

Sourire de Tammi, avec le double de dents.

Tap. Tap. Tap. Tap. Un. Deux. Trois. Quatre.

— Ça doit être duraille de servir autant de clients en même temps. Je me demande comment vous faites.

— Mon charme personnel.

Menton pointé en l'air et déhanchement aguicheur, les reins cambrés.

— Comment est la Canne du montagnard ?

— Pimentée. Comme moi.

J'ai réprimé un haut-le-cœur.

— Va pour une Canne, alors. Et une bouteille de Carolina Pale.

— Je reviens, cowboy.

Clic. Clic. Clic. Clic. Ding. Ding. Ding. Ding. Ding.

Tap. Tap. Un. Deux. Trois. Quatre.

J'ai attendu que Tammi ne soit plus à portée d'oreille, ce qui, étant donné le vacarme, correspondait à deux pas, pour féliciter Ryan de son choix. À quoi il a répondu :

— C'est bien de se mêler aux gens du cru.

— Ce matin, tu étais plutôt critique à leur égard.

— Il faut garder un doigt sur le pouls de l'homme du peuple.

— Surtout quand c'est une femme. (*Tap. Tap.*) Cowboy !

Tammi est revenue avec la bière, le Coke et un sourire fendu jusqu'aux oreilles. Je l'ai renvoyée à sa cuisine avec mon plus beau sourire.

— Quoi de neuf depuis ce matin ? ai-je demandé à Ryan.

— L'option Haskell Simington n'a plus tellement la cote. Le type vaudrait son pesant de milliards. Pas étonnant qu'il assure sa moitié pour deux millions. Surtout que ce sont ses enfants les bénéficiaires.

— C'est tout ?

Ryan a laissé passer un nouvel essai de sono.

— Les trois quarts de l'avion ont été redescendus dans la vallée pour être réassemblés dans un hangar près d'Asheville.

Tap. Tap. Tap. Un. Scriiiiiiiiiitch. Deux. Trois. Quatre.

Les yeux de Ryan ont dévié sur une télé derrière moi.

— C'est tout ?

— Pourquoi est-ce qu'ils ont des empreintes orange dans le dos ?

— Ce sont les Clemson, et ils jouent chez eux.

Du regard, il m'a posé une question puis s'est ravisé.

— Laisse tomber.

Trois passes plus tard, Tammi était de retour.

— Je vous ai mis une double portion de fromage, a-t-elle ronronné en se penchant au maximum vers Ryan pour lui offrir une vue panoramique sur ses seins.

— J'adore le fromage.

Ryan lui a décerné un autre sourire éblouissant. Tammi a gardé la posture. J'ai fixé son décolleté.

Tap. Tap. Un. Deux. Trois. Quatre.

Elle a fini par retirer sa poitrine de ma ligne de mire.

— Ça sera tout ?

— Du ketchup ! (J'ai saisi une frite.) Des réactions sur ma visite au QG, ce matin ? ai-je demandé à Ryan, en prenant mon hamburger à deux mains.

— L'agent spécial McMahon t'a trouvée super en jeans.

— Il était là ? Je ne l'ai pas vu.

Le petit pain pleuvait des miettes détrempées sur l'ombilic de fromage resté accroché au plat.

— Eh bien, lui, il t'a remarquée. De dos, en tout cas.

— Que pense le FBI de mon renvoi ?

— Tout ce que je sais, c'est que McMahon n'est pas fana que votre numéro deux de l'État soit aux commandes.

— Davenport ? Rien ne prouve qu'il soit à l'origine de la plainte contre moi.

— McMahon dit qu'il n'a pas de temps à perdre avec ce connard de lèche-cul. Ce sont ses propres termes. (Il a fait passer une pleine cuillerée de chili avec une lampée de bière.) Quand je dis que les Irlandais ont la poésie chevillée au cœur !

— Un connard de lèche-cul qui peut te faire rappeler au Canada.

— Et toi, ton après-midi ?

— Je suis allée à la réserve d'Indiens.

— Tu as rencontré Tonto[2] ?

— Ça alors, comment ai-je pu deviner que tu me poserais la question ? ! (J'ai sorti les mocassins de mon sac.) Un petit souvenir de ma terre natale.

— Pour adoucir le traitement que tu me fais subir ?

— Je te traite comme un collègue.

— Un collègue qui te sucerait volontiers les orteils.

J'ai ressenti comme un petit hoquet au creux de l'estomac.

— Ouvre !

Il s'est exécuté.

— Ouais, impressionnant !

Un pied sur le genou, Ryan a entrepris d'enfiler un mocassin sous l'œil stupéfié d'une donzelle au bar, qui en a cessé d'éplucher l'étiquette de sa Coors.

— Cousu main par Sitting Bull en personne ?

— Sitting Bull était sioux. Disons plutôt par un illustre anonyme chinois.

Il a chaussé le second mocassin. La débutante au comptoir a donné un coup de coude à son voisin.

— Tu n'es pas obligé de les porter tout de suite.

— J'y tiens ! Pour une fois que je reçois un cadeau d'un collègue !

Il a rangé ses chaussures dans le sac des mocassins et s'est attaqué au chili.

— Tu as rencontré des aborigènes intéressants ?

J'ai hésité.

— En fait, oui.

Il a levé sur moi des yeux assez bleus pour passer inaperçus dans un village de Finlande.

— Disons, presque.

Je lui ai raconté l'incident avec la Volvo.

— Sapristi, Brennan. Mais comment…

— Je sais. Je me retrouve toujours dans des situations dantesques. Je devrais m'inquiéter ?

J'espérais qu'il dirait non.

Ding. Ding. Ding. Ding.

---

2. Tonto : compagnon indien de Lone Ranger, dans une célèbre émission de radio du même nom (N.d.T.).

Tap. Tap. Un. Deux. Trois. Quatre.

Une bouchée de chili.

Une gorgée de bière.

Bribes de conversations.

— Si les déconstructionnistes nous enseignent que rien n'est vrai, j'ai découvert de mon côté un ou deux truismes pas inutiles dans la vie. Le premier, c'est que si une Volvo t'attaque, mieux vaut prendre la chose au sérieux !

— Peut-être que le type ne voulait pas m'écraser, qu'il ne m'a pas vue, tout simplement ?

— C'est ce que tu as pensé, sur le moment ?

— Non.

— Truisme n° 2 : les premières impressions sur les Volvo sont généralement les meilleures.

Nous avions fini de manger et Ryan était allé aux toilettes quand Lucy Crowe est entrée dans le bar. En uniforme, pistolet sur le côté. Et l'air déterminé à s'en servir. Direction : le comptoir.

J'ai agité la main. Elle ne m'a pas vue. Debout, j'ai fait des moulinets.

— Hé, ton père était pas vitrier ! a beuglé quelqu'un. Baisse les baguettes ou fiche le camp !

J'ai remué les deux bras de plus belle. Lucy Crowe m'a enfin repérée. Un doigt levé, elle m'a fait un signe de tête. En me rasseyant, j'ai vu le barman lui chuchoter quelque chose, penché vers elle, en lui tendant un verre.

— Hé, petit cul !

Un péquenaud qui s'est fait rembarrer n'est jamais beau à voir. J'ai continué à l'ignorer ; lui, à me provoquer.

— Hé, la fille qui faisait le moulin à vent !

La vue du shérif s'approchant de ma table a cloué le bec à cet imbécile. Se jetant sur sa bière, il l'a vidée à grands traits et s'est concentré sur la partie de foot.

Ryan et Lucy Crowe ont atteint la banquette en même temps. Remarquant le regard du shérif sur les pieds de Ryan, j'ai cru bon de préciser :

— Monsieur est canadien.

Ryan n'a pas relevé. Lucy Crowe a posé son 7-Up sur la table.

— Le Dr Brennan a quelque chose à vous dire, a déclaré Ryan en sortant ses cigarettes.

Je l'aurais pilé. Tout, même un contrôle fiscal tous les ans de ma vie, plutôt que raconter au shérif mon aventure avec la Volvo. Mais il a bien fallu que je m'exécute. Lucy Crowe m'a écoutée sans m'interrompre. Puis :

— Vous avez relevé le numéro ?

— Non.

— Vous pouvez décrire le conducteur ?

— Il portait un chapeau.

— Comment, le chapeau ?

— Je ne pourrais pas dire.

Je sentais le rouge me monter aux joues, tellement je me trouvais bête.

— Des témoins ?

— Non. J'ai vérifié. Remarquez, tout cela n'a peut-être été qu'un accident. Un gamin qui se fait mousser en prenant la Volvo de papa.

— C'est ce que vous croyez ?

Ses yeux branche de céleri étaient plantés dans les miens.

— Non. Enfin, je ne sais pas. (J'ai posé les mains à plat sur la table tachée de bière.) À la réserve, j'ai pensé à un truc qui pourrait être utile, ai-je repris, en m'essuyant sur mon jeans.

Et d'expliquer au shérif qu'en utilisant certaines mesures des os du pied, il était possible de déterminer l'appartenance raciale.

— Je pourrais même faire le tri parmi votre Rainbow Coalition.

— Eh bien, j'irai trouver demain la famille Wahnetah, a déclaré Lucy Crowe en faisant tourbillonner les glaçons dans son 7-Up. De mon côté, j'ai découvert des choses intéressantes sur George Adair.

— Le pêcheur porté disparu ?

Hochement de tête de sa part.

— Au cours de l'année dernière, il est allé douze fois chez le docteur. Sept fois pour des problèmes de gorge, les autres pour des douleurs aux pieds.

— Ben, mon vieux !

— Et il y a mieux. Adair n'a pas disparu depuis une semaine que sa veuve inconsolable s'apprête déjà à partir pour Las Vegas avec son voisin. (Elle a vidé son 7-Up.) Voisin qui est le meilleur ami de George Adair.

— Son copain de pêche?

— Vous avez tout deviné.

Chapitre 12

Le lendemain matin, levée à huit heures, j'ai apporté son petit déjeuner à Boyd avant de me jeter sur celui préparé par Ruby. Elle avait fait ami-ami avec le chien et, justement, l'Évangile du jour glorifiait les poissons de la mer, les oiseaux du ciel et les animaux qui rampaient sur terre. Le chow-chow, un reptile ? Cela ne valait pas la peine d'entamer un débat.

Ryan ne s'est pas montré. Ou bien il était parti aux aurores, lesté d'un en-cas, ou bien il avait décidé de faire l'impasse sur le menu montagnard : gâteaux sortis du four, bacon et flocons d'avoine. La veille, nous étions rentrés aux alentours de onze heures et j'avais refusé sa proposition habituelle de rester un moment dans la véranda. La balancelle, très peu pour moi.

Je remontais dans ma chambre quand mon cellulaire a sonné : Primrose. Appelant de la morgue.

— Vous vous êtes levée avec les petits oiseaux !

— Vous avez mis le nez dehors ? a-t-elle demandé. C'est un temps à ne pas traîner au lit.

— Vous avez reçu le fax ?

— Absolument et j'ai déjà pris toutes les mesures en m'appuyant sur les descriptions et les diagrammes.

— Primrose, vous êtes géniale !

Grimpant les dernières marches quatre à quatre, j'ai foncé jusqu'à ma chambre et ouvert mon carnet à la page du lot 387 pour inscrire tous les chiffres qu'elle me donnait.

— Vous êtes sacrément douée, Primrose. Toutes vos mesures sont égales ou inférieures de moins de un millimètre avec les miennes.

— Vous en doutiez ?

Je l'ai remerciée, ravie. Une différence aussi minime ne devrait pas changer les résultats de l'analyse. Je lui ai demandé quand elle pourrait me passer le fax. Elle a proposé qu'on se retrouve dans vingt minutes à la guérite du stationnement. Inutile que je me montre à la morgue, a-t-elle précisé. Mieux valait laisser passer un peu de temps.

Primrose devait guetter mon arrivée, car je venais tout juste de quitter la grand-route qu'elle sortait déjà du bâtiment par la porte de derrière. Un sac en plastique dans une main, sa canne dans l'autre, elle a traversé le stationnement à petits pas, faisant attention où elle posait les pieds.

Le gardien s'était approché pour lire ma plaque d'immatriculation. Ne voyant pas mon nom sur sa liste, il m'a barré le passage en m'enjoignant du geste à faire demi-tour. Primrose s'est avancée vers lui.

Il a continué de secouer la tête, sans baisser son bras. Elle s'est tendue vers lui, vieille femme noire faisant la leçon à un vilain garnement. Il a levé les yeux au ciel et, bras croisés sur la poitrine, ne l'a pas lâchée de l'œil tandis qu'elle marchait jusqu'à ma voiture — mamie en chignon, victorieuse d'un général cinq étoiles en bottes et treillis.

Prenant appui sur sa canne, elle m'a passé le sac par la fenêtre.

— Laissez courir, Tempe ! m'a-t-elle dit en me tapotant l'épaule avec un sourire. Ils ne tarderont pas à comprendre qu'ils se sont trompés.

— Je sais bien, Primrose, mais c'est dur. Merci.

— Je vous garde dans mes prières.

Paroles aussi réconfortantes qu'un concerto brandebourgeois.

— En attendant, prenez les choses comme elles viennent. Une bon Dieu de journée après l'autre !

Sur ce, elle est repartie vers la morgue. C'était bien la première fois de ma vie que je l'entendais jurer !

De retour dans ma chambre, j'ai parcouru le fax jusqu'au tableau IV, en notant les coefficients nécessaires à mes calculs.

Le pied entrait dans la catégorie des Indiens américains. J'ai refait mes estimations à partir d'un paramètre plus proche de la case Afro-Américains. Indien est de nouveau sorti.

George Adair était blanc, Jeremiah Mitchell était noir. Ce pied n'appartenait donc ni au pêcheur, ni au type qui avait emprunté une hache à son voisin.

À moins qu'il ne soit revenu à la réserve debout sur ses deux pieds, Daniel Wahnetah avait toutes les chances d'être mon homme.

Onze heures moins le quart. À cette heure, le shérif devrait être au bureau. J'ai appelé. Elle n'y était pas. Et non seulement on ne lui téléphonerait pas chez elle, mais on ne me communiquerait pas le numéro de sa pagette. Ce n'était pas une urgence ? Eh bien, on lui ferait part de mon appel.

Merde. Et que signifiait ce refus ?

Pour tuer le temps et offrir un exutoire à mon énervement, j'ai consacré les deux heures suivantes à mettre en œuvre tout ce que me suggérait mon cerveau. Les comportementalistes appellent ça faire du «déplacement». Cela s'est traduit pour moi par de la lessive — une pleine machine à laver plus des petites culottes dans le lavabo de ma salle de bains ; le tri des affaires dans mon sac à dos ; la suppression des fichiers temporaires de mon ordinateur ; le pointage de mes dépenses réglées par chèque et la réorganisation de la collection d'animaux en verre de Ruby. Pour finir, coup de téléphone à ma fille, à ma sœur et à mon ex-mari.

Peter ne répondait pas. Il ne devait pas être rentré d'Indiana. Katy non plus n'était pas chez elle, mais je n'ai rien supposé. Quant à Harry, elle m'a gardée quarante minutes au bout du fil pour me dire qu'elle avait décidé d'arrêter son boulot parce qu'elle avait des problèmes de dents et un amoureux originaire de Denton qui s'appelait Alvin. À moins qu'il ne s'appelle Denton et soit originaire d'Alvin.

J'en étais à tester le menu des sonneries de mon cellulaire quand un aboiement étrange, une lamentation digne d'un film de Bela Lugosi, m'a tirée de cette passionnante occupation. Par la fenêtre à moustiquaire, j'ai aperçu le chien assis au milieu de l'enclos, hurlant à la façon des loups, la tête rejetée en arrière.

— Boyd !

Il s'est interrompu pour regarder autour de lui. Un hululement de sirène est parvenu jusqu'à moi.

— Ici, en haut.

Le chien s'était relevé et tendait l'oreille, la tête penchée sur le côté, la langue hors de sa gueule.

— Lève le nez, mon garçon !

Il a penché la tête de l'autre côté.

— En l'air, je te dis !

J'ai tapé dans mes mains. Il a fait un tour complet sur lui-même et s'est élancé ventre à terre à l'autre bout de l'enclos pour reprendre sa sérénade à l'ambulance.

Visiblement, l'intellect de ce chow-chow ne correspondait pas à la taille de son crâne, et pourtant sa tête disproportionnée était bien la première chose qu'on remarquait en lui.

M'emparant de sa laisse et d'une veste, je suis sortie. Il faisait encore chaud dehors, mais des nuages s'amassaient lentement, tout noirs au milieu. Le vent faisait claquer les pans de ma veste. Les aiguilles de pin et les feuilles mortes tourbillonnaient sur l'allée de gravier.

Cette fois-ci, nous avons commencé la promenade en montant. Boyd tirait sur son collier, haletant et s'étranglant. Il filait d'arbre en arbre, il reniflait et éternuait pendant que j'admirais la vallée étendue à mes pieds. À chacun sa façon d'apprécier la montagne.

Nous avions peut-être parcouru huit cents mètres quand il s'est immobilisé, la tête en arrière et le poil hérissé le long de l'épine dorsale. Sa gueule s'est entrouverte et du fond de sa gorge est monté un grondement qui n'avait rien à voir avec son hurlement à la sirène.

— Qu'est-ce qu'il y a, mon garçon ?

Il a chargé soudain avec une violence telle que la laisse m'a échappé des mains.

— Boyd !

Reprenant mon équilibre, je me suis frotté la paume.

— Merde !

Il avait filé sous les arbres et aboyait d'une grosse voix de molosse.

— Boyd, ici !

Autant pisser dans un violon! Maudissant du fond du cœur cette créature du monde rampant, je me suis enfoncée dans le sous-bois. Campé devant un chêne blanc, dix mètres plus loin, il sautait dans tous les sens en jappant comme un fou.

— Boyd!

Aucun effet. Ni sur ses bonds effrénés, ni sur ses jappements, ni sur ses claquements de mâchoire à l'adresse de l'arbre.

— BOYD!

Il a freiné des quatre fers et tourné la tête vers moi.

Les chiens ont une fixité des muscles faciaux qui les empêche d'exprimer leurs sentiments. Ils ne peuvent pas sourire, froncer les sourcils, faire des grimaces ou ricaner. Et cependant, le museau de Boyd manifestait clairement son incrédulité.

J'étais devenue folle, ou quoi? Je voyais ses sourcils danser!

— Boyd, assis!

Le doigt pointé sur lui, j'ai attendu qu'il obéisse.

Il a considéré le chêne, puis s'est tourné vers moi et s'est enfin assis. Le doigt toujours tendu, j'ai marché sur lui, récupérant au passage la laisse dans les fourrés.

— Tranquille, mon gros!

Lui ayant tapoté la tête, j'ai voulu l'entraîner vers la route. Il a fait un bond sur le côté en aboyant à l'arbre, puis, tourné vers moi, il m'a fait son petit jeu de sourcils.

— Qu'est-ce qui se passe?

Rrrouf. Rup. Rup.

— C'est bon, montre-moi!

J'ai donné un peu de mou à la laisse. Il m'a traînée vers le chêne. Soixante centimètres plus loin, il a recommencé à aboyer en faisant des bonds, les yeux brillants d'excitation. Du pied, j'ai écarté la végétation.

Un écureuil gisait parmi les pousses de chardons. Mort, les orbites vides et sa fourrure sombre transformée en cuir sculptant ses os comme un linceul.

J'ai regardé le chien.

— Et c'est ça qui te hérisse le poil?

Il s'est mis à donner des ruades dans le ciel et a fait deux bonds en arrière.

— Il est mort, Boyd.

La tête penchée sur le côté, le chien a remué ses sourcils.

— Allez, chasseur émérite !

Le reste de la promenade s'est déroulé sans incident. Boyd n'a pas découvert d'autre cadavre, et le retour nous a pris beaucoup moins de temps que la grimpée à l'aller.

Émergeant du dernier lacet avant High Ridge House, j'ai eu la surprise de découvrir une voiture garée sous les arbres. Sur la portière, les armes du comté de Swain. Le shérif Lucy Crowe se tenait sur les marches de la véranda, un Dr Pepper dans une main, son chapeau dans l'autre. Boyd s'est avancé vers elle en remuant la queue, la langue pendant hors de sa gueule comme une anguille pourpre. Elle a posé son chapeau sur la balustrade pour enfouir sa main dans sa fourrure. Il l'a frottée avec sa truffe et lui a donné un coup de langue avant de s'écrouler un peu plus loin sur la véranda, les yeux fermés, le menton dans les pattes. Boyd dans son rôle de tueur.

— Un bon chien, a dit Lucy Crowe en s'essuyant la main sur son fond de pantalon.

— Je l'ai en garde pendant quelques jours.

— Ça tient compagnie.

— Ouais.

On voit qu'elle n'avait pas passé de temps avec lui.

— J'ai vu les Wahnetah. Daniel n'est toujours pas rentré. (Elle a bu une gorgée au goulot.) Ils disent qu'il mesure à peu près un mètre soixante-dix.

— Il se plaignait de ses pieds ?

— Apparemment, il ne s'est jamais plaint de quoi que ce soit. Il ne parle pas beaucoup d'ailleurs, il aime la solitude. Détail intéressant : il a un de ses campements du côté de Running Goat Branch.

— C'est où ?

— À un crachat et demi de votre enclos muré.

— Vraiment ?

— Vraiment !

— Et c'est là-bas qu'il était censé se trouver quand ils ont signalé sa disparition ?

— Ils ne se rappellent plus exactement. En tout cas, c'est le premier endroit qu'ils sont allés inspecter.

— Moi aussi, j'ai une nouvelle, ai-je déclaré, non sans une certaine excitation. (Et d'informer le shérif que mes calculs pointaient tous vers la catégorie « Indien ».) À votre avis, c'est suffisant pour étayer une demande de perquisition ?

— Sur quelle base ?

Comptant sur mes doigts, j'ai énuméré les faits :

— Un vieil Indien de votre comté est porté disparu. J'ai trouvé un pied correspondant à son profil racial, et cela à proximité immédiate d'un lieu que le disparu fréquentait.

Un sourcil en arc de cercle, elle a compté à son tour.

— Un vieil Indien qui est peut-être toujours vivant ; un pied qui provient peut-être de la catastrophe aérienne ; une propriété qui n'a peut-être rien à voir ni avec le crash ni avec la disparition.

Et une anthropologue peut-être inspirée par Satan, ai-je ajouté dans mon for intérieur.

— Allons au moins jeter un coup d'œil à son campement ! me suis-je bornée à dire.

Le shérif a gardé le silence, puis a consulté sa montre.

— Ça, je peux.

— J'en ai pour cinq minutes.

J'ai désigné le chien. Elle a secoué la tête.

— Allez, viens, mon garçon !

Boyd me fixait, les sourcils froncés. Mon esprit a fait tilt. L'écureuil mort ! Tout à l'heure, Boyd avait réagi comme un fou à dix mètres de distance alors que, moi, je n'avais rien détecté. Et pourtant, mon métier m'a rendue particulièrement sensible aux odeurs de putréfaction.

— Si on emmenait le chien ? Il n'est pas dressé à retrouver des cadavres, mais il a un très bon flair pour les charognes.

— Qu'il monte à l'arrière !

J'ai ouvert la portière et sifflé. En trois bonds, Boyd était dans la voiture.

Onze jours s'étaient écoulés depuis le crash du vol TransSouth Air. Tous les restes avaient été transportés à la morgue et le dernier morceau d'épave redescendu dans la vallée. La récupération touchait à sa fin. Sur le site, le changement était manifeste.

La route du comté avait été rouverte, même si un adjoint du shérif montait toujours la garde à la route des Services forestiers. Les familles et la presse étaient parties et une poignée de véhicules seulement était garée sur l'esplanade.

À environ huit cents mètres du site, Lucy Crowe a coupé le contact. La route se terminait et une grande plaque de granit affleurait sur la droite. Accrochant sa radio à sa ceinture, elle s'est engagée sur le versant, les yeux sur la ligne des arbres.

Je lui ai emboîté le pas, tenant Boyd en laisse le plus court possible. Après cinq bonnes minutes de marche, elle a tourné à gauche dans les bosquets et a disparu à ma vue. J'ai laissé Boyd me guider dans son sillage.

Le terrain s'élevait en pente raide, puis faisait un plat et piquait vers la vallée. À mesure que nous nous éloignions de la route, les arbres se refermaient sur nous au point de ne plus former qu'un tout unique, où je ne distinguais plus rien. Lucy Crowe déchiffrait comme à livre ouvert les repères que lui avaient indiqués les Wahnetah, le chemin et le petit sentier partant de là. Pour ma part, j'aurais été bien incapable de dire si nous suivions la voie de bûcherons menant au site du crash ou une autre, identique. Au bout de quarante minutes, elle a localisé le campement de Daniel Wahnetah. Quant à moi, j'aurais probablement dépassé sans même la remarquer cette cabane plantée au milieu des hêtres et des pins, au bord d'un escarpement. Un abri plutôt, et qui donnait l'impression d'avoir été monté en une demi-journée. Des murs de planches et un toit en zinc, un banc mal équarri sous l'auvent à côté de la porte. À gauche, une table en bois et un banc différent, à droite une souche d'arbre. Plus loin, une pile d'objets au rebut, bouteilles, bidons, pneus, etc.

— Je me demande bien comment ces pneus sont arrivés jusqu'ici ? me suis-je écriée.

Le shérif a levé les épaules.

J'ai entrebâillé la porte. Dans l'obscurité, on apercevait un lit de camp, une chaise de jardin en aluminium et une table pliante supportant un réchaud de camping rouillé et de la vaisselle en plastique. Un attirail de pêche, un seau, une pelle et une lanterne pendaient à des clous. Sur le sol en terre battue, des bidons de kérosène.

— Le vieux aurait laissé son matériel de pêche ici, alors qu'il s'apprêtait à changer de campement ? me suis-je à nouveau étonnée.

Même réaction de la part du shérif.

Sans plan bien défini, nous nous sommes séparées. Lucy Crowe fouillerait le vallon ; moi, les bois alentour.

Boyd, ravi, n'a cessé de tout renifler et de lever la patte. Au retour, je l'ai attaché au pied de la table dehors et suis allée inspecter la cabane, dont j'ai calé la porte avec une pierre. À l'intérieur, ça sentait le moisi, le pétrole et le vin muscat. Des mille-pattes ont détalé pendant que je déplaçais des objets et un faucheux a même atterri sur le haut de mon bras. Aucun indice indiquant où Daniel Wahnetah avait pu aller, ni quand. Ni pourquoi.

Lucy Crowe est réapparue alors que je soulevais du bout du pied des bouteilles de vin et des douzaines de boîtes de biscuits et de conserves. Mon inspection terminée, je suis allée la rejoindre.

Les arbres chuchotaient dans l'air épais et lourd. Les feuilles, tombées à terre et poussées par le vent, ressemblaient à une régate de bateaux aux voiles de toutes les couleurs. Au coin du toit, le zinc se soulevait et retombait avec un raclement. On sentait du mouvement tout autour.

Devinant mes pensées, le shérif a sorti de sa poche un petit atlas à spirale.

— Montrez-moi !

Elle me l'a tendu, ouvert à la page du comté de Swain.

C'était une carte d'état-major indiquant l'altitude des crêtes, les routes et les voies de bûcherons. Ayant localisé le site du crash, j'ai désigné l'endroit où devait se trouver le chalet à l'enclos ceint de hauts murs.

Le shérif a étudié la carte.

— Et vous dites qu'il y a un bâtiment ?

Le doute perçait dans sa voix.

— Oui.

— C'est à moins de deux kilomètres.

— À pied ?

Elle a répondu par un hochement de tête plus lent que d'habitude.

— Pour autant que je sache, aucune route n'y mène. Je ne vois pas d'autre solution que de couper par la montagne.

— Vous saurez le trouver ?

— Oui.

Après toute une heure d'escalade et de descente à travers fourrés et taillis le long d'un sentier visible seulement du shérif, nous sommes arrivées à un vieux pin noueux et avons débouché sur un chemin que j'ai cru reconnaître. Plus loin s'étirait un haut mur de pierres moussues qui me rappelait vaguement quelque chose. Nous l'avons longé, les sens en alerte. Quand le coassement aigu et strident d'un geai a déchiré le silence, j'ai senti mon corps se rétracter. Il y avait quelque chose, ici. Je le savais.

Boyd trottinait sans s'en faire, reniflant tout ce qui lui tombait sous la truffe sans s'inquiéter de ma nervosité croissante. J'ai enroulé sa laisse autour de mon poignet.

Quelques mètres plus loin, le mur faisait un angle droit. Les arbres en contrebas n'arrivaient qu'aux trois quarts de son faîte. Le shérif a passé le coin. J'ai suivi, tenant la laisse si serrée que les ongles me rentraient dans la paume.

Lucy Crowe s'est arrêtée pour que je la rattrape. Nous étions à la lisière de la forêt. Devant nous, à gauche, s'élevait un second mur, en saillie par rapport au pan de roche vertical. J'ai compris : nous étions arrivées par-derrière, la maison était plus loin, contre la falaise. Le mur que nous venions de longer entourait un espace bien plus grand que je ne l'avais supposé lors de ma première visite. En fait, l'enclos avec les hauts murs se trouvait à l'intérieur d'une enceinte beaucoup plus vaste.

— Que je sois damnée ! a soufflé Lucy Crowe en libérant le cran de sûreté de son arme.

Elle a appelé, comme je l'avais fait l'autre jour. Appelé encore.

Aux aguets, l'oreille tendue, nous avons marché jusqu'à la véranda. Cette fois encore, les volets étaient clos et les fenêtres bouchées. De nouveau, l'angoisse s'est emparée de moi.

Faisant un pas de côté, Lucy Crowe m'a intimé du geste l'ordre de reculer et de me placer derrière elle. J'ai obtempéré,

Boyd bien en main. Ce n'est qu'après qu'elle s'est décidée à frapper à la porte. Pas davantage de réponse.

Elle a toqué encore, s'est identifiée. Silence.

Tête levée, elle a promené un regard sur les lieux.

— Pas de ligne téléphonique ou électrique.

— Téléphone cellulaire et générateur.

— Possible. Ou bien l'endroit est abandonné.

— Je vous montre la cour?

— Pas sans mandat de perquisition.

— Mais, shérif...

— Sans mandat, on n'entre pas.

Ses yeux plantés dans les miens, un regard qui ne cillait pas.

— Partons. Je vous offre un Dr Pepper.

Sur ces entrefaites, une petite bruine s'est mise à tomber. Rongeant mon frein, j'ai écouté le flic-flac des gouttes sur le toit de la véranda. Elle avait raison, bien sûr, je n'avais rien de plus qu'un pressentiment. Cependant, toutes les cellules de mon corps me criaient qu'un élément capital se trouvait à portée de nos mains. Quelque chose de funeste.

— Je peux lâcher Boyd pour qu'il fasse le tour de la propriété. Qui sait, il lui viendra peut-être une idée.

— Du moment qu'il reste en dehors de l'enceinte, je n'ai pas d'objection. Pendant ce temps, je vais voir s'il y a un accès pour les véhicules. Si des gens viennent ici, ils ne le font sûrement pas à pied.

Pendant tout un quart d'heure, j'ai sillonné le terrain à l'ouest de la maison, comme je l'avais fait lors de ma première visite. Le chien ne manifestait aucune réaction et je commençais à me dire que sa découverte de l'écureuil n'était qu'un coup de veine. Tant pis. J'allais faire un dernier tour, explorer un lieu que je ne connaissais pas, entre la lisière de la forêt et le second mur.

À vingt pas de l'enceinte, Boyd s'est tendu, poil hérissé et museau dressé, humant l'air dans toutes les directions. Soudain, il a émis ce cri guttural, sauvage et visqueux, que je ne lui avais entendu pousser qu'une seule fois. D'un bond, il s'est jeté en avant, aboyant à s'en étouffer presque.

J'ai chancelé, le retenant à grand-peine.

— Boyd! Arrête!

Arc-boutée, je tenais la laisse à deux mains. Muscles bandés, le chien tirait de toutes ses forces, battant l'air de ses pattes avant.

— Qu'est-ce qui se passe, mon garçon ?

Mais nous savions tous les deux qu'il y avait là quelque chose d'anormal.

J'hésitais, le cœur battant à tout rompre.

J'ai déroulé la laisse autour de mon poignet. Boyd s'est précipité vers le mur. À environ deux mètres du coin sud, il s'est lancé dans une frénésie d'aboiements. De là où j'étais, je ne voyais qu'une partie de mur éboulé, du mortier effrité et une douzaine de pierres en tas.

J'ai couru. Accroupie derrière le chien, j'ai inspecté l'espace entre pierres et mur. La terre était humide et décolorée. J'ai retourné une pierre. Une douzaine de petites boules brunes sont apparues. J'ai su immédiatement de quoi il s'agissait.

Chapitre 13

Lundi, au lieu d'aller au tribunal du comté consulter les registres fonciers, j'ai mis le cap sur l'ouest. Direction le Tennessee, de l'autre côté des montagnes. La matinée était déjà bien avancée lorsque je suis arrivée en vue du laboratoire national d'Oak Ridge, à une cinquantaine de kilomètres au nord-ouest de Knoxville. Le ciel était tout noir et mes essuie-glaces giflaient le pare-brise en cadence, dégageant deux éventails à chaque passage.

Une vieille dame et un enfant étaient en train de nourrir des cygnes sur la berge d'un étang. Ce n'était pas bien sage. Je le sais depuis l'âge de dix ans, pour m'être prise de bec avec un vilain canard qui aurait laissé sur le carreau un commando complet.

J'ai présenté mon identification au portail et roulé jusqu'à l'accueil, tout au bout d'un très grand stationnement. Un chercheur d'une petite trentaine d'années, aux joues rondes grêlées de cicatrices et à la bedaine confortable sur des jambes courtes un peu arquées, m'y attendait : Laslo Sparkes. Ayant signé le registre des entrées, je suis remontée en voiture avec lui.

Cent mètres plus loin, troisième poste de garde et troisième contrôle — badge du visiteur et plaque d'immatriculation — avant de franchir la chaîne qui barrait le secteur.

— On ne badine pas avec la sécurité, chez vous. Je croyais que j'étais au département de l'énergie.

— Vous y êtes, mais les recherches que nous effectuons ici sont assez sensibles. Conservation de l'énergie en général, plus précisément dans les domaines biomédical et de l'environnement. Et aussi informatique et robotique, développement d'isotopes radioactifs à des fins médicales. Ce genre de choses, quoi. La sécurité vise surtout à protéger la propriété intellectuelle mais aussi les équipements. Vous savez que nous avons sur le site un réacteur isotopique à haut flux.

Enfant prodige de la Seconde Guerre mondiale, le laboratoire d'Oak Ridge a été édifié en 1943, en l'espace de trois mois à peine, juste après qu'Enrico Fermi et ses collègues avaient réalisé la première fission nucléaire dans un champ de courges, sous les gradins du stade du football de l'université de Chicago. En cette heure où les gens mouraient par milliers en Asie et en Europe, la mission du labo était simple : fabriquer la bombe atomique.

Laslo m'a guidée dans un labyrinthe de rues étroites. Mis à part son immensité, le complexe ne se distingue guère d'une cité HLM du Bronx.

— Garez-vous ici, a-t-il dit enfin en désignant un bâtiment de brique sombre au milieu d'une vingtaine de congénères.

J'ai obtempéré.

— C'est vraiment sympathique d'avoir accepté de m'aider, comme ça, au pied levé.

— Vous aussi, vous avez été là quand j'ai eu besoin d'aide.

Il y a des années de cela, j'ai fourni à Laslo les échantillons d'os dont il avait besoin pour soutenir son diplôme en anthropologie. Tout au long de son doctorat, nous sommes restés en contact et même après, quand il a été engagé comme chercheur à Oak Ridge, voilà maintenant une dizaine d'années.

Ayant sorti du coffre une petite glacière, j'ai suivi mon compagnon jusqu'à son laboratoire, au premier étage — une petite salle aveugle où s'entassaient de vieilles tables en fer, des ordinateurs, des imprimantes, des réfrigérateurs et tout un bataillon de machines qui clignotaient et ronronnaient en chœur. Des fioles en verre, des bacs, des instruments en acier chromé et des boîtes de gants en latex s'alignaient sur les paillasses tandis que, dessous, s'empilaient des cartons et des seaux en plastique.

Laslo m'a précédée jusqu'à un petit espace de travail tout au fond de la salle. Je lui ai remis ma glacière. Il en a extrait un sachet en plastique. Ayant détaché la bande protectrice, il a jeté un coup d'œil à l'intérieur.

— Redites-moi cette histoire, a-t-il fait en humant la terre contenue dans le sachet.

Tandis qu'il la transvasait dans un récipient en verre, je lui ai retracé ma balade dans les bois avec le shérif. Il a pris un papier à en-tête pour prendre en note mes réponses à ses questions.

— Où avez-vous effectué le prélèvement?

— À l'endroit repéré par le chien, au pied du mur et sous l'éboulis. Je me suis dit que c'était là que la terre serait le mieux protégée.

— Très juste. En conditions normales, un cadavre fait office de carapace et protège le sol des intempéries, au même titre que des pierres.

— La pluie peut créer des problèmes?

— Dans un environnement bien protégé, les sécrétions lourdes de type muqueux résultant de la fermentation anaérobique contribuent, en se liant au sol, à conserver à ce sol sa compacité et à rendre insignifiante l'action des facteurs diluants occasionnés par la pluie.

On aurait cru qu'il lisait un des articles qu'il publie dans le *Journal des sciences légales*.

— Restez simple, par pitié. Ce domaine est très éloigné du mien.

— Donc, vous avez repéré la tache de décomposition.

— Pas moi, le chien. Après, les chrysalides m'ont mis la puce à l'oreille.

Laslo a ouvert la fiole et en a fait tomber dans sa paume de petites granules, semblables à des ballons de football miniatures.

— Donc, la migration des larves avait déjà eu lieu.

— À condition que la tache provienne bien d'un corps en décomposition, n'est-ce pas?

J'avais eu toute la nuit pour réfléchir à ma découverte. Mais si j'avais confiance dans le flair de Boyd et dans ma propre intuition, j'avais quand même besoin de preuves.

— Votre chien est allé droit au but, semble-t-il. La présence de pupes indique de façon formelle qu'un cadavre s'est trouvé là, a-t-il poursuivi en remettant les petites billes dans la fiole.

— D'homme ou d'animal?

— Le taux d'acides gras volatils nous dira si le corps pesait plus de cinquante kilos. Très peu de mammifères font ce poids.

— Il y a les cerfs, les ours.

— Vous avez remarqué des poils?

J'ai fait non de la tête.

— En se décomposant, les animaux en laissent des tonnes. En plus de leurs ossements, naturellement.

À peine un être vivant meurt-il que, de l'intérieur comme de l'extérieur, charognards, insectes et microbes s'y intéressent et ne le lâchent plus jusqu'à ce que le corps soit réduit à l'état de squelette. C'est ça, la décomposition.

La poussière retournant à la poussière, dirait Ruby, mais le processus est bien plus compliqué.

La masse musculaire, c'est-à-dire entre quarante et cinquante pour cent du poids du corps humain, se compose de protéines, lesquelles se composent à leur tour d'acides aminés. À la mort, sous l'effet de l'activité bactérienne pendant la fermentation, ces graisses et ces protéines se transforment en acides gras volatils. Parallèlement, les microbes entrent en action dans l'intestin. À mesure que se développe la putréfaction, les liquides qui suintent du corps entraînent avec eux les acides gras volatils, formant ainsi la « soupe », pour reprendre l'expression chère aux personnes qui travaillent sur le processus de la mort. Les recherches de Laslo portent justement sur les taux microbiens présents dans cette mixture. Pour ce faire, il analyse les composants organiques contenus dans la terre entourant un cadavre. Des années d'études ont en effet permis d'établir qu'il y avait corrélation entre le processus de décomposition et la sécrétion d'acides gras volatils.

Laslo a filtré la terre dans un chinois en acier chromé.

— Qu'est-ce que vous y recherchez au juste? lui ai-je demandé.

— Je ne l'utilise pas telle quelle, mais diluée.

J'ai dû avoir l'air perdue, car il a précisé :

— J'étudie la composition de la solution dans laquelle baignent les particules de terre. Pour cela, je dois commencer par nettoyer la terre.

Il a pesé l'échantillon.

— Quand les fluides s'écoulent, la matière organique se mélange à la terre. Je ne peux pas effectuer d'extraction chimique pour les séparer parce que cela dissoudrait en partie les acides gras volatils sécrétés par le corps en se décomposant.

— Et le taux en serait modifié ?

— Exactement.

Il a versé un liquide dans l'éprouvette.

— C'est de l'eau dé-ionisée à cinquante pour cent.

Puis il a placé le tube contenant l'échantillon toute une minute dans un vortex afin d'homogénéiser la suspension et il l'a ensuite installé dans une centrifugeuse.

— Ça va rester là-dedans pendant quarante minutes, à une température de cinq degrés Celsius, a-t-il expliqué en mettant l'appareil en marche. Ensuite, je filtrerai le surnageant obtenu pour en retirer les micro-organismes. Après, c'est tout simple. Je mesurerai le pH de l'échantillon, je l'acidifierai en le traitant avec de l'acide formique dilué et je le soumettrai à une chromatographie en phase gazeuse.

— Un petit cours de rattrapage, s'il vous plaît.

Ayant réglé toutes les manettes, Laslo m'a invitée à prendre place à un bureau.

— Comme vous le savez, j'étudie ces produits de la dégradation des muscles et des graisses qu'on appelle acides gras volatils. Vous avez entendu parler des quatre stades de la décomposition ?

J'ai opiné du chef : cadavre récent, ballonné, décomposé et réduit à l'état de squelette. Tout corps passe par ces quatre étapes bien connues des anthropologues et des chercheurs spécialisés dans le processus de la mort.

— Un cadavre récent présente peu de changements en ce qui concerne les taux d'acides gras volatils. Au stade n° 2, le corps gonfle, à la suite de la fermentation anaérobique qui se produit principalement dans l'intestin. La peau se déchire. S'écoulent alors des dérivés de la fermentation riches en acide butyrique.

154

— Qu'est-ce que c'est que ça ?

— L'un des quarante et un composés organiques qui constituent la famille des acides gras volatils. De même que les acides formique, acétique, propionique, valérique, caproïque et heptanoïque, l'acide butyrique est soluble dans l'eau, donc détectable dans une fraction soluble extraite de la terre. Contrairement à l'acide formique et à l'acide acétique, il est peu répandu dans la nature. C'est en cela qu'il est intéressant.

— L'acide formique, c'est celui qu'il y a dans les piqûres de fourmi et d'araignée, n'est-ce pas ? Qui est à l'origine de la douleur ?

— Exactement. L'acide caproïque et l'acide heptanoïque, eux, ne présentent de taux significatif qu'en période de froid prolongé, autrement dit : en hiver. Mes petits chéris à moi, ce sont les acides propionique, butyrique et valérique provenant d'un cadavre en décomposition. Dans les extraits de terre solubles, ils se déposent selon des taux bien précis.

J'avais l'impression de me retrouver en cours de chimie-biologie.

— Comme les acides butyrique et propionique sont produits par les bactéries anaérobiques à l'intérieur de l'intestin, c'est au stade du ballonnement que leur taux est le plus élevé.

J'ai fait signe que je suivais.

— Plus tard, les bactéries aérobiques interviennent, et c'est le troisième stade, la putréfaction.

— Si je comprends bien, on assiste alors à une accélération brutale de la production de tous les acides gras volatils, n'est-ce pas ?

— Oui. Après, au début du quatrième stade, le taux d'acides aminés diminue sensiblement.

— Plus de chair, donc plus de bactéries.

— Exactement. La soupe est finie. Fermez la cuisine !

Derrière nous, la centrifugeuse ronronnait doucement.

— D'après les constatations que j'ai pu faire, c'est juste après la migration des pupes que les taux d'acides gras volatils sont les plus élevés.

— Après que les larves ont abandonné le cadavre pour se transformer en pupes ?

— Oui. Parce que, avant, leur présence tendait à freiner l'écoulement des fluides dans le sol.

— La transformation en pupes se produit bien lorsque la température journalière cumulée atteint les quatre cents degrés, n'est-ce pas? ai-je demandé.

Je savais que cette température se calcule en additionnant la température moyenne quotidienne.

— En gros, oui, a répondu Laslo. Et ce point est particulièrement intéressant. Comme la sécrétion d'acides gras volatils dépend de la température ambiante, on peut donc calculer le temps écoulé depuis la mort.

— Parce qu'un cadavre sécrète toujours les acides propionique, butyrique et valérique à un taux identique, quelle que soit la température journalière cumulée prise en considération, vous voulez dire?

— Exactement. Ainsi, ces taux d'acides gras volatils peuvent donner une idée du temps écoulé depuis la mort.

— Vous avez reçu les données du service de météorologie nationale?

Il est allé chercher une sortie d'imprimante sur une étagère.

— Pour une fois, ils se sont remués. D'habitude, ça traîne… Mais nous avons un léger problème. Pour obtenir une estimation véritablement précise du temps écoulé depuis la mort, trois paramètres sont nécessaires: en premier lieu, le taux des acides gras volatils dans la situation donnée. Ce qui ne saurait tarder.

Il a désigné le moniteur relié à l'appareil de chromatographie en phase gazeuse.

— En second lieu, les données météorologiques à l'endroit précis où le cadavre a été trouvé.

Il a agité la feuille qu'il tenait à la main.

— Enfin, le poids du cadavre et son état. Or vous, vous n'avez personne.

Il avait prononcé la dernière phrase sur le mode de la chansonnette. Je l'ai gentiment taquiné.

— Il y a vraiment des talents qui se perdent!

— Deux variables sont particulièrement importantes: l'humidité du terrain et le poids du corps avant la décomposition. Car la proportion de graisse et de masse musculaire varie selon les individus. N'ayant pas de cadavre, je vais être obligé de prendre un poids standard, disons quatre-vingts kilos, et de lui appliquer un indice de correction. Je ne me trompe pas en supposant que votre défunt pesait entre cinquante et cent cinquante kilos ?

— Non. Mais cela ne risque-t-il pas d'augmenter la fourchette, en ce qui concerne le temps écoulé depuis la mort ?

— Si, malheureusement. Vous en avez déjà une idée ?

Me fondant sur la température moyenne du jour où le cadavre avait été trouvé, j'avais fait un calcul très approximatif à l'intention de Lucy Crowe. En effet, sachant que la sécrétion d'acides gras volatils s'interrompt une fois que la température journalière cumulée atteint 1 285 degrés avec une tolérance de 110 degrés en plus ou moins, il suffit de diviser ce nombre par la température moyenne d'un jour donné pour obtenir grosso modo le nombre de jours écoulés depuis la mort. Dans le cas présent, puisqu'il avait fait en moyenne 18 degrés Celsius hier à Bryson City, on pouvait dire que le propriétaire du pied était mort depuis soixante et onze jours au maximum.

— Mais ce chiffre, c'est le nombre de jours au bout duquel plus aucun acide gras volatil n'est détecté, a fait observer Laslo. En principe, quand le corps s'est entièrement transformé en squelette. (Il a jeté un coup d'œil à la pendule au mur.) Voyons voir si votre estimation est juste.

Il est allé filtrer l'échantillon d'extrait soluble de terre, l'a homogénéisé, en a mesuré l'acidité et l'a soumis à une chromatographie en phase gazeuse. Ayant refermé le couvercle et verrouillé la chambre, il a réglé les différents boutons et branché l'appareil.

— Ça travaillera très bien sans nous. Un café ?

Quand nous sommes revenus, des pics de couleurs différentes s'affichaient sur l'écran, ainsi qu'une liste de composants assortis de leur taux de concentration.

— Chaque courbe représente un acide gras volatil et sa concentration pour un gramme de terre sèche. Je dois donc prendre en compte le taux de dilution de ma solution, et aussi l'humidité du sol. Autrement dit, corriger mes résultats.

Il a tapé sur le clavier de l'ordinateur.

— Maintenant, je vais pouvoir calculer une température journalière cumulée pour chaque acide gras volatil.

Il a commencé par l'acide butyrique.

— Sept cents degrés.

Il a refait ses calculs pour chaque acide. À une exception près, la température journalière cumulée de tous les composés entrait dans une fourchette allant de 675 à 775 degrés.

— Le rapport météo va me permettre de connaître le nombre de jours qu'il faut pour obtenir une température journalière cumulée comprise dans cette fourchette. Comme la température à l'endroit précis où gisait le corps n'était probablement pas exactement la même que là où les services météo ont leur sonde, il faudra ajuster. D'habitude, j'aime bien avoir cette information à l'avance, mais bon… je peux m'en passer.

Il a tapé d'autres commandes. Je retenais mon souffle.

— Voilà. Entre quarante et un et quarante-huit jours. Ça correspond puisque, d'après vos calculs, la transformation complète en squelette devrait s'être achevée au bout de soixante et onze jours.

— Donc la mort s'est produite il y a six ou sept semaines.

Il a acquiescé.

— Cependant, ne perdez pas de vue que nous n'avons pas fait nos calculs à partir du poids réel de l'individu vivant mais d'une estimation.

— Si je comprends bien, quand la tache s'est produite, le corps en était au stade de la décomposition active ? Il avait encore de la chair ?

Il a de nouveau acquiescé la tête et s'est remis à chantonner :

— Mais je n'ai personne.

— Et personne ne s'occupe de moi, ai-je enchaîné.

Du labo, j'ai roulé directement jusqu'au bureau du shérif. La pluie s'était arrêtée, mais des nuages sombres étaient au coude à coude au ras des montagnes, comme s'ils luttaient à qui aurait la meilleure place pour déverser leur trop-plein.

Assise à son bureau datant de la guerre civile, Lucy Crowe mangeait un beignet à la saucisse. En me voyant sur le seuil, elle s'est essuyé la bouche et a expédié bâtonnet et serviette dans une corbeille à l'autre bout de la pièce.

— Deux points! ai-je dit.

— Panier. Et sans toucher le bord!

Ayant posé ma sortie d'imprimante sous ses yeux, j'ai pris place en face d'elle. Elle est restée une bonne minute à étudier le papier, se soutenant les tempes des doigts, les coudes sur le bureau. Enfin, elle a relevé la tête.

— Je sais que vous n'allez pas me laisser dans l'ignorance.

— Ce sont les analyses des acides gras volatils.

— Qui nous disent?

— Qu'un corps s'est décomposé à l'intérieur du mur.

— Appartenant à qui?

— D'après ces chiffres, la mort remonterait à six ou sept semaines. Or, Daniel Wahnetah a été vu pour la dernière fois en juillet, et sa disparition a été signalée au mois d'août. Nous sommes en octobre. Faites le calcul.

— À supposer que j'accepte cet argument, ce qui n'est pas acquis, comment s'est débrouillé le pied de Wahnetah pour arriver jusqu'au site du crash?

— Les coyotes, vous savez bien. Ils ont dû l'arracher de sous les pierres.

— Mais où est le reste du corps?

— Peut-être que c'est le seul morceau qu'ils ont réussi à emporter.

— Et comment a fait Wahnetah pour se retrouver sous ce mur éboulé?

J'ai levé les épaules.

— Et de quoi est-il mort?

— C'est vous, le shérif. Moi, je ne suis qu'une pauvre scientifique.

Quelque part dans le hall, Hank Williams chantait *Long-Gone Lonesome Blues* avec des grésillements tels que sa voix semblait parvenir d'une autre ère. J'ai insisté.

— La demande de mandat vous paraît suffisamment étayée?

Lucy Crowe s'est replongée toute une minute dans l'étude du papier. Puis, les yeux plantés dans les miens, elle a tendu le bras vers le téléphone.

Il tombait une pluie légère quand j'ai quitté son bureau. Il était tôt encore, mais les phares, les feux de stop et les réclames en néon s'en donnaient déjà à cœur joie dans le crépuscule. L'air était lourd et empestait le sconse.

À High Ridge House, Boyd, museau sur ses pattes, regardait tomber la pluie du fond de sa niche. Il a soulevé la tête quand je l'ai appelé et m'a lancé un regard à fendre l'âme. Comprenant que je ne me laisserais pas attendrir, il a poussé un soupir désespéré et repris sa posture. Son écuelle remplie, je l'ai laissé à ses méditations.

La maison était silencieuse. J'ai monté l'escalier au rythme du lent tic-tac de l'horloge de l'entrée. Aucun bruit dans les chambres. Tiens, la porte de la mienne était entrebâillée !

L'ayant poussée, je me suis figée.

Les tiroirs étaient renversés, mon lit mis à sac, ma serviette vidée et le plancher jonché de papiers.

Mon esprit s'est bloqué sur un mot : Non !

Jetant mon sac sur le lit, j'ai couru à l'armoire. L'ordinateur était toujours au fond, là où je l'avais rangé. Je l'ai allumé, j'étais dans tous mes états.

Qu'y avait-il donc dans ma chambre qui puisse intéresser quelqu'un ? Qu'y avait-il donc dans ma chambre ? Qu'y avait-il donc dans ma chambre ?

J'ai fait mentalement un rapide inventaire. Clefs de voiture, cartes de crédit, permis de conduire, passeport, j'avais tout cela sur moi.

Pourquoi ? Pourquoi ? Pourquoi ?

S'agissait-il d'un cambrioleur quelconque ou d'un individu cherchant une chose précise. Mais quoi ? Que détenais-je donc qui puisse susciter la convoitise de quelqu'un ?

Qu'était-ce ? De quoi s'agissait-il ?

J'ai vérifié plusieurs dossiers dans mon ordinateur. À première vue, rien d'anormal.

Je suis allée me passer de l'eau froide sur le visage. Les yeux fermés, j'ai joué à un jeu auquel je m'amusais enfant

160

quand j'étais énervée : je me suis récité tout bas les paroles de la première chanson qui me vienne à l'esprit. En l'occurrence, *Honkey Tonk Women*.

Ce court répit en compagnie de Mick et des Stones a produit son effet. Un peu rassérénée, je me suis attaquée au rangement.

J'en étais à rassembler les dossiers par terre quand on a frappé à ma porte. Je suis allée ouvrir : Andrew Ryan avec deux glaces dans la main droite.

— Qu'est-ce que c'est que ce bordel ?

Je me suis contentée de le regarder, incapable de proférer un son.

— Il te manque quelque chose ?

J'ai dégluti.

— Le seul objet de valeur était l'ordinateur et il est toujours là.

— Voilà qui élimine le cambriolage.

— À moins que le voleur n'ait été interrompu.

— Vu le chambard, il devait chercher quelque chose de précis.

— C'est peut-être seulement de la malveillance.

Pourquoi disais-je cela ?

— Une glace ? a proposé Ryan.

Nous avons mangé nos esquimaux en considérant la situation. Aucune explication ne nous convainquait totalement. Les deux éventualités les plus probables étaient le vol et l'animosité.

Ryan parti, j'ai fait une pile des dossiers qui traînaient encore et suis allée me faire couler un bain. Écartant le rideau de douche, j'ai eu mon second choc.

Annie la Petite Orpheline gisait au fond de la baignoire, le visage écrasé et les membres brisés. Quant à Sandy, elle pendait au pommeau de la douche, la corde autour du cou.

Nouvel accès de panique : mains tremblantes et l'esprit aux abois. C'était un message, cela ne faisait aucun doute. Le message de quelqu'un qui ne me portait pas dans son cœur.

Comme la Volvo, l'autre jour. Était-ce déjà une menace, alors, et l'effraction d'aujourd'hui était-elle une seconde mise en garde ? Je me suis retenue pour ne pas courir ventre à terre me réfugier chez Ryan.

Les chambres ne fermant pas à clef, je ferais peut-être mieux de prendre Boyd avec moi ? On verrait alors qui, de mon « ennemi » ou de moi, serait le plus en danger.

Une heure plus tard, couchée dans mon lit, j'avais retrouvé un semblant de logique. J'ai réfléchi à ma réaction en découvrant mon espace violé. Qu'est-ce qui m'avait mise dans un état pareil, la colère ou la peur ? Mais contre qui, ma colère, et causée par quoi, ma peur ?

J'ai eu du mal à trouver le sommeil.

Chapitre 14

Quand je suis descendue pour le petit déjeuner, le lendemain matin, Ryan était en train de questionner Ruby à propos de l'intrusion perpétrée dans ma chambre. Assis en face de lui, Byron McMahon partageait son attention entre l'interrogatoire et le trio d'œufs au plat sur son assiette.

Ruby s'est bornée à un unique commentaire :

— Satan et ses acolytes sont parmi nous.

Son indifférence m'a agacée, mais je ne l'ai pas montré. De toute façon, le FBI s'occupait de moi en la personne de McMahon, c'était déjà ça.

— On vous a pris quelque chose ?

— Je ne crois pas.

— Vous avez écrabouillé les cors aux pieds de quelqu'un ?

— Pas que je sache. Le chien peut-être. Ça aboie, les chiens.

J'ai enchaîné sur les sévices qu'on avait fait subir aux figurines, Annie et Sandy. Ryan m'a regardée d'un drôle d'air mais n'a pas réagi. McMahon, lui, a déclaré :

— Question sécurité, c'est sûr que l'endroit ne fait pas le poids avec Los Alamos. On y entre et on en sort comme dans un moulin. N'importe qui a pu faire le coup. (Il a piqué sa fourchette dans une pomme de terre frite.) Qu'est-ce que vous avez fait, ces derniers temps ? Je ne vous ai pas beaucoup vue dans les parages.

Je lui ai raconté mes différentes découvertes, pied, chalet, analyse des acides gras volatils, mais j'ai passé sous silence mon « renvoi » de l'enquête. Qu'il prenne lui-même la peine de mettre à jour ses informations. À mesure que j'avançais dans mon récit, je voyais son sourire se crisper de plus en plus. Sourire qui s'est effacé complètement pour laisser place à une concentration de flic.

— Le shérif va demander un mandat de perquisition ?

J'allais répondre quand mon cellulaire a sonné l'ouverture de *Guillaume Tell.* J'ai décroché, indifférente aux regards ahuris qu'échangeaient mes convives.

L'appel émanait de Laslo Sparkes. Je l'ai écouté sans faire de commentaires et j'ai coupé.

— Rossini ? s'est enquis Ryan.

— J'ai dû oublier de revenir à l'ancienne sonnerie quand j'ai écouté les propositions du menu, ai-je répondu en crevant mon œuf.

Du jaune a giclé sur la table.

— Je ne t'aurais pas classée parmi les fans d'opéra, a fait Ryan.

— Rossini, exact ! a décrété McMahon en tendant le bras vers les toasts.

— C'était l'anthropologue d'Oak Ridge.

— Laisse-moi deviner. Il a fini d'analyser la soupe, et le corps est celui de Madalyn Murray O'Hair [1].

Ryan était lancé. Dans ces cas-là, mieux vaut l'ignorer. J'ai poursuivi, à l'intention de McMahon.

— Il a trouvé quelque chose en filtrant le reste de terre.

— Quoi donc ?

— Il m'a seulement dit que ça pourrait m'être utile. Il doit se rendre à Asheville dans la semaine, il fera un détour par Bryson.

Ruby est revenue chercher les plats vides.

— Tu vas au tribunal ? m'a demandé Ryan.

Un oui laconique en guise de réponse.

— C'est un boulot de détective.

— Faut bien que quelqu'un s'y colle.

---

1. Madalyn Murray O'Hair : célèbre pamphlétaire prônant l'athéisme, morte assassinée et dont le corps n'a été retrouvé que tout récemment (N.d.T.).

— Ça ne peut pas faire de mal de savoir à qui appartient ce chalet, a dit McMahon avant de vider sa tasse. Je vous aurais bien accompagnée, mais je dois me taper le retour à Charlotte après le briefing. Il y a un connard qui prétend avoir des infos sur un groupe de paramilitaires dans la région. Montrez ça aux employés s'ils vous la jouent dignité offensée. (Il a posé devant moi une carte de visite.) C'est fou les sautes d'humeur que la seule vue de ce sigle déclenche parfois.

— Merci.

J'ai empoché la carte. Sur un au revoir, McMahon nous a abandonnés, Ryan et moi, en compagnie de trois tasses vides.

— Tu as une idée de l'identité de ton curieux ?

— Aucune.

— Et de son motif ?

— Il en avait après ton gel de douche.

— À ta place, je ne traiterais pas ça à la légère. Tu veux que je fouine un peu, par-ci, par-là ?

— C'est le genre de problème qui n'est jamais résolu, tu sais bien.

— Ça ferait passer le message qu'on prend la chose au sérieux.

— J'en parlerai au shérif.

Je me suis levée pour partir. Ryan m'a retenue par le bras.

— Tu as besoin de soutien, au tribunal ?

— Pour le cas où un préposé armé de pied en cap en voudrait à ma vertu ?

Il a levé les yeux au ciel.

— Tu aimerais avoir de la *compagnie* pour aller au tribunal ?

— Tu n'es pas censé assister au briefing du Bureau des transports ?

— McMahon me racontera. Mais je pose une condition.

J'ai attendu la suite.

— Que tu changes ta sonnerie de téléphone.

— Ho, Silver[2] ! ai-je répondu.

---

2. Silver : nom du cheval de Lone Ranger. Autre référence à Rossini, puisque cette célèbre émission de radio débutait par un extrait de l'ouverture de *Guillaume Tell* (N.d.T.).

Depuis 1982, les services administratifs et judiciaires du comté de Swain ont établi leurs quartiers sur les bords du fleuve Tuckasegee dans un bâtiment rectangulaire aux murs en béton, dont le toit pentu recouvert de zinc rouge n'a certes pas le charme du joli dôme qui coiffe l'ancien tribunal, à l'angle de la grand-rue et de la rue Everett, mais il a le mérite d'être clair, propre et fonctionnel.

Le service des impôts se trouve au rez-de-chaussée, juste après le vestibule octogonal au sol recouvert d'un dallage. Quatre dames ont levé ensemble le nez de leur écran quand Ryan et moi y avons fait notre entrée : deux assises au comptoir devant nous, deux à un autre, plus loin sur la gauche.

J'ai exposé la raison de notre visite. La femme numéro trois a désigné une porte dans le fond.

— Le cadastre.

Huit yeux ont accompagné notre progression à travers la pièce.

— Ça doit être ici qu'ils archivent les dossiers top secrets, m'a chuchoté Ryan alors que j'ouvrais la porte.

Dans la salle, un troisième comptoir gardé par une dame grande et mince. Son visage anguleux m'a évoqué une vieille photo de Stan Musial, que chérissait mon père.

— C'est à quel sujet ?

— Nous voudrions consulter la carte des taxes foncières du comté.

— La carte des taxes foncières ? ! a-t-elle répété d'un air stupéfait, portant la main à sa bouche.

Manifestement, semblable requête était une grande première dans sa vie. J'ai sorti le bristol de McMahon.

Mme Musial l'a considéré d'un air rogue.

— FBI, comme dans le vrai FBI ?

J'ai hoché la tête, dès qu'elle a bien voulu relever la sienne.

— Et Byron ?

— Un prénom de famille.

Sourire engageant de ma part.

— Vous avez une arme ?

— Pas sur moi.

J'aurais volontiers ajouté « Ni nulle part ailleurs », mais j'ai craint de ternir mon image.

— C'est en rapport avec le crash?

Je me suis penchée vers elle. Elle sentait la menthe et le shampooing surparfumé.

— L'objet de nos recherches pourrait s'avérer essentiel pour l'enquête.

Dans mon dos, Ryan raclait des pieds.

— Je m'appelle Dorothy. Je vais vous chercher ça.

M'ayant restitué mon sésame, elle s'est dirigée vers une commode-classeur, dont les tiroirs ne faisaient guère plus de dix centimètres de haut, et s'en est revenue, lestée d'une grande feuille qu'elle a étalée devant nous.

Inclinaison simultanée de Ryan et de moi-même sur la carte, sous l'œil angoissé de Dorothy. Une égyptologue se défaisant d'un précieux papyrus. Nous fondant sur divers repères, comme les routes et le trait noir délimitant les circonscriptions, nous avons réussi à localiser le secteur.

— Nous voudrions le 6-2-1, s'il vous plaît.

Avec un sourire de connivence, Dorothy est allée chercher le document réclamé dans un autre casier.

Ayant passé des heures à consulter des cartes à l'époque où je pratiquais l'archéologie, je sais déchiffrer les symboles et autres abréviations cartographiques. Savoir qui nous a permis de repérer précisément le chalet d'après les cours d'eau et les notations indiquant l'altitude.

— Section 21, parcelle 4.

Le doigt sur l'endroit, j'ai relevé les yeux. Le visage de Dorothy était à quelques centimètres du mien.

— Combien de temps vous faut-il pour imprimer les feuilles d'imposition relatives à cette propriété?

— Pas plus d'une minute. (Devant mon étonnement, elle a cru bon d'ajouter:) Nous ne vivons pas à l'ère des cavernes, ici. Nos archives sont informatisées.

Dorothy est allée dans un coin «sécurisé» de la salle. Ayant délicatement retiré les housses protégeant moniteur et clavier, elle les a pliées avec un soin extrême et déposées sur une étagère au-dessus de sa tête avant d'allumer l'ordinateur. Nous avons attendu gentiment qu'elle ouvre son programme et tape une série de commandes. Des secondes ont passé. Elle a fini par entrer un code d'identification. L'écran s'est rempli de texte et de chiffres.

— Vous voulez une sortie papier ?

— S'il vous plaît.

Elle a dénudé une imprimante Bubble-Jet Hewlett–Packard, jumelle de la toute première que j'aie jamais possédée. Encore plusieurs secondes d'attente, le temps qu'elle plie la housse et la mette de côté, qu'elle sorte une feuille vierge d'un tiroir et qu'elle la place amoureusement dans le bac d'alimentation.

Enfin, elle a entré la commande d'impression. L'appareil a vrombi. Le papier a été aspiré puis recraché à l'extérieur.

— J'espère que ça vous aidera, m'a-t-elle dit en me le remettant.

Le document comportait une brève description du terrain et des lots bâtis, leur valeur approximative, le nom du propriétaire et son adresse, ainsi que celle où les impôts devaient être payés. Pas fameux, comme résultat. J'ai passé le papier à Ryan.

— Groupe d'investissements F & E, SARL, a-t-il lu à haute voix. L'adresse est celle d'une boîte postale à New York. (Il m'a regardée.) Tu connais ?

J'ai fait un geste d'ignorance.

— Ça veut dire quoi, SARL ?

— Société à responsabilité limitée.

— Vous pourriez aller voir à la salle des actes, a émis Dorothy.

D'un même mouvement, nous nous sommes retournés. Une auréole rose avait poussé sur chacune de ses joues.

— Pour savoir depuis quand ce groupe possède les lieux et pour connaître le nom du propriétaire précédent.

— Ils auraient ces renseignements ?

Elle a acquiescé.

La salle des actes de propriété jouxtait le bureau des impôts, passé l'angle du couloir. Inévitable comptoir et succession de portes tournantes pour accéder aux archives. Le long des murs, s'étiraient des rayonnages et des casiers bourrés de registres annuels, dont certains remontaient à plusieurs centaines d'années. Les plus récents, rouges et carrés, portaient au dos des chiffres dorés tout simples comparés aux arabesques qui ornaient les volumes anciens, reliés en cuir, comme les livres d'autrefois.

Notre recherche avait quelque chose d'un jeu de piste, chaque acte de vente nous plongeant plus avant dans le passé.

C'est en 1949 que le groupe d'investissement F & E, société enregistrée au Delaware, avait acheté la parcelle n° 4 à un certain Edward E. Arthur. La description des lieux, exposée en termes charmants bien qu'un peu imprécis pour les normes en vigueur de nos jours, méritait que j'en fasse lecture à Ryan.

— Le terrain part du chêne espagnol sur la butte se trouvant au coin de la concession d'État 11807, et se poursuit au nord sur quatre-vingt-dix perches[3], jusqu'à la ligne de Bellingford. Là, il se prolonge en faisant des méandres jusqu'à un châtaignier en alignement avec le lotissement S. Q. Barker…

— De qui Arthur le tenait-il ?

J'ai sauté la fin du descriptif.

— Je te lis le passage intitulé « Parties de la première partie » ?

— Non.

— … Ayant reçu ladite terre de Victor T. Livingstone et de J. E. Clampett son épouse, par contrat en date du 26 mars 1933, inscrit au volume 52, page 315, des archives de Caroline du Nord, comté de Swain.

Quant à ce Victor T. Livingstone, il devait avoir reçu le terrain de Dieu le Père, car le volume 52 ne faisait référence à aucun contrat antérieur.

— Nous savons maintenant que ces heureux propriétaires entraient et sortaient de leur maison, ai-je dit en constatant que les descriptifs des actes mentionnaient tous deux une voie d'accès. Et ils le font encore de nos jours. Lucy Crowe a retrouvé un sentier partant de la maison jusqu'à un layon de bûcherons, avec un portail caché sous des plantes grimpantes au croisement. Quand elle me l'a montré, j'en suis restée bouche bée. J'aurais pu passer devant des millions de fois sans jamais le voir.

---

3. Perche : environ cinq mètres (N.d.T).

Ryan n'a pas répondu.

— Qu'est-ce qu'on fait, maintenant?

— On attend d'avoir le mandat de perquisition.

— Et en attendant?

— On va aller trouver l'avocat général du grand État du Delaware et révéler au grand jour les mystères de la F & E.

Sourire de Ryan d'une oreille à l'autre.

Je partageais avec Boyd un club sandwich et des frites dans la véranda quand la voiture du shérif est apparue en contrebas, puis s'est engagée dans l'allée. Boyd n'a pas dévié les yeux du sandwich.

— On se consacre à ses amours? a lancé Lucy Crowe de loin.

— Il trouve que je le néglige.

J'ai tendu une tranche de jambon au chow-chow qui l'a saisie délicatement entre ses dents et l'a laissée tomber sur le plancher de bois. L'ayant léchée deux fois, il n'en a fait qu'une bouchée. Deux secondes plus tard, son menton était de nouveau sur mes genoux.

— Un vrai gamin, a dit le shérif.

— Ouais. On vous a accordé le mandat?

Boyd suivait le moindre déplacement de ma main d'un regard anxieux.

— J'ai eu un entretien avec le juge. Cœur à cœur.

— Et alors?

Elle a soupiré et ôté son chapeau.

— Il trouve que la requête n'est pas suffisamment étayée.

— Un cadavre ne lui suffit pas?! me suis-je écriée, ahurie. Si ça se trouve, Daniel Wahnetah est en train de pourrir sous le mur en ce moment même.

— Vous connaissez l'expression «science poubelle»? Il me l'a sortie une bonne douzaine de fois. Encore un peu, et le vieux Frank va fonder une association genre les Persécutés des savants anonymes, pour venir en aide aux victimes de cette fameuse science poubelle.

— Il est idiot, ou quoi?

— C'est sûr qu'il ne risque pas d'aller chercher un Nobel en Suède mais, d'habitude, il est plutôt coopératif.

Boyd, tête levée, a laissé échapper un bruyant soupir. J'ai baissé ma main à hauteur de sa truffe. Il l'a reniflée et léchée.

— Vous le négligez encore.

J'ai tendu au chien un morceau d'œuf. Il l'a déposé par terre, l'a léché, reniflé, léché encore et s'en est désintéressé.

— Je suis comme toi, a déclaré le shérif. Moi aussi, je laisse l'œuf dans les clubs sandwiches.

Boyd a remué une oreille pour signifier qu'il avait entendu. Sans lâcher mon assiette des yeux pour autant.

— Les ennuis ne s'arrêtent pas là, a enchaîné Lucy Crowe.

Je n'ai pas réagi ; l'inverse m'aurait étonnée.

— De nouvelles plaintes ont été déposées.

— Contre moi ?

Elle a opiné.

— Par qui ?

— Le juge ne m'en a pas fait part. Mais si jamais vous approchez du site, de la morgue ou de quoi que ce soit concernant de près ou de loin l'accident — dossier ou parent de victime —, j'ai ordre de vous arrêter pour obstruction à la justice. Et cela inclut le chalet et l'enclos.

Je n'ai pu me retenir.

— Mais qu'est-ce qu'ils me veulent, à la fin ?

La colère me donnait des crampes à l'estomac.

Lucy Crowe a levé les épaules.

— Visiblement, on cherche à vous écarter.

— J'ai le droit d'aller à la bibliothèque, au moins ?

Un pied sur la marche du bas, elle s'est frotté la nuque. Son arme a fait une bosse sous sa veste.

— Il y a vraiment un truc qui ne tourne pas rond, shérif. Et ici même. Hier, quelqu'un s'est introduit dans ma chambre et a tout saccagé.

— Une hypothèse ?

J'ai mentionné les statuettes dans la baignoire.

— On fait mieux, comme carte de vœux.

— Peut-être que Boyd dérange quelqu'un, ai-je émis sans grande conviction.

En entendant son nom, l'intéressé a pointé les oreilles. Je lui ai tendu un bout de gras.

— Il aboie ?

— On ne peut pas dire. J'ai demandé à Ruby s'il faisait du bruit en mon absence. Elle a dit : « Un peu, mais rien d'extraordinaire. »

— Et à propos de votre chambre, elle a dit quoi ?

— Que c'était l'œuvre des suppôts de Satan.

— Vous devez détenir quelque chose qui intéresse quelqu'un.

— Mes dossiers étaient éparpillés dans toute la pièce, mais rien ne manquait.

— Vous avez des notes sur ce pied ?

— Je les avais emportées avec moi à Oak Ridge.

Elle m'a regardée pendant cinq bonnes secondes avant de faire son hochement de tête caractéristique.

— Voilà qui rend plus suspecte l'histoire de la Volvo. Méfiez-vous.

Ça, oui, alors !

Se penchant en avant, elle a frotté le bout de sa botte. Puis a consulté sa montre.

— Je vais essayer de convaincre le *district attorney* de pousser dans mon sens.

À cet instant, une voiture est apparue sur la route en lacet, conduite par Ryan, bien visible par la fenêtre ouverte. Nous avons suivi des yeux sa grimpée à flanc de montagne et son virage dans l'allée. Un moment plus tard, le Canadien débouchait sur le chemin, l'air tendu.

— Qu'est-ce qu'il y a ?

Il a marqué une hésitation. Le bruit que faisait le shérif en frottant son chapeau sur sa cuisse a soudain rempli le silence.

— On n'a pas retrouvé Jean Bertrand.

Toute l'attitude de Ryan exprimait le désarroi, pour ne pas dire davantage : le sentiment d'être coupable quand bien même personne ne vous critique ; la conviction que le drame aurait pu être évité si seulement vous aviez été là. Pourtant, Ryan n'avait pas abandonné son coéquipier pour partir à l'aventure, non. D'autres l'avaient désigné pour mener à bien une mission secrète et c'est ainsi que Jean s'était retrouvé seul. Mais voilà, un détective sans coéquipier n'est pas aussi efficace. Résultat, c'est à lui qu'on refile les missions de convoyage. J'ai dit doucement :

— On finira bien par le retrouver.

Ryan a fixé l'horizon, le dos raide. Les muscles de son cou saillaient sous la peau comme des cordes. Une minute s'est écoulée et il a allumé une cigarette, levant ses deux mains en creux pour protéger la flamme.

— Comment s'est passé ton après-midi ? m'a-t-il demandé en secouant l'allumette.

Je lui ai raconté l'entretien du shérif et du juge.

— Ce pied est peut-être une impasse.

— Qu'est-ce que tu veux dire ?

Tout en soufflant la fumée par le nez, il a sorti un papier de sa poche et me l'a tendu, déplié.

— Voici ce qu'on a retrouvé.

Chapitre 15

J'ai regardé la feuille que m'avait remise Ryan avec une incompréhension croissante.

C'était une sortie d'imprimante, plus exactement un composite représentant trois vues d'un objet en matière plastique cassé. Sur le premier fragment, on lisait *b i o-h a z*; sur le second : *aboratory servic*. Quant au troisième, il s'ornait d'un *A* rouge qui vous sautait carrément au visage. J'ai reconnu sans peine l'objet en question pour en avoir vu des douzaines au laboratoire. Les yeux sur Ryan, j'ai déclaré :

— C'est un récipient pour produit dangereux. Il ne figure pas dans la déclaration de transport ?

— Non.

— Et tout le monde se dit qu'il contenait le pied ?

— C'est grosso modo l'opinion générale.

Boyd m'a donné de petits coups de museau dans la main. Par distraction, je lui ai tendu le reste du sandwich. Avant de s'emparer du butin, il a levé les yeux vers moi pour s'assurer que je ne faisais pas erreur et il est allé le déguster plus loin, au cas où ce serait malgré tout un malentendu.

— Donc, ils admettent que ce pied n'est pas celui d'un passager.

— Restons modestes. Disons que cette éventualité commence à faire son chemin dans la tête de certaines gens.

Je me suis tournée vers le shérif.

— Ça peut faire bouger les choses, pour le mandat de perquisition ?

— Plutôt l'inverse. (Campée sur ses deux jambes, elle a remis son chapeau sur sa tête.) Quoi qu'il en soit, il y a un truc de pas catholique sous ce mur, et j'ai bien l'intention d'en avoir le cœur net.

Sur un de ses petits saluts caractéristiques, elle a tourné les talons. Quelques instants plus tard, sa voiture au toit en plastique transparent redescendait en serpentant dans la vallée.

Sentant peser sur moi le regard de Ryan, je me suis retournée.

— Pourquoi le juge met-il son veto à la perquisition? a-t-il demandé.

— Apparemment, c'est un partisan de la table rase. Il a décidé de me coffrer si une seule de mes cellules avait le malheur de s'égarer à proximité de tout objet concerné par l'enquête.

La colère m'incendiait les joues.

Balançant la tête, la truffe au ras du sol, Boyd a traversé la véranda jusqu'à la balancelle. Ayant reniflé ma jambe de la cheville au mollet, il s'est assis et m'a fixée, la langue pendant hors de la gueule. Ses yeux ne m'ont quittée que le temps de suivre la trajectoire du mégot expédié dans l'herbe par Ryan, après une dernière bouffée.

— Tu as dégotté quelque chose sur la F & E?

— Je me suis entendu avec McMahon pour qu'il appelle le Delaware, ça ira plus vite si la requête émane du FBI. Je l'interrogerai ce soir, je dois passer tout l'après-midi au hangar de réassemblage.

Réassemblage, autrement dit: recomposition de l'appareil, tel qu'il était avant l'accident. Menée à terme, cette opération coûte des sommes faramineuses et ponctionne de façon colossale le capital en ressources humaines dont dispose le Bureau des transports et qui est loin d'être pléthorique. C'est pourquoi on ne l'entreprend que lorsque le public le réclame à cor et à cri. Dans le cas du crash du vol 800 de la TWA, par exemple, le remontage fut ordonné parce que les Anglais en avaient ordonné un pour le crash de la Pan Am à Lockerbie, et que le NTSB ne pouvait se permettre d'en faire moins que son homologue britannique.

Compte tenu des cinquante étudiants décédés, le Bureau des transports n'y avait pas coupé cette fois-ci non plus. Au cours des quinze derniers jours, les restes du Fokker 100 de TransSouth Air avaient été transportés jusque dans un hangar de l'aéroport d'Asheville et disposés sur des grilles, selon leur emplacement d'origine. Les pièces pouvant appartenir à plusieurs parties de l'appareil avaient été regroupées par types, et celles non identifiées entreposées à part, selon le lieu où elles avaient été récupérées.

Une fois les débris catalogués et soumis à des tests, ils seraient réassemblés autour d'une armature en bois et fil de fer. Avec le temps, ces millions de fragments bout à bout reformeraient un avion. Travail de fourmi qui ressemblerait un peu au film de l'explosion, projeté en marche arrière et au ralenti. Ayant visité plusieurs fois ces sites de réassemblage, je connais le processus. Dans le cas présent, il s'effectuerait relativement vite, l'appareil ne s'étant pas enfoui dans le sol mais éparpillé à la surface sous forme de grands morceaux. Hélas, je ne verrais jamais de mes propres yeux l'avion entièrement remonté puisque j'étais bannie de l'enquête. Ryan a dû sentir mon abattement car il a posé une main sur mon épaule.

— Rien ne m'oblige à y aller, tu sais.

— Ça va.

— Qu'est-ce que tu comptes faire, cet après-midi ?

— D'abord, finir de déjeuner avec Boyd. Après, aller en ville acheter de la pâtée pour chiens, des rasoirs et du shampooing.

— Ça ira bien ?

— J'aurai peut-être du mal à trouver des rasoirs à double lame, mais je te promets de ne pas me laisser décourager.

— Qu'est-ce que tu peux être chiante, Brennan !

— La preuve que je vais bien. (J'ai réussi à lui décocher un sourire.) Allez, va à ta réunion.

Ryan parti, j'ai donné à Boyd les dernières frites et lui ai demandé le nom de sa pâtée préférée. Il n'a pas répondu. Qu'importe. Ce chien mangeait n'importe quoi, sauf les œufs durs.

J'étais en train d'enfoncer l'emballage du sandwich dans le sac en papier quand Ruby, jaillissant en trombe de la maison, m'a attrapée par le bras.

— Venez vite ! Vite !

— Qu'est-ce qui…

M'arrachant à la balancelle, elle m'a tirée jusque dans la cuisine. Boyd a suivi en gambadant dans mes jambes, excité par la fébrilité de Ruby ou par le fait de pénétrer en territoire interdit.

Une planche à repasser trônait au beau milieu de la pièce, un jeans jeté par-dessus en travers, un panier d'osier débordant de linge rangé dessous. Des vêtements sur des cintres pendaient à toutes les poignées de placard.

Ruby a désigné une petite télé en noir et blanc sur le plan de travail, face à la planche à repasser. En bas de l'écran, un déroulant annonçait : «Flash de dernière minute.» Un reporter était penché au-dessus d'un graphique. Visage sérieux et voix dénuée d'expression.

Malgré la mauvaise réception, j'ai reconnu sans mal la silhouette à sa gauche. Alors, la cuisine a disparu et plus rien n'a existé autour de moi, si ce n'est l'image floue sur l'écran et la voix qui disait :

«… Selon une source interne, l'anthropologue a été suspendue. Aucune inculpation n'a encore été prononcée, mais une enquête sera diligentée, car ses agissements ont pu nuire au déroulement de l'enquête, voire compromettre l'identification des victimes. Contacté, l'expert médical en chef de Caroline du Nord, le Dr Larke Tyrell, s'est refusé à tout commentaire. Dans les prochains bulletins… »

— C'est vous, n'est-ce pas ?

La voix de Ruby m'a ramenée à la réalité.

— Oui.

Boyd avait cessé de courir tout autour de la cuisine pour renifler sous l'évier. En entendant ma voix, il a relevé la tête.

— De quoi parlait-il ? s'est écriée Ruby, avec des yeux gros comme des frisbees.

Quelque chose s'est brisé en moi.

— C'est une erreur, bon Dieu ! Une erreur !

Les mots avaient jailli de ma bouche sur un ton coupant et suraigu, sans que j'aie seulement conscience de les dire. Subitement, j'ai eu l'impression d'étouffer. La vapeur du fer et l'odeur de l'adoucisseur m'ont soulevé le cœur. J'ai foncé dehors.

Boyd s'est élancé à ma suite, dérapant sur le tapis de l'entrée. J'ai franchi la porte comme un bolide, déclenchant un carillon derrière moi. Ruby devait me croire possédée par le démon.

Quand j'ai ouvert la portière de la voiture, Boyd a bondi à l'arrière et s'est installé au milieu, le museau entre les sièges avant. Je n'ai pas eu le courage de l'en empêcher.

Assise au volant, je me suis forcée à respirer à fond pour tourner la page. Peu à peu, mon cœur s'est remis à battre à un rythme normal et j'ai regretté mon éclat. Mais retourner à la cuisine m'excuser auprès de Ruby était au-dessus de mes forces.

Boyd a choisi ce moment pour me lécher l'oreille.

En voilà un qui ne doutait pas de mon intégrité.

Mon téléphone n'a pas arrêté de sonner pendant tout le trajet jusqu'à Bryson City. Chaque fois un journaliste, chaque fois une même réponse : « Pas de commentaires. » Au septième appel, j'ai coupé la sonnerie.

Boyd, à la fenêtre arrière gauche, répondait par un grondement sourd à tout ce qui défilait sous ses yeux, voitures, piétons, animaux. Au bout d'un moment, il a cessé de proclamer sa présence à tout un chacun pour admirer placidement les montagnes.

Un supermarché Ingles, au sud de la ville, m'a fourni tout ce dont j'avais besoin : de l'Herbal Essence et des Gillette Good News pour moi, des Kibbles N'Bits pour Boyd. Je me suis laissé tenter par des chocolats Milkbone. Ravie d'avoir trouvé les rasoirs que je voulais, j'ai décidé de m'octroyer une promenade.

Cinq kilomètres environ après Bryson City, la rue Everett se transforme en une route panoramique qui dévide ses lacets sur la rive nord du lac Fontana à travers le parc national des Great Smoky Mountains. Officiellement, elle porte le nom de Lakeview Drive mais, dans le pays, on l'appelle « la route vers nulle part ».

Dans les années quarante, une route à deux voies allait de Bryson jusqu'à Deal's Gap, à la frontière du Tennessee, en longeant le fleuve Tuckasegee et la rivière Little Tennessee. Comme elle devait être inondée, à la suite de la création du lac artificiel, la Tennessee Valley Authority promit d'en construire une nouvelle sur la rive nord. Les travaux débutèrent en 1943 et un tunnel de trois cent soixante-cinq mètres fut même creusé. Puis, on abandonna l'ouvrage, laissant le comté de Swain avec une route et un tunnel ne menant nulle part et, surtout, avec la douloureuse certitude de ne pas peser lourd dans l'ordre des choses universel.

— Tu veux faire un tour, mon garçon ?

Boyd m'a manifesté son enthousiasme en posant son menton sur mon épaule droite et en me passant sa langue sur la joue. L'égalité d'humeur, voilà bien le trait que j'admirais le plus en lui.

Le panorama était superbe et le tunnel, un monument parfait à l'inanité des autorités fédérales. Restée au milieu de la galerie, j'ai laissé le chien cavaler joyeusement d'un bout à l'autre.

Hélas, ma bonne humeur ne devait pas durer. À la sortie du parc national, mon moteur a émis des bruits de mauvais aloi. Trois kilomètres avant la ville, encore des bruits. Des sons inquiétants de plus en plus rapprochés et qui se sont bientôt transformés en un cliquettement persistant.

Je me suis garée sur le bas-côté, moteur coupé, la tête enfouie dans mes bras sur le volant. Envolée ma belle humeur, remplacée par le découragement et l'inquiétude.

Était-ce un simple ennui mécanique ? Quelqu'un avait-il tripatouillé dans mon moteur ?

Boyd a posé son museau sur mon épaule, me signifiant par là qu'il trouvait ma paranoïa justifiée.

Nous sommes restés ainsi un long moment, jusqu'à ce qu'il se mette à grogner sans relever la tête. Je n'y ai pas prêté attention au début, pensant qu'il avait aperçu quelque chose. Mais voilà qu'il s'est dressé sur ses pattes et a lancé trois aboiements secs. Écho impressionnant à l'intérieur d'une Mazda.

J'ai tourné la tête. Un homme traversait la route venant vers moi. Petit, un mètre soixante peut-être, avec des cheveux noirs coiffés en arrière et un costume sombre à sa taille, certes, mais qui datait bien du début des années soixante.

Arrivé à ma voiture, il a voulu cogner au carreau, les doigts déjà repliés. Boyd s'est remis à aboyer de plus belle.

Une vieille camionnette était parquée de l'autre côté de la route, portière du conducteur ouverte. Vide d'occupant, pour autant que je voie.

— Du calme, mon garçon! Écoutons ce que ce monsieur veut nous dire.

J'ai entrouvert la fenêtre.

— Vous êtes souffrante, madame?

La voix, riche et puissante, semblait sortir d'un coffre plus profond que celui alloué à un homme d'une aussi petite stature. Avec son nez en bec d'aigle et ses yeux noir intense, il me rappelait quelqu'un, sans que je puisse dire qui. Pour Boyd, il évoquait pour le moins Caligula, à en croire son vacarme.

— J'ai dû casser la courroie, ai-je lancé, sans trop savoir à quoi cela correspondait sinon que ça devait faire du bruit.

— Je peux vous aider?

Boyd grognait toujours d'un air soupçonneux.

— Je rentre en ville. Ça ne me dérange pas de vous déposer à un garage, madame.

Brusque connexion des neurones. L'homme ressemblait et parlait comme un Johnny Cash en miniature.

— Si vous connaissiez un garage, je pourrais l'appeler pour qu'on vienne me remorquer.

— Bien sûr. Il y en a un pas loin d'ici. J'ai le numéro dans ma boîte à gants.

Boyd ne tenait plus en place. Je lui ai caressé la tête.

L'homme est allé farfouiller dans son camion et s'en est revenu, muni d'une feuille jaune. Mon cellulaire bien en vue, j'ai baissé ma fenêtre de quelques centimètres afin de prendre le papier.

Un double de facture, probablement. Impossible de déchiffrer le nom du client, la partie écrite à la main était presque illisible. «P & T, mécanique générale», lisait-on sur l'en-tête, ainsi que l'adresse à Bryson et le téléphone.

Mon cellulaire signalait onze appels. Je les ai fait défiler sans reconnaître un seul numéro avant de composer celui du garage.

J'ai exposé la situation et demandé qu'on envoie une dépanneuse.

Comment paierais-je?

Avec une carte Visa.

Où étais-je?

J'ai décrit l'endroit.

Quelqu'un pouvait-il m'accompagner au garage ?

Oui.

Je devais donc laisser mon véhicule et me faire conduire chez eux. Ils enverraient un camion dans l'heure.

J'ai précisé à l'inconnu au bout du fil que son garage m'avait été recommandé par un de leurs clients dont j'ignorais le nom, mais qui allait me conduire chez eux. Je lui ai communiqué le numéro de la facture en espérant qu'il le noterait.

Baissant ma fenêtre, j'ai souri à Johnny Cash et composé un autre numéro. Parlant d'une voix forte, j'ai laissé un message au lieutenant-détective Ryan, tout en regardant Boyd, lequel ne lâchait pas l'homme des yeux.

Ayant remonté ma fenêtre, j'ai attrapé mes affaires.

— Que pourrait-il encore nous arriver de pire, hein, le chien ?

Boyd s'est contenté de faire bouger ses sourcils.

Ayant déposé mon sac à l'arrière de la camionnette, je me suis installée à l'avant avec le chien, lui laissant la fenêtre. Notre Bon Samaritain a claqué la portière et, sous l'œil vigilant de mon gardien, il a contourné son véhicule par l'avant pour venir se mettre au volant. Un petit camion nous a doublés à vive allure et l'intérêt de Boyd s'est porté sur les deux weimaraners dans la benne. Il a voulu se mettre debout, j'ai appuyé fermement sur son arrière-train.

— C'est un beau chien que vous avez là, madame.

— Oui.

— Avec un gros toutou comme ça, personne ne risque de vous embêter.

— Oui, il peut être méchant quand il me croit en danger.

Le silence est tombé. Mon téléphone a sonné. Numéro inconnu, j'ai ignoré l'appel. Au bout de quelque temps, mon sauveteur a repris :

— Je vous ai vue à la télé, hein ?

— Ah oui ?

— Quand je suis seul chez moi, j'allume la télé. J'y jette seulement un coup d'œil de temps en temps. Ça tient compagnie. (Il a souri comme pour admettre qu'il venait de dire une sottise et il a enchaîné :) J'ai une bonne mémoire des visages. C'est très utile dans mon métier.

Il a pointé le doigt sur moi. Il avait la main grise et anormalement lisse, comme si les chairs s'étaient rétractées après un gonflement inhabituel, en n'ayant qu'un vague souvenir de la forme qu'elles avaient auparavant.

— Je suis sûr que je vous ai vue aujourd'hui.

La main s'est reposée sur le volant. Les yeux d'aigle ont dévié vers moi et sont revenus sur la route.

— J'y suis. Vous faites partie de l'équipe de recherches sur le crash.

J'ai souri. Ou bien il n'avait pas prêté l'oreille à ce que disait l'annonceur ou bien il voulait être poli.

— Bowman, a-t-il fait en me tendant la main.

Il avait une poigne d'acier.

— Temperance Brennan.

— Vous avez un nom puissant, jeune dame.

— Merci.

— Vous êtes anti-saloon ?

— Pardon ?

— Je suis de ceux qui voient dans l'alcool la cause principale du crime, de la pauvreté et de la violence au sein de notre grande nation. Les boissons fermentées sont la plus grande attaque jamais portée par Lucifer contre le noyau familial.

Il avait prononcé « noyo ». Brusquement, son nom m'a fait tilt.

— Luke Bowman ?

— Exactement.

— Vous êtes le révérend Luke Bowman ?

— Vous avez entendu parler de moi ?

— J'habite à High Ridge House, chez Ruby McCready.

C'était totalement hors sujet, mais je ne sais pourquoi, cela me rassurait de le dire.

— La sœur McCready n'est pas une de mes paroissiennes, mais c'est une femme de cœur et une bonne chrétienne.

— Y a-t-il un monsieur McCready ? ai-je demandé, car je m'étais posé la question sans jamais oser interroger l'intéressée.

182

Les secondes s'égrenaient, mon conducteur gardait les yeux sur la route. Il ne répondrait pas.

— Je laisserai votre question de côté, madame. Que la sœur McCready vous raconte son histoire comme elle l'entend, ça vaudra mieux.

Ainsi, Ruby avait une histoire ? Je n'ai pas insisté, préférant lui demander le nom de son église.

— La maison de Dieu de la Lumière éternelle de la Sainte-Pentecôte.

Le sud des Appalaches abrite une secte chrétienne fondamentaliste, connue sous le nom d'Église de Dieu et de la pratique de ses signes ou encore Église de la sainteté. Inspirés par certains passages bibliques, les membres recherchent la protection du Saint-Esprit en se repentant de leurs péchés et en menant une vie pieuse. Seuls les fidèles agissant ainsi sont admis au sein de la congrégation et déclarés capables de « suivre les signes », entendre par là : parler les langues, chasser les démons, guérir les malades, tenir des serpents et ingérer des substances toxiques.

Dans les contrées habitées, les prédicateurs établissent des communautés permanentes. Ailleurs, ils effectuent seulement des tournées. Les offices durent des heures, et le moment culminant est celui où le célébrant absorbe de la strychnine ou manipule des serpents venimeux. La renommée de l'officiant et le nombre de ses adeptes dépendent de ses talents oratoires et de son immunité au venin. Tous les ans, il y a des morts.

La main difforme avait maintenant un sens pour moi : Bowman avait été piqué par des serpents, et ce, plus d'une fois.

Il a tourné à gauche, quelques rues après le supermarché où j'avais fait mes emplettes, puis à droite et a continué tout droit sur une chaussée défoncée. Le garage P & T, mécanique générale se trouvait entre un vitrier et un atelier de réparation de petit outillage. Le révérend s'est garé et a coupé le moteur.

Un hangar bleu en aluminium, flanqué à un bout d'un bureau par la porte duquel on distinguait une caisse enregistreuse, un comptoir et trois têtes coiffées de casques de chantier. Dans la partie atelier, perchée sur un pont hydraulique, portières grandes ouvertes, une Chevrolet en piteux état semblait prendre son envol. Une vieille Pinto et deux camionnettes étaient garées devant le bureau. Pas de dépanneuse!

Bowman est descendu de voiture. Boyd s'est mis à gronder. Suivant sa ligne de mire, j'ai remarqué un chien à l'intérieur du bureau. Noir et brun. Un pitbull à coup sûr.

Boyd avait la gueule rétractée au point de laisser voir ses gencives. Muscles bandés, il grognait de plus en plus.

Mais quelle idiote j'étais, de ne pas avoir pris sa laisse!

Les doigts serrés autour de son collier, j'ai sauté à terre avec lui. Une corde à la main, Bowman est venu nous rejoindre.

— Flush n'est pas toujours commode. Prenez ça au cas où.

Sur un merci, je me suis empressée de passer la corde dans le collier de Boyd qui ne s'en est même pas rendu compte, tant il était concentré sur le cabot là-bas.

— Si vous voulez, je peux le tenir, le temps que vous parliez avec le mécanicien.

Boyd fixait d'un air résolu le bifteck que représentait à ses yeux le flanc de son congénère.

— Merci. Ça m'a l'air plus sage, en effet.

J'ai pénétré dans le garage en veillant à passer à bonne distance du chien. Une de ses oreilles s'est crispée, mais il n'a pas dévié le regard. Peut-être le calme des pitbulls leur vient-il de ce qu'ils sont convaincus de pouvoir tuer quiconque les provoque, humain ou animal. Pourvu que Boyd n'aille pas jouer les fanfarons!

Le bureau s'ornait des décorations hautement raffinées que l'on trouve dans ce genre d'endroit: calendrier avec photo du Grand Canyon, distributeur de cigarettes, vitrine remplie de lampes de poche, de cartes et de pièces détachées, trois chaises de cuisine. Et un pitbull.

Les sièges étaient occupés par deux visiteurs et un permanent des lieux, à en juger d'après sa tenue de travail maculée de cambouis. Si la conversation s'est interrompue à mon entrée, personne ne s'est levé pour m'accueillir.

M'étant présentée au plus jeune, P. ou T. probablement, je me suis enquise du remorquage.

La dépanneuse serait de retour d'ici une vingtaine de minutes, m'a-t-il répondu. Il examinerait mon véhicule dès qu'il en aurait fini avec la Chevrolet. Le temps que ça prendrait, il ne pouvait le dire, mais il pouvait me céder sa chaise si je voulais attendre.

L'air était saturé d'odeurs puissantes — essence, huile, fumée de cigarette, sueur et chien. J'ai préféré aller retrouver Luke Bowman.

L'ayant remercié pour sa bonté, j'ai récupéré mon chien. Boyd tirait sur son collier, toutes les fibres de son corps concentrées sur le pitbull. Flush dormait ou bien faisait le mort, attendant que le chow-chow s'approche.

— Vous saurez vous débrouiller toute seule ?

— Ma voiture sera là d'une minute à l'autre. Et un détective doit venir me chercher. Si ça dure plus longtemps que prévu, il me reconduira à High Ridge House. Mais merci encore. Vous m'avez sauvé la vie.

Mon téléphone a sonné de nouveau. J'ai vérifié le numéro et ignoré l'appel. Bowman me regardait, l'air ennuyé de partir.

— La sœur McCready loge plusieurs personnes attachées à l'enquête, n'est-ce pas ?

— Oui.

— Cet accident est une sale affaire.

Il a pincé les narines et branlé du chef. J'ai gardé le silence.

— On a une idée de ce qui a pu faire tomber cet avion ?

Il a dû lire quelque chose sur mes traits, car il a ajouté :

— Ce n'est pas Ruby McCready qui vous a parlé de moi, n'est-ce pas, mademoiselle Temperance ?

— Votre nom a été mentionné au cours d'un briefing.

— Seigneur Dieu tout-puissant !

Un court instant, ses yeux sombres ont semblé noircir encore, puis il a baissé le menton et s'est mis à se masser les tempes.

— J'ai péché et mon Sauveur réclame confession !

Oh là là !

Ses yeux sont revenus sur moi. Embués de larmes. D'une voix brisée, il a dit encore :

— Le Seigneur Dieu vous a mise sur mon chemin pour porter témoignage.

Chapitre 16

Une demi-heure passée à confesser Luke Bowman dans sa camionnette, en étant interrompue quatre fois par des journalistes. J'ai de nouveau coupé mon téléphone.

Obstruction à la justice... L'expression ne cessait de trotter dans ma tête pendant que le révérend dévidait ses péchés. La pluie avait recommencé. De grosses gouttes zigzaguaient sur le pare-brise et rebondissaient sur les flaques par terre. Boyd, couché à mes pieds, avait fini par admettre qu'il valait mieux laisser Flush tranquille.

Telle une épave secouée par le ressac, ma Mazda est arrivée au cul de la remorqueuse. Bowman n'a pas interrompu son étrange récit pour autant. Elle a été détachée du treuil et poussée à côté de la Pinto et des camionnettes, puis le type en combinaison tachée l'a dirigée, portière ouverte, jusqu'au-dessus d'une fosse avant de s'immerger dans ses entrailles.

Bowman discourait toujours, en quête d'absolution.

Il s'est tu enfin, ayant récupéré sa place près de son dieu. C'est le moment qu'a choisi Ryan pour faire son entrée dans le stationnement. Dès qu'il a mis pied à terre, je l'ai hélé.

Les bras posés sur le rebord de ma fenêtre, il s'est tendu vers moi. L'air humide faisait comme une auréole autour de sa tête. Je lui ai présenté Bowman.

— Nous nous sommes déjà vus, a laissé tomber Ryan.

— Le révérend vient de me raconter une histoire tout à fait intéressante.

— Ah oui ?

Il étudiait Bowman d'un regard aussi froid qu'un iceberg.

— Cela vous sera peut-être utile, détective. Ou peut-être pas. Quoi qu'il en soit, c'est la vérité vraie de Dieu.

— Le diable vous donne du fil à retordre, mon frère?

Bowman a regardé sa montre.

— Je vais laisser à cette bonne dame le plaisir de répondre à votre question.

Il a mis le contact. Boyd a relevé la tête. Ryan a reculé pour m'ouvrir la portière. Le chow-chow s'est étiré et a sauté dehors, en regardant autour de lui d'un air agacé. J'ai remercié Bowman.

— Tout le plaisir a été pour moi. Vous savez où me trouver, a-t-il ajouté en soutenant le regard de Ryan.

La camionnette a quitté la cour, bringuebalant sur les nids-de-poule et expédiant des gerbes d'eau sous les pneus.

Crainte, culpabilité, désir de protéger ses arrières? Qu'est-ce qui avait pu décider le révérend à m'ouvrir son âme, à moi qui n'avais jamais entendu parler de sa congrégation? Et à quoi pensait-il, maintenant? À la condamnation éternelle, aux côtelettes de porc mises à décongeler pour son dîner de ce soir?

— C'est quoi le verdict pour ta voiture?

— Tiens Boyd, je vais me renseigner.

J'ai couru jusqu'à la fosse. P. T. était toujours plongé sous le capot. C'était la pompe à eau, ou autre chose peut-être. Il saurait mieux demain. Je lui ai donné mon numéro de cellulaire, en précisant que j'habitais chez Ruby McCready.

Ryan et Boyd étaient déjà dans la voiture quand je suis revenue vers eux. Ayant secoué la pluie de mes cheveux, je suis montée à mon tour.

— Ça fait du boucan, la pompe à eau, quand ça se casse?

Geste d'ignorance de Ryan.

— Comment se fait-il que tu sois déjà rentré d'Asheville?

— Un truc inattendu. Je dois dîner avec McMahon. Tu pourrais égayer notre soirée en nous racontant les paraboles de Bowman.

— Commençons par aller déposer Rintintin, ai-je répondu, espérant qu'une nouvelle soirée chez Joe l'Injun n'était pas au programme.

Nous sommes allés au Bryson Diner, un boui-boui façon wagon de chemin de fer. Sur un flanc, une ribambelle de banquettes en chrome rutilant, chacune pourvue d'un distributeur de serviettes, d'un tourniquet à condiments et d'un mini-juke-box ; sur l'autre, un comptoir sur toute la longueur du mur, en chrome lui aussi, et avec des cloches à gâteaux en plastique. Entre les deux, une file de tabourets à sièges en vinyle rouge boulonnés au plancher à intervalles réguliers. Portemanteau près de la porte d'entrée et toilettes dans le fond.

L'endroit m'a plu d'emblée. Pas de fausses promesses, genre panorama unique sur les montagnes ou expérience indigène garantie ; pas d'acronyme prêtant à confusion ; pas de faute d'orthographe pour attirer les naïfs. Un vrai *diner*, comme son nom l'indiquait.

Nous étions en avance pour le dîner, même dans cette région de montagne. De rares clients bougonnaient au comptoir, se plaignant du temps ou de leur boulot. Ils se sont presque tous retournés quand nous sommes entrés.

Et s'ils avaient été en train de parler de moi ? Tout en me dirigeant vers la banquette du fond, je sentais leurs regards dans mon dos. Mon imagination me jouait des tours, ou quoi ?

À peine étions-nous installés qu'une serveuse d'âge moyen, en robe rose et tablier blanc, est venue nous apporter des menus plastifiés rédigés à la main. Son nom — Cynthia — était brodé au-dessus du sein gauche.

J'ai choisi le ragoût, Ryan et McMahon le pain de viande.

— Et comme boisson ?

— Un thé glacé, s'il vous plaît. Sans sucre.

— Pareil, a dit McMahon.

— Pour moi, une citronnade.

Ryan avait beau rester de marbre, je savais qu'il n'en pensait pas moins.

Long regard de la serveuse sur moi avant de ranger son crayon sur son oreille.

Faisant le tour du comptoir, elle a arraché la feuille de son calepin et l'a accrochée à un câble au-dessus du passe-plat.

— Deux six et un quatre, a-t-elle beuglé et elle s'est retournée pour me dévisager encore.

La paranoïa a de nouveau pointé le bout de son nez.

Ryan a attendu que Cynthia ait apporté les boissons pour informer McMahon que le révérend Luke Bowman m'avait fait des confidences.

— Qu'est-ce que vous fichiez avec ce type-là?

Sa voix était inquiète. Souci pour ma sécurité ou crainte qu'on m'arrête pour curiosité intempestive?

— J'étais tombée en panne, il m'a conduite à un garage. Ne me demandez pas ce qui l'a poussé à m'ouvrir son cœur.

J'ai pris une paille et l'ai plongée dans mon verre.

— Je vous raconte?

— Allez-y.

— Il semblerait que les révérends Bowman et Claiborne se bagarrent depuis un bon bout de temps pour des questions de territoire. L'Église de la sainteté n'est plus ce qu'elle était. Entre les pasteurs, la concurrence est dure, le réservoir à disciples est presque à sec. On ne saurait en pêcher de nouveaux, sans un certain sens du spectacle.

Interruption de Ryan:

— Nous parlons bien de serpents, n'est-ce pas?

J'ai acquiescé.

— Quel rapport y a-t-il entre des serpents et l'Église de la sainteté?

Cette fois, je ne pouvais plus ignorer sa question.

— Les adeptes de ce mouvement appliquent au pied de la lettre certains passages de la Bible sur la manipulation des serpents.

— Quels passages? s'est écrié Ryan d'une voix débordant de mépris.

— «En mon nom, ils chasseront les démons, ils parleront des langues nouvelles, ils saisiront des serpents. Et s'ils absorbent un poison mortel, ils n'en souffriront pas.» Évangile de saint Marc, chapitre XVI, versets 17 et 18, a répondu McMahon.

Stupeur de Ryan et de moi.

— «Voici que je vous ai donné le pouvoir de fouler aux pieds serpents, scorpions et toute la puissance de l'ennemi, enchaînait McMahon, et rien ne pourra vous nuire. » Luc, chapitre X, verset 19.

— Vous tenez ça d'où ? a demandé Ryan.

— À chacun son bagage.

— Je croyais que c'était la technologie, votre spécialité.

— Eh oui.

— Ce sont des serpents dressés à être manipulés ? a repris Ryan, décidé à creuser la question. Ils ont les crochets limés, on a extrait leur venin ?

— Pas que je sache, a répondu McMahon. Ce sont des diamantins ou des mocassins d'eau qu'on attrape dans les collines. D'ailleurs, pas mal de ces charmeurs de serpents y laissent la vie.

— C'est autorisé légalement ?

— Disons qu'en Caroline du Nord, c'est rarement puni.

Sur ces entrefaites, Cynthia est arrivée pour s'éclipser, sitôt la commande posée sur la table. Ryan et moi avons ajouté du poivre et du sel à notre plat.

McMahon a noyé le sien sous une épaisse couche de sauce.

— Continuez, Tempe !

— Je vais essayer de restituer au mieux ce que Bowman m'a dit.

J'ai goûté un haricot vert. Un délice. Sucré et fondant, après des heures de cuisson dans du sucre et du lard. Dieu bénisse la région de Dixie !

— Bien qu'il ait prétendu le contraire quand le NTSB l'a interrogé, Bowman n'était pas chez lui, je veux dire à l'intérieur de sa maison, au moment de l'accident. En fait, il était dans le jardin en train de lancer dans le ciel…

Je me suis interrompue pour prendre une bouchée de ragoût. Aussi divin que les haricots.

— … des choses qui n'étaient pas des fusées.

Les deux hommes ont attendu patiemment que je porte un autre morceau de viande à ma bouche. Si tendre qu'il était presque inutile de mâcher !

— C'est vraiment bon.

— Et c'était quoi, ce qu'il s'amusait à lancer ?

— Des colombes.

La fourchette de Ryan s'est arrêtée à mi-course.

— Des oiseaux ?

J'ai fait oui de la tête.

— Le pasteur, semble-t-il, doit recourir aux effets spéciaux pour conserver l'intérêt de ses fidèles.

— Il fait des tours de passe-passe ?

— Disons qu'il considère ce spectacle comme une louange au Seigneur. Quoi qu'il en soit, cet après-midi-là, au moment où le TransSouth Air a décroché, il était en pleine expérimentation.

De sa fourchette, Ryan m'a fait signe de poursuivre.

— Il préparait un sermon sur les Dix Commandements et fignolait sa mise en scène. Il avait l'intention de jouer Moïse brandissant les tables de la Loi — une maquette en terre cuite — et les détruisant dans sa colère en voyant que les Hébreux adoraient des idoles. Le clou du spectacle devait être le moment où, ayant précipité à terre les faux dieux et appelé les fidèles au repentir, l'assistance tout entière demanderait pardon. Il actionnerait alors des leviers qui ouvriraient des cages, libérant une volée de colombes dans un nuage de fumée. À son avis, ça en mettrait plein la vue !

— Époustouflant ! a ironisé Ryan.

— Moi qui attendais des révélations fracassantes, a maugréé McMahon. Ce n'est pas en faisant joujou avec des pigeons dans son arrière-cour qu'il sera à la une du canard local.

— Je n'invente rien.

— Il fait ça régulièrement ?

— Il a un faible pour le théâtre.

— Et s'il a menti pendant l'interrogatoire, c'est pour que ses paroissiens ne découvrent pas qu'il leur raconte des salades, c'est bien ça ?

— Du moins, il le prétend. Mais le Tout-Puissant lui a tapé sur l'épaule et il commence à se dire qu'il risque d'y perdre son paradis.

— Ou de se retrouver dans une prison fédérale.

Le mépris de Ryan avait monté d'un cran.

J'ai fini mes haricots verts.

— En fin de compte ça se tient, a laissé tomber McMahon. Les autres témoins, dont Claiborne, ont déclaré qu'ils avaient vu dans le ciel des choses tirées du sol. On connaît l'incertitude des témoignages oculaires. Pourquoi ne pas admettre la possibilité d'un lâcher de pigeons dans un nuage de fumée ?

— De colombes, ai-je corrigé. C'est plus papiste.

— D'autant que l'hypothèse d'un missile a plus ou moins été écartée, a poursuivi McMahon.

— Ah bon ?

— Oui, et pour plusieurs raisons.

— Vous pouvez m'en dire une ?

— Il n'y en a pas un seul dans un rayon de huit kilomètres autour du site principal du crash.

McMahon a entassé de la purée sur sa fourchette qui croulait déjà sous la viande.

— Et il n'y a pas davantage trace de maclage.

— Qu'est-ce que c'est que ça ?

— En gros, ça signifie que la structure cristalline de certains métaux, comme le cuivre, le fer ou l'acier, a été fracturée. Pour cela, il faut une accélération supérieure à huit cents g, autrement dit : l'emploi d'un explosif militaire. Un truc du genre RDC ou C4.

— Et on n'a pas retrouvé de maclage ?

— En tout cas, pas jusqu'à maintenant.

— Ce qui signifie ?

— Les composants généralement utilisés dans les bombes tubulaires, comme la poudre, les gélignites ou la dynamite de faible puissance, génèrent des impacts ne dépassant pas cent g, donc insuffisants pour que se produise le maclage. Cela dit, dirigé sur un avion de ligne, ça peut causer des dégâts, de sorte que l'absence de maclage n'élimine pas définitivement la possibilité d'une explosion. (Il a englouti la montagne en équilibre sur sa fourchette.) Et justement, une foule d'indices tendent à prouver qu'il y a bien eu détonation.

Le téléphone de Ryan a sonné. Il a décroché et répondu en français. Des phrases laconiques qui ne signifiaient rien si l'on n'entendait pas l'interlocuteur.

— Si je comprends bien, le NTSB n'est pas tellement plus avancé que la semaine dernière, ai-je dit. Il sait seulement qu'une explosion s'est produite à l'arrière de l'avion, mais pas ce qui a explosé, ni pourquoi.

— Oui, c'est tout, a répondu McMahon. Enfin presque, car le riche mari a été rayé de la liste des suspects. Il s'apprêterait à devenir curé. L'année dernière, il a fait une donation d'un quart de million de dollars à la Humane Society quand ils ont retrouvé son chat.

— Et le jeune du Sri Lanka?

— Apparemment, c'est l'impasse. Aucun élément nouveau en provenance de là-bas. Ni menace, ni article, ni conférence de presse. L'oncle continue ses émissions. De notre côté, on poursuit les vérifications.

— L'enquête a été confiée au FBI?

— Pas officiellement. Disons que nous sommes sur le coup tant qu'il n'aura pas été prouvé qu'il ne s'agissait pas d'un acte terroriste.

Ryan avait raccroché et fouillait ses poches à la recherche d'une cigarette. Visage fermé, expression indéchiffrable. Me rappelant ma gaffe à propos de Danielle, je l'ai joué motus et bouche cousue. McMahon n'a pas eu la même discrétion.

— Qu'y a-t-il?

Ryan a fait durer la pause.

— La femme de Petricelli manque à l'appel.

— Elle s'est tirée?

— Va savoir!

Ryan cherchait des yeux un cendrier. N'en trouvant pas, il a fiché son allumette dans sa purée de patates douces. Un silence gêné s'est instauré. Il a fini par le briser.

— Un drogué du nom d'André Métraux a été arrêté hier à Montréal. À l'idée d'une longue abstinence, il a préféré se confier.

Ryan a soufflé la fumée par les narines.

— Il jure qu'il a vu le Poivre-Petricelli, samedi soir dans un resto moche à Plattsburgh, dans l'État de New York.

— C'est ridicule! me suis-je écriée. Il est mort...

Ma voix s'est cassée sur le dernier mot. Ryan a dévié le regard. Quand ses yeux se sont reposés sur nous, ils étaient empreints d'une douleur intense.

— En effet, quatre passagers n'ont toujours pas été identifiés. Dont Bertrand et Petricelli.

— Ils ne pensent tout de même pas que... Oh, mon Dieu, qu'est-ce qu'ils pensent?

Ryan et McMahon ont échangé un regard. Mon cœur s'est mis à battre plus vite.

— Vous, vous me cachez quelque chose !

— Pas de paranoïa, d'accord ? Comme vous n'avez pas eu une journée super, on s'est dit que ça pouvait attendre jusqu'à demain…

— Je vous écoute…, ai-je rétorqué en m'efforçant de conserver une voix sereine malgré la colère qui se diffusait en moi comme une nappe de brouillard.

— Au briefing d'aujourd'hui, Tyrell a présenté la dernière mise à jour de la carte des traumas.

— Vous parlez d'une nouvelle !

Pour cacher ma tristesse d'avoir été exclue de l'enquête, je me rabattais sur l'ironie.

— Il y aurait des restes qui ne correspondent à aucun des passagers portés sur la liste d'embarquement.

Je l'ai regardé, bouche bée, incapable de réagir.

— Seules quatre personnes n'ont toujours pas été identifiées. Toutes placées à l'arrière gauche de l'avion. Vu que leurs sièges se sont pulvérisés, on peut en déduire qu'elles n'ont pas fait bon voyage.

Ryan a de nouveau tiré sur sa cigarette.

— Les sièges 22-A et 22-B étaient occupés par deux étudiants. Bertrand et Petricelli étaient juste derrière, au rang 23. Or, selon Tyrell, il y a des restes qui ne correspondent à aucun des quatre-vingt-quatre passagers déjà identifiés, ni à ces quatre-là.

— C'est-à-dire ?

— Un morceau d'épaule avec un grand tatouage…

— Quelqu'un a pu se faire tatouer juste avant de partir en voyage.

— Il y a aussi un fragment de mâchoire avec un pont compliqué.

— Et des empreintes digitales, a encore précisé McMahon.

Il m'a fallu un moment pour digérer l'information.

— Qu'est-ce que cela signifie ?

— Plusieurs choses possibles.

McMahon a réussi à intercepter le regard de Cynthia et lui a fait signe d'apporter l'addition.

— Pour peu que le gang de motards ait fait monter une doublure dans l'avion, Petricelli pouvait très bien se taper un chateaubriand dans l'État de New York samedi dernier, a expliqué Ryan, d'une voix dure comme de l'acier trempé.

— Qu'est-ce que tu veux dire par là ?

— Si Petricelli n'était pas sur le vol, ça peut vouloir dire deux choses, a répondu Ryan, et il a tiré une dernière bouffée. Soit que Bertrand a été convaincu de changer de profession. De gré ou de force... (Il a enfoncé durement son mégot dans sa purée de patates douces.) Soit qu'il a été assassiné.

De retour dans ma chambre, je me suis pomponnée. Long bain chaud avec plein de mousse, et talc sur tout le corps. À défaut d'être véritablement détendue, j'embaumais le chèvrefeuille et le lilas. Installée dans mon lit, les genoux pliés et la couverture bien serrée tout autour de moi, j'ai allumé mon cellulaire. Dix-sept appels et pas un seul nom connu. Je les ai tous effacés.

Je devais appeler mon département à la fac, je n'avais cessé de remettre la chose à plus tard. Maintenant, ce n'était plus possible. Les vacances d'automne étaient achevées depuis la veille et, moi, je dépendais de l'université. Il va de soi que j'avais demandé une prolongation de mon congé quand j'avais découvert la tache de décomposition au pied du mur d'enceinte du chalet des bois. Mais je n'avais rien dit qui puisse donner à penser que je n'étais plus impliquée dans l'enquête. Dans un sens, ne l'étais-je pas toujours ? Cependant, l'acharnement des médias aujourd'hui ne me faisait pas voir l'avenir en rose. Mieux valait prévenir mon patron de la situation.

Prenant une profonde inspiration, j'ai fait défiler les noms en mémoire. Arrivée à Perrigio, j'ai enfoncé la touche d'appel. Sept sonneries se sont écoulées. J'allais couper quand une dame a décroché. J'ai demandé Mike. La pause s'est éternisée. Il y avait du boucan dans le fond et un enfant qui pleurait. Mike a pris le combiné. Ton sec, à la limite du froid : on vous a trouvé un remplaçant, rappelez pour donner de vos nouvelles. Tonalité.

J'en étais encore à fixer mon appareil quand la sonnerie a retenti.

Larke Tyrell. Mon ahurissement a triplé.

Informé de mon retour à Bryson, il voulait savoir comment j'allais. Pouvais-je le voir demain ? À neuf heures, au centre d'assistance aux familles ? Bon, bon. Portez-vous bien.

Je suis restée à contempler mon petit téléphone noir, partagée entre l'abattement et l'excitation. D'un côté, mon patron à l'université avait dû apprendre mon renvoi de l'enquête et, manifestement, la nouvelle ne le réjouissait pas ; de l'autre côté, Larke Tyrell voulait me voir. Ça, c'était sûrement positif. En était-il venu à adopter mon point de vue ? La découverte d'autres fragments humains ne correspondant à personne l'avait donc convaincu que mon pied et la polémique qui en avait résulté n'étaient pas liés au crash ?

J'ai tiré sur la chaînette de la lampe de chevet. Étendue sans bouger dans un silence que troublaient seulement les cri-cri des grillons, j'ai commencé à considérer la vie sous un jour plus agréable. Mes problèmes touchaient à leur fin. D'ici peu, je serais disculpée.

Je ne me suis pas interrogée sur le rendez-vous du lendemain.

Et cela, c'était une erreur.

Chapitre 17

À peine avais-je ouvert l'œil qu'un papier sur le petit tapis devant la porte a attiré mon attention.

Le réveil indiquait sept heures vingt.

J'ai couru le prendre. Un fax avec six noms. En petite culotte et t-shirt, je grelottais.

Bureau de l'Attorney général, État du Delaware, disait l'en-tête. Adressé à l'agent spécial Byron McMahon. Objet : F & E, SARL. La liste des responsables. McMahon devait avoir oublié de m'en parler, hier soir.

Des noms inconnus au bataillon.

Ayant fourré le papier dans la poche extérieure de ma sacoche d'ordinateur, j'ai filé sur la pointe des pieds jusqu'à la salle de bains. J'étais transformée en glaçon. Vite, une douche !

Et là, première défaite de la journée ! Plus de shampooing. J'avais laissé mes courses dans la camionnette de Luke Bowman.

Je me suis lavé les cheveux tant bien que mal, en remplissant d'eau la bouteille vide. Côté mousse, c'était plutôt maigrelet. Coiffure et maquillage. Pantalon de toile et chemisier blanc. Coup d'œil dans la glace.

Propre, nette. Peut-être un peu trop sport. J'ai enfilé un cardigan, ne boutonnant que le haut selon les recommandations de Katy. Faire nunuche serait catastrophique ! Second coup d'œil au miroir : élégante et professionnelle.

Petit déjeuner succinct. J'étais trop énervée pour avaler autre chose qu'un café. Donner le restant d'Alpo à Boyd, faire un dernier pipi, prendre mon sac et partir !

Le pied dehors, j'ai stoppé net. Pas de voiture !

J'étais là, dans la véranda, dans ma jolie tenue, sentant monter la panique, quand la porte s'est ouverte à toute volée. En a jailli un type au crâne entièrement rasé sauf une bande de cheveux teints en bleu, du front à la nuque. Aux narines, aux sourcils et aux oreilles, un attirail métallique digne de rivaliser avec une succursale Harley. Âge approximatif : dix-sept ans.

M'ignorant, il a dévalé les marches et disparu au coin de la maison. Une seconde plus tard, Ryan se matérialisait sur le seuil, soufflant sur sa tasse de café.

— Quoi de neuf, Bouton d'Or ?

— C'était qui ?

— Le Schtroumpf clouté ? (Il a aspiré précautionneusement une petite gorgée.) Eli, le neveu de Ruby.

— D'une élégance rare ! Dis, je suis vraiment embêtée de te demander ça, mais j'ai rendez-vous avec Tyrell dans vingt minutes et je suis sans voiture.

Il a plongé la main dans sa poche et m'a lancé ses clefs.

— Prends la mienne. McMahon m'emmènera.

— Tu es sûr ?

— Ne te fais pas arrêter. Je suis inscrit comme seul conducteur sur le contrat de location.

Autrefois, les centres d'assistance aux familles étaient installés près du site de la catastrophe, ce qui simplifiait grandement le transfert des données. Mais les psychologues ont l'avis qu'une telle proximité avec un lieu synonyme de mort était trop pénible pour des parents dans le chagrin, et l'habitude a été abandonnée.

Les dix chambres du motel qui avait accueilli les familles, débarrassées de leurs lits et de leurs armoires, avaient servi de bureaux. C'est là qu'on avait rassemblé les données *ante mortem* et tenu les séances d'information, là que bien des gens s'étaient attachés à réconforter les affligés. À présent, il ne restait plus que deux pièces affectées à l'enquête. Même la sécurité s'était relâchée.

Quand je suis arrivée au Sleep Inn, des journalistes faisaient le pied de grue dans le stationnement. Vu leur nombre, ils doivent attendre un truc super important, me suis-je dit. Il ne m'est pas venu à l'esprit que ce pouvait être moi. J'avais trop peur d'être en retard à mon rendez-vous.

— La voilà ! s'est écrié un cameraman en épaulant sa minicam.

Des micros se sont brandis sous mon nez, des appareils photo se sont braqués sur moi et les obturateurs se sont mis à cliqueter comme du gravier pris dans les pales d'une tondeuse à gazon.

— Pour quelle raison avez-vous déplacé des restes ?

— Vous avez trafiqué des preuves ?

— Est-il vrai qu'un lot ait disparu ?

— Docteur Brennan !

Des flashes m'éblouissaient. Des microphones me cognaient le menton, le front, la poitrine. Des corps se plaquaient contre moi, avançaient avec moi, magma d'algues entravant tout geste de ma part.

Surtout, garder les yeux à l'horizontale, ne m'intéresser à personne. Mon cœur battait la chamade. J'étais le nageur qui peine à regagner le rivage. Sauf que la distance jusqu'à l'entrée du motel était plus vaste qu'un océan. Insurmontable.

Une poigne solide m'a attrapée par le bras et propulsée dans le vestibule. Un policier de l'État. Fusillant la foule du regard, il a donné un tour de clef à la porte.

— Tout va bien, madame ?

J'ai préféré ne pas répondre, de crainte que ma voix ne trahisse mon état.

— Par ici, s'il vous plaît.

Je l'ai suivi jusqu'à une batterie d'ascenseurs. Il est entré avec moi dans la cabine. Mains croisées devant lui, pieds ancrés au sol pendant toute l'ascension. Moi, flageolante et déboussolée.

— Comment étaient-ils au courant de ma venue ?

— Je ne saurais vous le dire, madame.

Au deuxième étage, m'ayant escortée jusqu'à la chambre 201, il s'est effacé contre le mur.

— C'est ouvert.

Le regard fixé sur quelque chose qui n'était pas moi.

Deux grandes inspirations pour me donner du courage, et j'ai tourné la poignée.

Le numéro deux de Caroline du Nord était assis à un bureau, tout au bout de la pièce. Des mille pensées qui m'ont traversé l'esprit en cet instant, je ne m'en rappelle qu'une : il a meilleure mine que le jour de l'accident.

À gauche, Larke Tyrell ; à droite, Earl Bliss. L'expert médical de l'État a incliné la tête sans fuir mon regard. Le commandant du DMORT a gardé les yeux ailleurs.

— Asseyez-vous, je vous prie, docteur Brennan.

J'ai pris place dans le fauteuil que me désignait Parker Davenport. Il s'est calé dans le sien, les doigts croisés sur son gilet. Derrière lui, les Smoky Mountains étincelaient dans toute leur splendeur automnale. Panorama d'une beauté de carte postale, n'était la lumière aveuglante qui m'obligeait à cligner des yeux. Désavantage certain. Devais-je voir une volonté stratégique dans cette répartition des places ? Si elle avait été ordonnée par Tyrell, la réponse était oui, sans l'ombre d'une hésitation. Mais si Davenport en était à l'origine, alors le doute était permis. Ce type n'avait pas l'air très futé.

— Vous voulez un café ?

— Non, merci.

Difficile d'imaginer comment le vice-gouverneur avait pu tenir si longtemps à son poste. Ni grand ni petit, ni blond ni brun, ni aimable ni cassant, des yeux marron, le discours terne, la voix dénuée d'inflexions. Dans un système où les chefs sont élus sur la base de leurs atouts physiques et de leur éloquence, Davenport avait tout ce qu'il faut pour perdre. Mais peut-être sa fadeur était-elle sa plus grande qualité ? Les gens avaient voté pour lui et puis, ils l'avaient oublié.

Il a décroisé les doigts, examiné ses mains et levé les yeux sur moi.

— Des allégations fort inquiétantes ont été portées à ma connaissance, docteur Brennan.

— Je me réjouis que cet entretien nous fournisse l'occasion de les clarifier.

— Oui.

Il s'est penché pour fouiller dans un tiroir. Une cassette vidéo était posée à gauche devant lui. Il a parcouru les papiers qu'il avait sortis. Silence sépulcral.

— Nous n'allons pas tourner autour du pot.

— Très bien.

— Le 4 octobre, avez-vous pénétré sur le site principal du crash avant l'arrivée des responsables du Bureau des transports ou de l'expert médical de l'État ?

— Oui, à la demande d'Earl Bliss. Je me trouvais dans les environs.

Coup d'œil au commandant du DMORT. Il continuait à fixer ses mains.

— Cet ordre vous a-t-il été transmis par voie officielle ?

— Non, monsieur...

— Vous êtes-vous présentée comme agissant au nom des organismes de secours ?

— Non.

Davenport a parcouru un autre papier.

— Avez-vous entravé l'exercice des autorités locales pendant les recherches ?

— Jamais de la vie !

J'ai senti mon visage s'empourprer.

— Avez-vous demandé à l'adjoint du shérif Anthony Skinner de retirer le revêtement de protection dont il avait couvert une victime, et ce, en dépit d'un risque de prédation animale que vous ne pouviez ignorer ?

— C'est la procédure habituelle.

J'ai cherché des yeux le soutien d'Earl et de Larke. Tous deux regardaient ailleurs. Surtout, conserver ma sérénité !

— La procédure habituelle ? a répété Davenport en détachant les syllabes. À en croire ce rapport, vous ne semblez guère vous en être souciée quand vous avez procédé à l'enlèvement de restes qui n'avaient pas été répertoriés.

— Les circonstances exigeaient une action immédiate. J'ai fait ce qui m'a paru le plus sage. Je m'en suis d'ailleurs expliquée avec le Dr Tyrell.

Davenport s'est penché en avant. Son ton s'est fait coupant.

— Et subtiliser des restes était également une décision sage, dictée par les circonstances ?

— Quoi ?!

— Le lot dont il est question ici ne se trouve plus à la morgue.

— J'ignore totalement de quoi vous parlez.

Les yeux marron terne se sont rétrécis.

— Vraiment?

S'emparant de la vidéocassette, Davenport s'est dirigé vers un magnétoscope. Un gris fantomatique a envahi l'écran, puis sont apparues la route menant à la morgue et l'entrée du stationnement.

Une bande de vidéo-surveillance, apparemment.

Ma voiture est entrée dans le champ. Un garde m'a barré le passage. Primrose lui a parlé. Elle a marché jusqu'à ma voiture, m'a remis un sac. Nous avons échangé quelques mots. Elle m'a tapoté l'épaule et je suis partie.

Davenport a enfoncé le bouton « arrêt » et rembobiné la bande avant de regagner sa place. Ses deux assesseurs dardaient sur moi des yeux impassibles.

— Récapitulons, a dit le vice-gouverneur. À la suite d'une série d'agissements des plus irréguliers, le spécimen en question, celui que vous auriez arraché aux dents de coyotes, s'est volatilisé.

— En quoi suis-je responsable?

Davenport a saisi une nouvelle feuille.

— Dimanche, tôt dans la matinée, Mme Primrose Hobbs, une technicienne du rassemblement des données, a pris dans l'unité mobile frigorifique où sont conservés les lots en cours d'analyse un élément corporel enregistré sous le numéro 387. S'étant rendue au département des admissions, elle y a retiré le dossier correspondant à ce lot. Plus tard dans la matinée, cette même Mme Hobbs a été vue dans le stationnement de la morgue, vous remettant un paquet. Scène que nous venons de visionner.

Le regard vrillé sur moi, Davenport a poursuivi:

— Le lot et son dossier ont maintenant disparu, docteur Brennan. Nous pensons que vous les avez en votre possession.

— À votre place, j'interrogerais Mme Hobbs, ai-je lâché sur un ton glacial.

— C'est ce que nous voulions faire. Malheureusement, elle ne s'est pas présentée à son travail de toute la semaine.

— Où est-elle?

— On ne sait pas.

— On est allé voir à son motel?

202

— Docteur Brennan, je n'ignore pas que vous jouissez d'une renommée internationale et que vous avez effectué dans le passé des consultations pour le Dr Tyrell et un bon nombre de coroners de par le monde. On me dit que vos compétences sont irréprochables. Cela me rend encore plus inexplicable votre conduite dans la présente affaire.

Davenport s'est tourné vers ses compagnons pour rechercher leur soutien.

— Nous ignorons ce qui motive semblable obsession chez vous, mais il est clair que des intérêts personnels vous entraînent dans des contrées que l'éthique et le professionnalisme réprouvent.

— Je n'ai rien fait de mal.

Pour la première fois, Earl a pris la parole.

— Vos intentions étaient peut-être louables, Tempe, mais c'est faire preuve d'un très mauvais jugement que de déplacer les restes d'une victime sans y avoir été autorisée.

Il a baissé les yeux et chassé de son pantalon une poussière inexistante.

— Et c'est une grave infraction, a renchéri Davenport.

— Enfin, Earl, vous me connaissez ! Vous savez très bien que je ne ferais jamais une chose pareille.

Le chef du DMORT n'a pas eu la chance d'ouvrir la bouche. Le vice-gouverneur s'était emparé d'une enveloppe en kraft et la secouait vivement. Deux photos en sont tombées. Il a poussé la plus grande vers moi.

— C'est bien vous, docteur Brennan ?

Ryan et moi mangeant des hot-dogs dans la gargote près du dépôt de chemin de fer des Smoky Mountains. L'espace d'un instant, j'ai cru à une farce. Le numéro 2 de l'État enchaînait déjà :

— En compagnie du lieutenant-détective Andrew Ryan. Du Qouibek…

— En quoi mon déjeuner avec l'inspecteur vous intéresse-t-il, monsieur Davenport ? ai-je réagi sur un ton glacial, mais mes joues en feu trahissaient mon émotion.

— Quels sont vos liens avec ce monsieur ?

— Nous travaillons ensemble depuis des années.

— Je ne me trompe pas en supposant que ces liens dépassent le cadre strictement professionnel, n'est-ce pas ?

— Je n'ai pas l'intention de débattre de ma vie privée avec vous.

— Je vois.

Davenport a fait glisser la deuxième photo jusqu'à moi. À sa vue, je suis restée estomaquée.

— Je conclus que vous connaissez la personne à côté du détective Ryan?

— C'est Jean Bertrand, son coéquipier.

L'onde de choc se propageait dans toutes les cellules de mon corps.

— Savez-vous que cet individu fait l'objet d'une enquête en rapport avec le crash?

— Où voulez-vous en venir avec toutes ces questions?

— Docteur Brennan, je ne devrais pas avoir à vous le souligner. Votre… collègue, a-t-il dit en faisant mine de chercher le mot, entretient des rapports avec l'un des principaux suspects de notre enquête. Et vous-même avez agi de façon, pour le moins… (Nouvelle pause étudiée.) imprévisible.

Qu'objecter à cela? Je ne pouvais que répéter:

— Je n'ai rien fait de mal.

Davenport a hoché la tête. Sa bouche a grimacé un sourire et son soupir a révélé l'énormité du fardeau que ses acolytes et lui-même devaient se coltiner par ma faute.

— Peut-être, comme M. Bliss l'a supposé, que votre seul délit a été de commettre une erreur de jugement. Mais dans les tragédies de cet ordre, tragédies qui attirent l'attention exacerbée des médias, qui laissent tant de familles meurtries, il est de la plus grande importance que les personnes chargées de l'enquête évitent les approximations.

J'ai gardé le silence, attendant la suite. Davenport rassemblait ses papiers.

— Des rapports concernant les soupçons pesant sur vous ont été transmis à l'Agence nationale pour la gestion des crises, au Conseil américain d'anthropologie judiciaire et au comité d'éthique de l'Académie américaine des sciences légales. Le recteur de votre université sera également avisé.

Une peur glaciale s'est répandue en moi.

— Je suis soupçonnée de malversation?

— Nous devons considérer toutes les hypothèses. Avec attention et impartialité.

À ces mots, un ressort s'est brisé en moi. Poings serrés, j'ai bondi sur mes pieds.

— Cette réunion est tout, sauf impartiale, monsieur Davenport. Vous n'avez aucune intention de me traiter avec justice. Pas plus que le détective Ryan, d'ailleurs. Je sens qu'il y a derrière tout ça quelque chose de louche. De très louche même, et on essaie de me faire porter le chapeau !

Des larmes de rage me brûlaient les paupières.

Je t'interdis de pleurer, imbécile ! C'est juste cette lumière que tu as dans les yeux.

— Et d'abord, qui s'est permis d'informer le ban et l'arrière-ban de la presse de l'entretien que nous avons ?

Les joues de Davenport se sont empourprées. Des ronds grenat qui tranchaient sur son teint clair. Complètement déplacés.

— La fuite ne provient pas de mon bureau. J'ignore comment elle a pu se produire.

— Et la photo ? Qui a ordonné de me placer sous surveillance ?

Un silence de mort est tombé sur la pièce.

J'ai desserré les doigts. Prenant une profonde inspiration, j'ai planté mon regard dans le cœur même du vice-gouverneur.

— Je suis quelqu'un qui remplit ses fonctions scrupuleusement, qui respecte l'éthique de son métier, qui ne se laisse influencer ni par les vivants ni par les morts, monsieur le vice-gouverneur, ai-je prononcé distinctement en veillant à ne pas élever le ton. Quelqu'un qui observe sans faillir les procédures. Le Dr Tyrell le sait parfaitement, et M. Bliss aussi.

Je me suis tournée vers eux. Larke a dévié les yeux. Earl a continué de fixer le pli de son pantalon.

Les yeux dans ceux de Davenport, j'ai poursuivi, martelant du doigt mes propos :

— Je ne sais pas ce qui se passe, ni pourquoi, mais je le saurai. Vous pouvez compter sur moi !

Sur ce, j'ai tourné les talons et fermé la porte tout doucement sur moi. Le policier m'a raccompagnée le long du couloir, dans l'ascenseur et jusqu'à ma voiture.

Mon départ du stationnement s'est joué comme un rappel de mon arrivée. Protégée sur un flanc, j'ai subi sur les autres l'assaut conjugué de caméras, de micros et de flashes dans un brouhaha de questions fusant de toutes parts. Tête baissée, bras levé à hauteur de poitrine, je me suis frayé un passage jusqu'à la voiture de Ryan.

Le flic a fait de son mieux pour endiguer le flot, le temps que j'ouvre la portière. J'ai réussi à échapper à la meute, une meute bien plus terrifiante que les coyotes, l'autre jour.

À mesure que j'avalais les kilomètres, je sentais le sang refluer de mon visage et mon pouls se calmer. Dans ma tête, cependant, des millions de questions dansaient la sarabande. Depuis combien de temps me surveillait-on ? Étaient-ce ces gens qui avaient saccagé ma chambre ? Jusqu'où avaient-ils l'intention d'aller ? Et pourquoi ?

Allaient-ils revenir ?

Et qui étaient-ils, d'abord ?

Coup d'œil au rétroviseur.

Le pied avait-il vraiment été volé ? Si oui, par qui et dans quel but ? Pour en faire quoi ? Et comment avait-on découvert sa disparition ?

Où était passée Primrose ?

Pourquoi Davenport s'intéressait-il autant à l'enquête ? Un crash n'entre pas véritablement dans les compétences d'un vice-gouverneur.

Étais-je vraiment sur le point d'être accusée d'obstruction à la justice ? Si tel était le cas, je ferais bien de consulter un avocat !

Plongée dans mes pensées, je conduisais par automatisme, respectant le code de la route mais sans rien enregistrer au niveau conscient. Brusquement — après combien de kilomètres, je ne saurais le dire —, sous l'effet d'une impulsion irrépressible, j'ai regardé dans mon rétroviseur.

Une voiture de police me collait au train, pour ainsi dire pare-chocs contre pare-chocs, et son gyrophare allumé tournoyait à pleine vitesse.

Chapitre 18

Je me suis garée sur le bas-côté, la voiture de police m'a imitée.

Sur la chaussée, les véhicules filaient à toute vitesse, des gens normaux en route vers des destinations normales. Dans le rétroviseur, j'ai vu Lucy Crowe s'extraire du véhicule.

Mon soulagement n'a pas duré. À sa façon d'assurer son chapeau sur sa tête, il était clair qu'elle n'était pas partante pour les mondanités. Devais-je aller au-devant d'elle ? J'ai préféré attendre au volant.

Elle s'est avancée, immense, inébranlable dans sa tenue de shérif. J'ai ouvert ma portière.

— 'jour, a-t-elle dit avec son petit hochement de tête caractéristique.

J'ai hoché la tête à mon tour.

— On a changé de voiture ?

Pieds écartés, poings sur les hanches, elle me dévisageait.

— Un prêt. La mienne s'est accordé des vacances.

Elle ne me demandait pas mon permis. Visiblement, elle ne m'avait pas arrêtée pour infraction au code. Avait-elle mission de m'arrêter ?

— J'ai des nouvelles qui risquent de ne pas vous faire plaisir à entendre.

La radio à sa ceinture s'est mise à grésiller, elle a tourné un bouton.

— Daniel Wahnetah est réapparu, hier soir.

Quelque peu interloquée, j'ai gardé le silence.

— Vivant ? ai-je fini par demander.

— On ne peut plus. L'a cogné à la porte de chez sa fille sur le coup de sept heures du soir et, après un dîner en famille, il est parti dormir chez lui. On m'a prévenue ce matin.

Elle devait hausser le ton à cause de la circulation.

— Et où était-il pendant tous ces mois ?

— En Virginie-Occidentale.

— À faire quoi ?

— On ne me l'a pas dit.

Vivant, Daniel Wahnetah ? C'était proprement incroyable.

— Rien de nouveau sur George Adair ou Jeremiah Mitchell ?

— Néant.

— De toute façon, ni l'un ni l'autre n'a vraiment le profil, pour le pied.

— Ça ne vous avance pas beaucoup, j'imagine.

— En effet.

Sans l'avoir jamais formulé, j'avais placé bien des espoirs sur Daniel Wahnetah et voilà que je me retrouvais à la case départ. Déçue, je frottais mon volant nerveusement.

— Enfin, je suis contente pour sa famille.

— Oui, ce sont de braves gens…

Les yeux fixés sur mes doigts, elle a ajouté :

— Je suis au courant. J'ai appris aux infos.

— Mon téléphone sonne tellement que je n'ai plus de batterie. Je sors d'une réunion avec Parker Davenport. Vous auriez vu les journalistes au Sleep Inn ! La folie.

— Davenport…

Du coude, elle a pris appui sur le toit.

— Un nègre blanc, celui-là !

— Que voulez-vous dire ?

Elle a détourné les yeux. Quand elle les a reposés sur moi, ses lunettes de soleil ont accroché la lumière, et le reflet m'a éblouie.

— Il est né tout près d'ici, vous savez ?

— Ah oui ?

Elle a gardé le silence, perdue dans des souvenirs qui n'étaient qu'à elle.

— Vous n'avez pas l'air de l'aimer beaucoup.

— Disons que je ne mettrais pas sa photo au-dessus de mon lit.

— Le pied a disparu. Il m'a accusée de l'avoir volé. (Ma voix tremblait, j'ai dû faire une pause.) Et la technicienne des données qui m'a aidée à prendre des mesures a disparu, elle aussi, à ce qu'il paraît.

— Qui ça ?

— Primrose Hobbs, une vieille dame noire.

— Je vais me renseigner.

— Mais c'est des conneries. Ce que je ne comprends pas, c'est ce que Davenport a contre moi.

— Parker Davenport a des idées bien à lui sur toutes sortes de questions.

Un camion est passé en grondant, nous enveloppant d'une vague d'air chaud. Lucy Crowe s'est redressée.

— Je vais aller trouver le procureur. Essayer de le convaincre de me délivrer le mandat de perquisition.

À ce mot, un détail m'a subitement frappée. Pas une fois, au cours de la réunion, le chalet n'avait été mentionné alors que c'était le prétexte invoqué par Tyrell pour me virer de l'enquête. Ne m'avait-il pas dit : violation de propriété ?

J'ai appris au shérif qu'on avait retrouvé les propriétaires, un groupe d'investissement financier.

— Ils l'ont acheté en 1949. Avant ça, le terrain appartenait à Edward E. Arthur et, avant lui, à Victor T. Livingstone.

Elle a secoué la tête.

— Vous parlez d'une époque où je n'étais même pas née.

— J'ai la liste des dirigeants de cette boîte dans ma chambre. Je dois aller au garage, je peux vous la déposer au retour.

Coup d'œil à sa montre.

— Je devrais être rentrée vers les quatre heures. Après le *district attorney*, je dois aller faire un tour du côté du lac Fontana. Il y a un crétin, là-bas, qui prétend avoir découvert un Martien. Doit se prendre pour Fox Friggin Mulder [1].

---

1. Personnage des *X-files* (N.d.T.).

Je suis rentrée à High Ridge House dans un état d'angoisse voisin de la fébrilité. Pour me détendre, j'ai emmené Boyd faire un peu de jogging. Je lui devais bien ça pour compenser le petit déjeuner. N'étant pas rancunier, il s'est élancé de bon cœur sur le chemin détrempé par la pluie de la veille.

Mes pieds faisaient floc-floc dans la boue. Le chien haletait et les tintements de sa médaille sur le collier scandaient comme en contrepoint les cris des geais et les pépiements des moineaux, seules créatures à briser le silence alentour en dehors de Boyd et moi.

Sous l'étincelant soleil du matin, l'infinie succession chatoyante de vallées et de collines lisses et rondes avait des allures de tableau impressionniste. Le vent avait changé d'orientation durant la nuit et viré au froid sec. Dans les taches d'ombre, on sentait comme un avant-goût d'hiver et de jours qui rapetissent.

L'exercice ne m'a calmée que superficiellement. Dans l'escalier, en regagnant ma chambre, une terreur folle m'a broyé la poitrine au souvenir de l'effraction. Mais ma porte était fermée, et mes affaires à leur place.

J'ai pris une douche et je me suis changée. Téléphone en main, je m'apprêtais à appeler Peter quand la sonnerie a retenti. D'un doigt raide, j'ai enfoncé le bouton de connexion. Encore un journaliste. J'ai coupé.

Mon ex était sur répondeur, comme d'habitude. Inutile de le joindre sur le téléphone de sa voiture ou sur son cellulaire. À tous les coups, il avait dû oublier de les recharger ou les avait laissés sur la commode du salon. Je devrais encore ronger mon frein avant de connaître ma situation sur le plan juridique.

Frustrée, j'ai pris le fax de McMahon et suis redescendue à la cuisine.

J'étais en train de me faire un sandwich aux œufs quand Ruby est entrée, les bras chargés d'un panier bleu plein de linge. Mise en plis impeccable, fausses perles et chemisier blanc sur pantalon de jogging, mules et chaussettes. Visiblement, elle était sortie ce matin et n'avait changé que le bas, au retour.

— Je peux faire quelque chose pour vous ?

— Non-non, ça va.

Elle a posé son panier et s'est dirigée vers l'évier. Ses mules claquaient contre ses talons à chaque pas.

— Je suis vraiment désolée pour le saccage de votre chambre.

— Je n'avais rien de valeur.

— Quelqu'un a dû entrer pendant que j'étais au marché. (Elle a pris un torchon et l'a reniflé.) Parfois, je me demande bien où va le monde. Le Seigneur...

— Ce sont des choses qui arrivent.

— Aucun vol n'a jamais été commis dans cette maison. (Elle s'est tournée vers moi, triturant le torchon dans ses mains.) Je comprends que vous soyez fâchée.

— Je ne le suis pas contre vous.

Prenant une courte inspiration, elle a ouvert la bouche pour ajouter quelque chose, mais s'est ravisée, craignant de se livrer trop. Du moins est-ce l'impression que cela m'a donnée. Tant mieux. Je n'étais pas d'humeur à écouter d'une oreille complaisante ses bavardages.

— Vous voulez boire quelque chose ?

— Vous avez de la citronnade ?

Jetant son torchon dans le panier, elle est allée prendre un pichet en plastique dans le réfrigérateur et m'a rempli un verre qu'elle a posé à côté de mon sandwich.

— Ces choses à la télé, et tout le reste... !

— Que voulez-vous, c'est la rançon du succès !

J'ai souri, mais elle a bien senti que j'étais tendue.

— Ce n'est pas drôle. Vous ne devriez pas les laisser vous traiter comme ça.

— Je ne vois pas comment je pourrais les en empêcher.

Elle a glissé une assiette en carton sous mon sandwich.

— Des biscuits ?

— Volontiers.

Elle en a posé trois sur l'assiette et, les yeux plantés dans les miens, a déclaré :

— « Béni soit celui qui sera critiqué et persécuté, et sur qui l'on dira toutes sortes de choses fausses... »

— Les gens qui comptent savent que ces accusations ne tiennent pas debout.

— Alors, il faudrait peut-être que vous agissiez sur les autres.

Sur ce, le panier calé sur sa hanche, elle a quitté la pièce sans un regard en arrière.

Je suis sortie dans le jardin partager mon déjeuner avec Boyd. Avec lui, au moins, la conversation serait plus rationnelle. Je n'ai pas été déçue. Il n'a fait qu'une bouchée des biscuits et m'a regardée manger mon sandwich en me faisant grâce de ses commentaires. J'en ai profité pour étudier les options qui s'offraient à moi.

Ma voiture n'avait rien de grave. Il fallait seulement changer la pompe, m'a appris P. ou T. — en tout cas celle des deux lettres qui n'était pas au garage. Justement, l'absent était parti pour Asheville chercher la pièce. Si tout allait bien, j'aurais ma voiture demain après-midi.

Espérons… car la Chevrolet, la Pinto et les camionnettes n'avaient pas bougé d'un centimètre depuis hier.

Deux heures trente. Le shérif ne devait pas encore être rentré. Que faire jusque-là ?

J'ai réclamé un annuaire de téléphone. Celui qu'on m'a donné, tout écorné et fleurant le mazout, datait de 1996. Il fallait ses deux mains pour séparer les pages.

La maison de Dieu de la Lumière éternelle n'était pas répertoriée, mais un L. Bowman habitait sur le chemin de Swayney Creek. Le garagiste savait à quel endroit il rejoignait la route 19, mais pas au-delà. Sur un merci, je me suis remise au volant de la voiture de Ryan.

La route de Swayney Creek partait bien de la route 19, entre Ela et Bryson City. À l'embranchement, j'ai demandé mon chemin dans une station-service.

Le pompiste, un jeune d'environ seize ans, avec des cheveux noirs et gras tirés derrière les oreilles et des pellicules éparpillées le long de sa raie, comme des flocons de neige sur des berges boueuses, a posé sa BD pour me dévisager. Il plissait les paupières comme s'il avait du mal à supporter la lumière. Il a récupéré son mégot sur une soucoupe en ferblanc et en a aspiré une longue bouffée avant de me désigner la route du menton.

— C'est à environ trois kilomètres au nord.

De la fumée a tourbillonné hors de ses lèvres en même temps que son explication.

212

— À droite ou à gauche?

— Y a une boîte aux lettres verte.

En sortant, j'ai senti son regard vriller dans mes omoplates.

La route de Swayney Creek, étroit chemin non asphalté, descendait à pic tout de suite après le croisement et continuait ainsi pendant encore deux kilomètres avant de se stabiliser. Ensuite, elle filait tout droit à travers une forêt de conifères, longeant un torrent à l'eau si claire qu'on distinguait les galets au fond. On remarquait çà et là des signes d'habitation. La route a obliqué vers l'est et s'est mise à grimper légèrement. Peu après, j'ai repéré une trouée dans les arbres et, sur la droite, une boîte aux lettres passablement rouillée. Verte. Un nom fait de lettres découpées était suspendu en dessous, retenu par deux chaînes.

Bowman, ai-je pu lire quand je m'en suis approchée.

Pourvu que ce soit le bon.

J'ai tourné sur le chemin. J'avançais au pas. Les arbres, pins, sapins, montaient si haut dans le ciel qu'ils bouchaient le soleil presque partout. Une cinquantaine de mètres plus loin, une maison trapue est apparue, sentinelle solitaire montant la garde sur le chemin. Un bungalow en bois, battu par les intempéries, flanqué d'une véranda à un bout et d'un appentis à l'autre, tous deux bourrés de bûches en quantité suffisante pour chauffer tout un château du Moyen Âge. Les fenêtres de part et d'autre de la porte s'ornaient de stores turquoise, aussi incongrus dans ce clair-obscur que des arches d'or au-dessus d'une synagogue.

Dans l'ombre, le jardin paraissait tout noir sous son épais tapis de feuilles et d'aiguilles de pin. Un sentier en gravier le coupait en deux, partant de la maison et rejoignant le rectangle, également recouvert de gravier, où s'arrêtait la route. Je m'y suis garée, à côté de la camionnette de Bowman.

Le temps de couper le moteur et de brancher mon cellulaire, la porte s'est ouverte sur le révérend. Tout de noir vêtu, cette fois encore. À croire qu'il tenait à rappeler au monde entier, à commencer par lui-même, la sobriété à laquelle le vouait son sacerdoce.

Je ne peux pas dire qu'il ait souri en me reconnaissant, mais son visage s'est détendu. J'ai suivi le sentier. Des deux côtés, il était jalonné de petits champignons.

— Excusez-moi de vous déranger, révérend Bowman, mais j'ai laissé mon sac avec mes courses dans votre camionnette, hier.

— Il est dans la cuisine. Entrez donc, je vous prie.

Je l'ai précédé dans une entrée obscure où planait une forte odeur de bacon grillé.

— Vous voulez boire quelque chose ?

— Non, merci. Je n'ai pas beaucoup de temps.

— Asseyez-vous donc.

Il m'a désigné un petit salon à ce point encombré de meubles qu'ils semblaient avoir été achetés en lot et disposés comme au magasin, mais de façon encore plus compacte.

— Merci.

J'ai pris place sur une banquette faite de plusieurs éléments, pièce maîtresse d'un salon trois pièces toujours sous son plastique d'emballage. Malgré le temps frisquet, les fenêtres étaient ouvertes. Les rideaux à carreaux, assortis au velours marron des sièges, se gonflaient sous la brise.

— Je vous apporte votre paquet.

Il s'est éclipsé. Des discours étouffés, des coups de gong et des applaudissements me sont parvenus par la porte restée ouverte. Un jeu télévisé.

La pièce était dépourvue de tout objet personnel. Pas la moindre photo de mariage ou de remise de diplôme. Pas d'enfants à la plage, ni de chien caché dans un chapeau. Toutes les personnes aux murs portaient des auréoles. J'ai reconnu Jésus, peut-être aussi Jean le Baptiste.

Bowman est revenu. Je me suis levée. La housse de plastique a émis un craquement.

— Merci.

— C'était un plaisir, mademoiselle Temperance.

— Et merci encore pour hier…

— J'ai été heureux de pouvoir vous rendre service. Peter et Timothy sont les meilleurs mécaniciens du comté. Ça fait des années que je leur confie mes camionnettes.

— Vous vivez ici depuis longtemps, révérend Bowman ?

— Depuis que je suis né.

— Vous connaissez un chalet avec une cour entourée de murs, pas très loin de l'endroit où l'avion s'est écrasé ?

— Je me rappelle que mon papa parlait d'un campement, du côté de Running Goat Branch, mais je n'ai pas souvenir qu'il ait jamais mentionné de maison.

Une idée m'a brusquement traversé l'esprit. Calant mes courses sur ma hanche, j'ai extirpé le fax de McMahon.

— Un de ces noms vous dit quelque chose ?

Bowman a déplié le papier. Son expression n'a pas changé, et je dois dire que je le scrutais attentivement.

— Désolé.

J'ai rangé le fax dans mon sac.

— Vous avez entendu parler d'un certain Victor Livingstone ?

Il a secoué la tête.

— Et Edward Arthur ?

— Je sais qu'un Edward Arthur habite près de Sylva. Il était dans le mouvement Holiness dans le temps, mais ça fait des années qu'il l'a quitté. Il racontait que c'était George Hensley lui-même qui l'avait conduit au Saint-Esprit.

— George Hensley ?

— Le premier homme ici à tenir des serpents. Le frère Arthur disait qu'il avait fait sa connaissance à l'époque où le révérend Hensley vivait à Grasshopper Valley.

— Je vois.

— Il doit avoir pas loin de quatre-vingt-dix ans, aujourd'hui.

— Il vit toujours ?

— Comme la sainte parole divine.

— Il est membre de votre Église ?

— C'était une des ouailles de mon père, aussi pieux que le saint air que Dieu respire. Mais l'armée l'a changé. Après la guerre, il a gardé la foi encore quelques années puis, brutalement, il n'a plus observé les signes.

— C'était quand ?

— En 47 ou 48. Non. Je me trompe. (Il a tendu un doigt déformé par l'arthrite.) La dernière fois que le frère Arthur a assisté au service, c'était pour les funérailles de la sœur Edna Farrell. Je m'en souviens parce que papa a prié pour que la foi lui revienne. Une semaine plus tard, papa lui a rendu visite. Il s'est retrouvé à sermonner un fusil. Il n'a pas insisté.

— Et quand est-ce que la sœur Edna Farrell est morte ?

— En 1949.

1949. L'année où Edward Arthur avait vendu sa propriété à la F & E, le 10 avril, très précisément.

Chapitre 19

J'ai découvert Edward Arthur en train de retourner la terre, dans le petit potager derrière sa cabane en rondins. Il portait une chemise de laine à carreaux, une combinaison en jean, des bottes en caoutchouc et un canotier délabré qui avait dû faire les beaux jours d'un gondolier. Me voyant approcher, il m'a ignorée.

— Monsieur Arthur ?

Il donnait de petits coups de pied mal assurés pour enfoncer sa fourche, mais il était si vieux et faible que les griffes pénétraient à peine dans le sol.

— Edward Arthur ?

J'avais élevé la voix. Il n'a pas répondu. À chaque poussée, l'outil produisait un raclement étouffé.

— Je vois bien que vous êtes occupé, monsieur Arthur, mais je voudrais vous poser une question.

J'ai affiché mon sourire le plus encourageant, du moins l'espérais-je.

Il s'est redressé du mieux qu'il le pouvait et a clopiné jusqu'à une brouette remplie de cailloux et de feuilles mortes où il a retiré sa chemise. Des taches brunes, grosses comme des haricots, parsemaient ses mains et ses bras décharnés. Ayant changé sa fourche pour une binette, il s'en est retourné à sa rangée de légumes.

— Il s'agit d'un terrain du côté de Running Goat Branch.

Il a enfin daigné lever ses yeux sur moi, des yeux aux paupières rouges et à l'iris si clair qu'il semblait délavé. Il louchait.

— Vous possédiez un terrain dans le coin autrefois, si je ne me trompe.

— Pourquoi est-ce que vous vous adressez à moi ?

Sa respiration sifflante avait un bruit d'air aspiré dans un filtre.

— Je m'intéresse à la personne qui a acheté votre propriété.

— Vous êtes du FBI ?

— Non.

— Vous êtes avec les gens qui enquêtent sur l'accident ?

— Je l'étais, mais je ne le suis plus.

— Qui vous envoie chez moi ?

— Personne, monsieur Arthur. C'est par Luke Bowman que je vous ai trouvé.

— Eh bien, posez-lui vos questions !

— Le révérend Bowman ne sait rien sur cette propriété, sauf qu'il y a peut-être eu là-bas un campement, dans le temps.

— C'est ça qu'il vous a dit ?

— Oui, monsieur.

Arthur a sorti de sa poche un mouchoir vert perroquet et s'en est épongé le visage. Puis, lâchant sa binette, il a boitillé jusqu'à moi, le dos rond comme un vautour. Des poils blancs et drus sortaient en touffes de ses narines, de ses oreilles et de son encolure.

— Je n'ai guère à dire à propos du fils, mais le père, Thaddeus Bowman, était le pire démon qui ait jamais foulé le sol de la planète. Quarante ans durant, il a tenu un repaire d'alléluias.

— Vous étiez un de ses disciples, non ?

— Jusqu'à ce que je comprenne que son truc de chasser les démons et de parler les langues n'était qu'un monceau de conneries.

Il s'est raclé la gorge et a craché par terre.

— Je vois. Vous avez vendu votre terrain après la guerre ?

— Thaddeus Bowman n'avait pas d'autre idée en tête que de me forcer au repentir mais, moi, j'avais d'autres chats à fouetter. Pas moyen de lui faire accepter mon départ, à ce maudit crétin ! Tant et si bien que j'ai dû lui prouver ma résolution à la pointe du fusil.

— Monsieur Arthur, je suis venue ici pour vous poser des questions sur la propriété que vous avez achetée à Victor Livingstone en 1933.

— Je n'ai jamais acheté de terrain à aucun Victor Livingstone.

— Pourtant, les registres indiquent que vous avez reçu l'acte de propriété des mains de ce Livingstone.

— En 1933, c'est l'année où je me suis marié. J'avais dix-neuf ans.

Visiblement, on tournait en rond.

— Mais vous avez bien connu un Victor Livingstone ?

— Sarah Masham. Elle est morte en couches.

Ses réponses étaient à ce point décousues que je me suis demandé s'il n'était pas atteint de sénilité.

— Ces huit hectares étaient notre cadeau de mariage. Il y a un mot pour ça.

Il s'est concentré. Ses pattes-d'oie se sont creusées sous l'effort.

— Croyez bien que je suis désolée de vous arracher à votre jardinage, monsieur Arthur, mais…

— Dot. C'est ça, le mot. C'était sa dot.

— Qu'est-ce qui était la dot de qui ?

— Vous ne me parliez pas d'un bout de terrain à Running Goat Branch ?

— En effet, monsieur.

— C'est le papa de Sarah qui nous l'a donné. Après, elle est morte.

— Victor Livingstone était le père de votre femme ?

— Ma première femme, Sarah Masham Livingstone. Nous étions mariés depuis trois ans quand elle est décédée. Elle avait à peine dix-huit ans. Son papa en a été tellement affligé qu'il en est mort, lui aussi.

— Je suis désolée, monsieur Arthur.

— C'est à ce moment-là que je me suis établi par ici et que j'ai fricoté avec George Hensley, du côté du Tennessee. Il m'a appris à saisir les serpents.

— Qu'est devenue la propriété de Running Goat Branch ?

— Un type de la ville voulait la louer. Pour y faire du camping. Moi, je ne voulais plus en entendre parler. Je me suis dit que ce n'était pas une mauvaise idée. Un peu d'argent, sans se fouler.

Il a de nouveau craché par terre.

— Pour faire du camping, disiez-vous ?

— Chasse et pêche, oui. Mais si vous voulez mon avis, les gens qui venaient là, c'était surtout pour fuir leur moitié.

— Il y avait une maison ?

— Ils vivaient sous la tente. Feu de camp et compagnie, jusqu'à ce que je bâtisse le chalet. Qu'est-ce que les gens vont pas inventer pour s'amuser !

— Quand l'avez-vous bâti, ce chalet ?

— Avant guerre.

— Et vous avez construit des murs tout autour ?

— Où allez-vous pêcher des questions comme ça ?

— Est-ce que vous avez construit un mur d'enceinte en pierre autour d'une cour ?

— Parce que vous croyez que je voulais rebâtir la ville du roi Arthur ?

— Et vous avez vendu cette propriété en 1949 ?

— Dans ces eaux-là.

— L'année où vous avez rompu avec Thaddeus Bowman ?

— Tout juste.

— Luke Bowman semblait se rappeler que vous aviez quitté la congrégation de son père à la mort d'Edna Farrell.

Les yeux d'Arthur se sont plissés.

— Qu'est-ce que vous sous-entendez, jeune dame ?

— Rien du tout, monsieur.

— Edna Farrell était une bonne chrétienne. Ils auraient dû mieux s'occuper d'elle.

— Vous pouvez me dire qui a acheté ce chalet ?

— Et vous, vous pouvez me dire en quoi mes affaires vous concernent ?

Il était temps que je révise mon opinion sur le vieillard. En raison de son âge et de son caractère, je l'avais supposé un peu diminué. Force m'était de reconnaître que l'homme devant moi n'avait rien à envier à Kasparov, côté rapidité d'esprit. Mieux valait jouer franc jeu avec lui.

— Je ne fais plus partie de l'équipe chargée de l'enquête sur le crash. J'ai été accusée de malversation. Mais c'est faux.

— Mmm.

— J'ai l'impression qu'il se passe des choses bizarres dans cette maison, et je voudrais savoir quoi. Vos informations pourraient contribuer à m'innocenter. Je crois qu'on cherche à me neutraliser.

— Vous êtes allée là-bas ?

— Je ne suis pas entrée à l'intérieur.

Il allait dire quelque chose quand une rafale de vent a emporté son canotier à travers le jardin. Ses lèvres pourpres se sont rétractées sur des gencives édentées et il a tendu en avant son bras d'épouvantail.

Tournoyant et tourbillonnant, j'ai réussi à bloquer le chapeau avec mon pied. Je l'ai épousseté avant de le rendre à Arthur, qui l'a pris et serré contre son cœur. Il frissonnait.

— Vous voulez votre chemise, monsieur ?

— Ça tourne au froid, a-t-il dit en allant à sa brouette.

J'ai attendu qu'il ait fermé tous ses boutons, puis je l'ai aidé à rassembler ses outils dans la brouette et à les ranger dans un appentis derrière sa maison. Au moment où il refermait la porte, j'ai de nouveau posé ma question.

— Qui a acheté votre terrain, monsieur Arthur ?

Il a tiré deux fois sur le cadenas pour en vérifier la fermeture avant de se retourner vers moi, comme un coq dressé sur ses ergots.

— À votre place, jeune dame, je n'approcherais pas de cet endroit...

— Je vous promets de ne pas m'y rendre seule, monsieur.

Il est resté à m'examiner un assez long moment. Je commençais à désespérer qu'il me réponde quand, faisant un pas en avant, il a jeté avec une violence soudaine, le visage à trente centimètres du mien :

— Prentice Dashwood.

Un postillon a raté de peu mon menton.

— C'est Prentice Dashwood qui a acheté votre terrain ?

Il a hoché la tête. Un éclair noir est passé dans ses yeux couleur d'eau.

— Le diable en personne !

Lucy Crowe n'était toujours pas rentrée de Fontana. Assise dans la voiture, je suis restée un moment à faire cliqueter mes clefs contre le volant, en fixant sans la voir la cabane d'Arthur.

J'ai fini par démarrer.

De gros nuages d'un noir vert s'amassaient rapidement. Néanmoins, je roulais fenêtres ouvertes. Bientôt, le vent plierait les arbres et la pluie dévalerait la chaussée, du plus haut de la montagne. Mais, pour l'heure, c'était encore un plaisir de sentir la caresse de l'air frais.

Riverbank Inn, annonçait une pancarte en bois sur la route 19, à trois kilomètres au sud de Bryson City. Je me suis engagée dans l'allée.

Quatre cents mètres plus loin, au bout du chemin, se dressait une bâtisse d'un seul étage en stuc jaune, genre ranch des années cinquante. Huit chambres de part et d'autre de la réception, chacune pourvue de son entrée individuelle. Une lanterne en plastique façon citrouille grimaçait sur tous les perrons et, près de l'accueil, un squelette en néon grimaçait dans un arbre.

À première vue, ni l'architecture ni la décoration ne faisaient le charme de l'endroit. Probablement était-ce sa situation, sur les bords du Tuckasegee.

Deux voitures seulement. Garées devant les chambres 2 et 7 : une Pontiac Grand Am rouge, venant d'Alabama, et une Ford Taurus bleue, immatriculée en Caroline du Nord. Gazouillement plaintif au moment où je passais devant le squelette, suivi d'un ricanement strident. Pauvre Primrose, combien de fois avait-elle subi cette horreur ?

Décoration intérieure inspirée par le même style que mon *bed and breakfast* : clochettes à la porte d'entrée, rideaux en chintz et mobilier en pin.

Sur le comptoir au fond de la pièce, une lanterne-citrouille souriait à la plaque présentant les propriétaires. *Ralph et Brenda Stover,* ai-je pu lire. Assis à côté, un homme en chandail des Redskins feuilletait un *PC World.* Ralph, probablement. Au carillon, il a relevé les yeux et m'a fait un sourire.

— Que puis-je pour vous ?

Il avait des cheveux blonds clairsemés, le teint rose et la peau lustrée comme du bois ciré.

— Dr Tempe Brennan.

— Ralph Stover.

J'ai tendu le bras. Sa gourmette a tinté comme les gre-
lots de la porte quand nous avons échangé une poignée de
main.

— Je suis une amie de Primrose Hobbs. C'est bien ici
qu'elle est descendue ?

— Absolument.

— Elle fait partie du groupe d'enquête sur l'accident.

— Je connais Mme Hobbs.

Le sourire de Ralph n'était pas forcé.

— Elle est là ?

— Je peux appeler sa chambre si vous voulez.

— S'il vous plaît.

Il a fait le numéro, est resté un moment à écouter, puis
a reposé le combiné.

— Ça ne répond pas. Voulez-vous lui laisser un message ?

— Elle n'a pas quitté l'hôtel, par hasard ?

— Mme Hobbs est toujours enregistrée chez nous.

— Vous l'avez vue aujourd'hui ?

— Non.

— Quand l'avez-vous vue pour la dernière fois ?

— Je ne peux pas tenir le compte des allées et venues de
tous les clients.

— Je m'inquiète. Voyez-vous, Mme Hobbs ne s'est pas
présentée à son travail depuis dimanche dernier. Vous pouvez me donner le numéro de sa chambre ?

— Je suis désolé, c'est impossible, madame. Politique de
la maison.

Sourire accentué.

— Elle est peut-être malade.

— La femme de chambre nous aurait avertis.

Politesse de rigueur. Rien de plus à tirer de ce Ralph. Il
ne se laisserait pas plus amadouer qu'un flic décidé à coller
une amende. Parfait. Moi aussi je savais faire des ronds de
jambe.

— Je vous en prie, c'est de la plus haute importance.

J'ai posé la main sur son poignet. Légère pression assortie d'un regard clair et franc.

— Dites-moi ce qu'elle a comme voiture. Je verrai si elle
est dans le stationnement.

— Non, c'est impossible.

— Allons ensemble voir dans sa chambre, voulez-vous ?

— Non.

— Allez-y tout seul, alors. Je vous attends ici.

— Non, madame.

Mieux valait changer de tactique. J'ai retiré ma main.

— Mme Stover se rappelle peut-être quand elle a vu Mme Hobbs pour la dernière fois ?

Ralph a posé les bras sur son journal et croisé les doigts. Les poils pâles et raides ressortaient nettement sur le rose calamine de sa peau.

— Vous nous poserez les mêmes questions que les autres, et ma femme et moi vous donnerons les mêmes réponses. À moins de nous présenter un mandat officiel, nous n'ouvrirons aucune chambre et ne divulguerons aucune information sur aucun de nos clients.

Ton lisse comme du beurre.

— Quels autres ?

Ralph a poussé un soupir débordant de patience.

— Y a-t-il autre chose que je puisse faire pour vous ?

— Si j'apprends qu'à cause de votre « politique », Primrose Hobbs a subi le plus petit préjudice, vous regretterez d'avoir suivi des cours de gestion hôtelière.

Ton tranchant comme un scalpel.

Les yeux de Ralph Stover se sont rétrécis, mais son sourire a tenu bon. J'ai inscrit mon numéro de cellulaire sur une carte de visite.

— Au cas où votre bon cœur vous inspirerait des sentiments plus charitables.

J'ai tourné les talons.

— Bonne journée, madame.

J'ai eu le temps d'entendre la chiquenaude d'une page qu'on tourne et le tintement de sa gourmette avant de passer la porte. J'ai quitté le stationnement en faisant rugir mon moteur.

Je n'avais pas fait cinquante mètres sur la grand-route que je me suis arrêtée sur le bas-côté. Là, maintenant, en ce moment même, Stover, dévoré de curiosité, allait jeter un coup d'œil dans la chambre de Primrose ! Ou alors c'est que je ne comprenais rien de rien à la nature humaine.

Verrouillant ma portière en hâte, j'ai piqué un sprint jusqu'à l'embranchement et pris à travers bois, parallèlement au chemin.

Arrivée en vue du motel, je me suis arrêtée. Mon intuition ne m'avait pas trompée. Ralph atteignait la chambre 4. Un regard à gauche et à droite, et il s'est glissé à l'intérieur. Les minutes ont passé. Cinq ? Dix ? Mon souffle avait eu le temps de revenir à la normale. Le ciel était d'un noir menaçant. Au-dessus de ma tête, les pins se courbaient et plongeaient comme des ballerines en train de faire des exercices *sur les pointes*[1].

Primrose… J'avais beau la connaître depuis des années, je ne savais quasiment rien d'elle, juste qu'elle était divorcée et avait un fils quelque part. En dehors de ça, sa vie était un mystère pour moi. Comment expliquer cela ? Était-ce parce qu'elle n'était pas du genre expansif, ou parce que je n'avais jamais pris la peine de l'interroger ? L'avais-je traitée comme tous ces gens qui travaillent à nos côtés, ceux qui nous apportent le courrier, tapent nos rapports ou font le ménage chez nous, tandis que nous vaquons à nos affaires sans nous préoccuper des leurs ?

Peut-être. Mais je connaissais suffisamment Primrose pour savoir qu'elle n'était pas femme à abandonner un travail avant de l'avoir achevé.

À moins d'y être contrainte !

J'attendais toujours. Une grande strie aubergine s'est imprimée sur un nuage, artère de plusieurs millions de watts qui a révélé ses entrailles. La foudre a claqué. Le tonnerre a grondé. L'orage n'était pas loin.

Stover a fini par ressortir. S'étant assuré que la chambre était bien fermée, il a cavalé le long des dalles jusqu'à la réception. J'ai attendu qu'il soit rentré à l'intérieur pour me risquer à faire le tour du bâtiment. De loin et en veillant à demeurer sous les arbres.

Je passais d'un tronc à l'autre. D'un côté, j'avais l'arrière de l'auberge ; de l'autre, le fleuve. Entre les deux, la végétation. À hauteur de ce qui devait être la chambre n° 4, j'ai marqué une pause et tendu l'oreille. Bouillonnement de

---

1. En français dans le texte (N.d.T.).

l'eau sur les rochers ; craquement des branches agitées par le vent ; sifflet d'un train ; battements précipités de mon cœur. Le tonnerre grondait. Plus fort. Plus souvent.

Je me suis avancée jusqu'à la lisière des arbres. Des vérandas s'alignaient en épi, un chiffre en fer forgé cloué aux balustrades. Une fois de plus, mon intuition ne m'avait pas trompée. Je n'étais qu'à cinq mètres de la chambre n° 4.

Inspirant à fond, je me suis élancée. Pelouse, perron, écran-moustiquaire. Il s'est ouvert en grinçant. Le vent était tombé d'un coup. Dans le silence soudain, le bruit a retenti avec la force d'une explosion. Je me suis immobilisée.

Calme général alentour.

Me faufilant entre l'écran et la porte, je me suis plaquée contre la vitre. Impossible de voir à l'intérieur, une tenture en vichy vert bouchait la vue. J'ai tourné la poignée. En vain.

Laissant retomber tout doucement la moustiquaire, je suis allée à la fenêtre. Un rideau la couvrait toute. En vichy, lui aussi. Mais il y avait un espace en bas, au-dessus de la rainure où la fenêtre à guillotine s'encastre dans le bâti. Les mains à plat sur le châssis, j'ai poussé vers le haut. Une fine poussière blanche a virevolté autour de mes doigts.

J'ai poussé plus fort. La fenêtre est remontée de quelques centimètres. Une alarme s'est déclenchée dans mon cerveau. Vision mentale de Ralph fonçant hors du bureau, un Smith & Wesson à la main. Je me suis arrêtée.

J'ai introduit les doigts dans l'espace en bas. J'étais en train d'enfreindre la loi, et ce, en toute connaissance de cause. Pénétrer dans cette chambre était exactement la chose à ne pas faire dans ma situation. D'un autre côté, il fallait bien que je m'assure que rien n'était arrivé à Primrose. Sinon, plus tard, comment me pardonner de ne pas avoir fait tout ce qui était en mon pouvoir pour lui porter secours ?

Et puis, avouons-le, j'avais aussi des raisons personnelles de pénétrer dans cette chambre. Si je voulais prouver à ces types qui s'érigeaient en tribunal qu'ils étaient à côté de la plaque, je devais impérativement retrouver Primrose. Savoir ce qui était arrivé au pied.

Campée sur mes deux jambes, j'ai recommencé à pousser. La vitre est remontée encore de trois centimètres.

Patta-patta-pat! De grosses gouttes ont giflé le plancher de bois. Les petites flaques rondes se sont multipliées, jusqu'à former une mare autour de mes bottes.

Encore quelques centimètres.

Alors, l'orage a éclaté. La foudre a strié le ciel, le tonnerre a explosé et des torrents de pluie se sont déversés dans la véranda, la transformant en une patinoire luisante.

Je me suis collée au mur, sous le petit surplomb du toit. En l'espace de quelques secondes, mes cheveux dégoulinaient, l'eau ruisselait le long de mes oreilles et de mon nez, et mes vêtements adhéraient à mon corps aussi étroitement que le papier mâché à son armature en fil de fer.

Les millions de gouttes, qui cascadaient du toit sur le perron, dévoraient la pelouse, dévalaient le gazon, mêlaient leur flot en une multitude de canaux qui zigzaguaient entre les touffes d'herbe. La gouttière au-dessus de ma tête s'est métamorphosée en fleuve. Des feuilles balayées par le vent se sont plaquées contre mes jambes, d'autres ont valsé et dansé la gigue d'un bout à l'autre du gazon. Et les rafales de vent ont porté jusqu'à moi un parfum de terre, de bois mouillé et de mille créatures tapies dans leur terrier ou leur nid.

J'ai attendu que ça se calme, ratatinée contre le mur en stuc, les mains cachées sous mes aisselles. Je grelottais. Les gouttes s'amusaient à rebondir sur une toile d'araignée, l'étiraient, la courbaient. Quant à l'auteure de l'œuvre, petite boule brune recroquevillée, exilée aux confins de son royaume, elle contemplait le désastre, suspendue à un fil.

Des îles étaient nées. Des plaques continentales étaient sur le point d'opérer leur jonction. Une vingtaine d'espèces disparaissaient à jamais de la planète.

Mon cellulaire a choisi ce moment pour se manifester. Sonnerie intempestive qui m'a presque jetée à bas de la véranda.

J'ai hurlé : « Pas de commentaire ! » Au même instant, la foudre a éclaté juste au-dessus des arbres. Le tonnerre a explosé.

— Où êtes-vous donc ? s'est écriée Lucy Crowe.

— J'ai été surprise par l'orage.

— Vous êtes dehors ?

— Et vous, de retour à Bryson ?

— Je suis toujours au lac Fontana. Vous voulez me rappeler quand vous vous serez mise à l'abri ?

— Ça risque de prendre un moment.

Je n'ai pas épilogué. Pas question d'expliquer le pourquoi du comment au shérif. De toute façon, elle parlait à quelqu'un d'autre.

— J'ai peur d'avoir encore une mauvaise nouvelle à vous annoncer, a-t-elle repris quand elle est revenue en ligne.

Voix dans le fond, grésillement d'une radio de police.

— Il semblerait que nous ayons retrouvé Primrose Hobbs.

Chapitre 20

Ce matin, à l'heure où j'avais le plaisir de m'entretenir avec notre estimé vice-gouverneur, les propriétaires d'une petite marina avait déjà découvert un cadavre à l'endroit où ils amarraient leurs bateaux.

À leur habitude, Glenn et Irene Boynton s'étaient levés à l'aube pour parer au coup de feu de la matinée à venir : préparer l'amorce et les équipements destinés aux pêcheurs, remplir les glacières de boissons et de sandwiches. En allant vérifier un bateau rentré tard la veille, Irene avait remarqué une drôle d'ondulation au bout de la jetée. S'étant penchée sur l'eau, elle avait eu la frayeur de sa vie : deux yeux, privés de paupières, étaient dardés sur elle.

Grâce aux indications de Lucy Crowe, j'ai trouvé aisément le lac Fontana et le chemin qui menait à l'embarcadère. La pluie, moins forte, ruisselait toujours le long des feuillages. Je roulais dans des flaques en faisant s'épanouir des gerbes d'eau boueuse sous mes pneus.

Une dépanneuse, une ambulance et deux véhicules de patrouille éclaboussaient le stationnement de leurs clignotements rouge, jaune et bleu. Derrière, s'étendait le petit port, composé en tout et pour tout d'un bureau de location vétuste, d'un bazar avec pompe à essence et d'un ponton en bois prolongé aux deux bouts par une jetée sur pilotis en angle droit. Une manche à air au coin de la cahute ondulait joyeusement, insensible au drame qui se jouait à ses pieds.

Sur la jetée sud, un policier interrogeait un couple en short de jean et coupe-vent, des gens tendus au visage couleur mastic.

Sur les marches du bureau, Lucy Crowe parlait avec un type maigre et ridé. À ses cheveux blancs clairsemés coiffés de façon à dissimuler son crâne, j'ai reconnu Tommy Albright, un pathologiste qui effectue ponctuellement des autopsies pour l'expert médical de l'État. Bien qu'il pratique les incisions en Y depuis le précambrien, je n'ai jamais travaillé avec lui.

Il m'a tendu la main.

— Si je comprends bien, vous connaissiez la victime, a-t-il dit en désignant du menton l'ambulance.

Par les portes ouvertes, on pouvait voir un sac mortuaire blanc sur une civière pliante. D'après le renflement, un corps s'y trouvait.

— Nous l'avons sortie de l'eau, juste avant l'orage. Vous voulez bien y jeter un coup d'œil ?

J'ai répondu oui tout en rêvant de hurler non. Non, je ne voulais pas identifier le corps sans vie de Primrose ! Et d'ailleurs, qu'est-ce que je foutais ici ?

À l'arrière de l'ambulance, l'odeur était forte, même avec les portes ouvertes. J'ai dégluti péniblement.

Albright a descendu la fermeture éclair. Une puanteur nous a aussitôt assaillis, mélange nauséabond de vase, d'algues, de larves aquatiques et de chair en décomposition.

— Elle a dû passer deux ou trois jours dans l'eau. Elle n'est pas trop abîmée.

Me pinçant les narines, j'ai jeté un coup d'œil.

Oui, c'était Primrose, mais tout en ne l'étant pas. Son visage bouffi, ses lèvres boursouflées la faisaient ressembler à ces poissons des tropiques qu'on admire dans les aquariums. Sa peau noire, parsemée de plaques claires là où l'épiderme avait été arraché, évoquait un tissu chiné. Des poissons ou des anguilles avaient dévoré ses paupières et grignoté son front, ses joues et son nez.

— La cause n'est pas difficile à déterminer, a dit Albright. Mais on ne coupera pas à l'autopsie totale, je connais mon Tyrell.

Primrose avait les poignets ligotés avec de l'isolant électrique, et un câble mince était incrusté dans la chair de son cou.

Ma salive avait un goût de bile.

— Elle a été étranglée ?

Albright a approuvé d'un signe de tête.

— Avec un fil de pêche et le salaud a serré en s'aidant d'un outil. Très efficace pour couper le sifflet à quelqu'un.

Me couvrant le nez et la bouche, je me suis penchée sur le corps. Sur un côté du cou, la chair présentait des lignes déchiquetées. Des griffures que Primrose avait dû se faire elle-même en essayant d'écarter le fil avec ses mains attachées.

— C'est bien elle.

Je me suis ruée dehors.

J'avais besoin d'air. De kilomètres, que dis-je, d'océans d'air frais. J'ai couru jusqu'au bout de la jetée. J'y suis restée un moment, seule, les bras serrés autour de la taille. Une corne de brume a gémi au loin. Son qui monte et qui décroît. Les vagues roulaient sous mes pieds. Des grenouilles coassaient, cachées dans l'herbe au bord de l'eau. La vie continuait, se fichant bien qu'une de ses créatures soit morte.

Primrose… Je la revoyais lors de notre dernière rencontre, claudiquant dans le stationnement de la morgue. Une infirmière noire de soixante-deux ans souffrant de surcharge pondérale, avec un don certain pour les fichiers et un penchant marqué pour les *crumbles* à la rhubarbe. Finalement, je savais des choses sur elle.

J'ai été saisie de haut-le-cœur.

Prendre une bonne respiration. Retrouver le calme.

J'y suis parvenue malgré mes hoquets.

Réfléchir.

Qu'avait donc fait, su ou vu Primrose pour mériter une telle violence ? Avait-elle été tuée parce qu'elle était de mon côté ?

Nouvelle vague de nausée que j'ai refoulée en aspirant une grande goulée d'air.

N'étais-je pas en train de me donner trop d'importance ? Sa mort n'était peut-être qu'un hasard, une coïncidence. C'est quand même nous, les Américains, qui détenons le record mondial d'homicides. Quelqu'un pouvait l'avoir tuée rien que pour lui voler sa voiture. Non, ce n'était guère probable. Les garrots et l'isolant puaient l'acte prémédité, Primrose était une victime désignée. C'était un assassinat. Mais pourquoi ?

Des portières ont claqué. Les types de l'ambulance montaient à l'avant. L'instant d'après, le moteur a rugi et la fourgonnette a grimpé le chemin en cahotant.

Adieu, ma vieille amie, pardonnez-moi si j'ai causé votre mort, je vous en prie.

Stop. Interdiction de pleurer ! Je me suis mordu la lèvre pour l'empêcher de trembler.

Mais, après tout, pourquoi retenir ses larmes quand disparaît une bonne et douce personne ? Pourquoi, et à quoi bon ?

Le ciel se dégageait. Les pins du rivage d'en face ressortaient en bleu-noir sur le rose du crépuscule.

Primrose aussi aimait les couchers de soleil. Je suis restée un long moment à contempler celui-là, jusqu'à ce que mes sanglots le cèdent à la colère. À la fureur. À une rage qui m'embrasait toute.

Canalise tes émotions, Brennan. Sers-t'en, mets-les à profit ! Jure de trouver les réponses à toutes tes questions !

Sur un profond soupir, je suis allée retrouver Lucy Crowe et Tommy Albright.

— Qu'est-ce qu'elle avait, comme voiture ? ai-je demandé au shérif.

Elle a consulté son carnet.

— Une Honda Civic bleue datant de 1994, immatriculée en Caroline du Nord.

— Elle n'est pas à son hôtel.

Regard perplexe de Lucy Crowe.

— À l'heure qu'il est, elle est peut-être déjà en route pour l'Arabie saoudite, a fait remarquer Albright.

— Shérif, comme je vous l'ai dit, la victime m'aidait dans mes recherches.

— Justement, je voudrais vous questionner à ce sujet.

— On a des indices ?

— Les recherches se poursuivent.

— Des traces de pneus ? De pas ?

Question idiote, étant donné la pluie. Je m'en suis rendu compte en la formulant avant même que Lucy Crowe fasse non de la tête.

Mon regard s'est porté sur les 4 x 4 et les voitures, sur les deux hors-bord de six mètres en aluminium qui oscillaient dans leur cale.

— Les places d'amarrage sont permanentes?

— Non, ce sont tous des bateaux de location.

— Autrement dit, des foules de gens vont et viennent dans la journée. Un coin plutôt bondé pour se défaire d'un cadavre.

— Tous les bateaux sont censés être rentrés à huit heures du soir. Après, c'est plus tranquille.

J'ai désigné le couple sur le dock désert. Mains dans les poches, ne sachant que faire.

— Ce sont les propriétaires?

— Oui. Glenn et Irene Boynton. Ils habitent plus haut sur la route. D'après leur déposition, ils sont ici de six heures du matin à onze heures du soir, tous les jours. Et ils font très attention aux voitures, la nuit. À cause des jeunes qui pourraient venir abîmer leurs bateaux. Ils n'ont rien noté de particulier, ces trois derniers jours, ni l'un ni l'autre. À prendre pour ce que ça vaut. Cela dit, un criminel n'est pas exactement le genre de bonhomme à vous prévenir qu'il a l'intention d'utiliser votre ponton pour noyer un cadavre.

Regard circulaire sur la scène.

— Mais vous avez raison, ce n'est pas l'endroit rêvé. Il y a une petite route qui longe la rive plus haut, à environ un kilomètre et demi d'ici. On pense que c'est là qu'on l'a jetée à l'eau.

— Deux ou trois jours pour que le corps arrive ici, porté par le courant, ça me paraît un peu longuet, a fait Albright. À moins qu'il n'ait vagabondé pendant quelque temps.

— Vagabondé? ai-je répété, ébahie devant tant de dureté.

— Pardon. C'est juste une expression qu'on utilise pour le flottage du bois.

Une question me tarabustait et m'angoissait en même temps. Redoutant la réponse, j'hésitais à interroger Albright. J'ai fini par me lancer :

— Est-ce qu'elle a été agressée… sexuellement?

— Ses vêtements et sous-vêtements sont en place. Je rechercherai quand même des traces de sperme. À tout hasard.

Nous sommes restés sans rien dire dans le jour qui tombait. Derrière nous, le ponton grinçait, battu par les vagues. Une brise froide chargée d'une odeur de poisson et d'essence soufflait du fleuve.

— Pourquoi menotter une vieille dame ?

Bien que je l'aie prononcée à haute voix, la question s'adressait plus à moi-même qu'à mes compagnons.

— Pourquoi ces malades font-ils toutes leurs saloperies ? a rétorqué Albright.

Je l'ai laissé en compagnie du shérif et m'en suis retournée au stationnement. Les véhicules de police étaient toujours là, et leurs lumières bleues continuaient de faire palpiter la boue et les centaines d'empreintes laissées par tous ces ambulanciers, sauveteurs et policiers, par le pathologiste et par moi-même. Ultime scène de crime pour Primrose Hobbs.

J'ai mis le contact et suis rentrée à High Ridge House, les joues inondées de larmes.

Bien plus tard dans la soirée, j'ai écouté mes messages. Lucy Crowe me demandait de la rappeler. Je lui ai raconté tout ce que je savais sur Primrose et j'ai terminé par notre rendez-vous à la morgue, dimanche matin.

— Et c'est ce pied et les dossiers s'y rapportant qui manquent, à présent ?

— Comme je vous l'ai dit. Primrose a probablement été la dernière à les tenir en main.

— Parker Davenport a dit qu'elle avait signé le bon de sortie. Mais est-ce qu'elle a signé un bon de rentrée ?

— Bonne question.

— Parlez-moi un peu de la sécurité, là-bas.

— Toute personne affiliée au DMORT ou au bureau de l'expert médical porte un badge l'identifiant, de même que tous les agents en faction à la barrière, ceux de vos services comme ceux de la police de Bryson City. Un garde vérifie les badges. En plus, il y a une feuille d'entrée et de sortie à signer, à l'intérieur du bâtiment. Le badge porte aussi une gommette dont la couleur change tous les jours.

— Pourquoi ça ?

— Pour éviter les faux. Impossible de copier le badge, si on ne connaît pas la couleur du jour.

— Et pour les gens qui travaillent en dehors des heures habituelles ?

— J'imagine que, maintenant, les effectifs sont réduits. Les gens qui restent sont des agents chargés du rassemblement des données, de la maintenance des ordinateurs et de l'équipement médical. La nuit, il ne devrait plus y avoir personne là-bas, en dehors des gardes. Il y a aussi une caméra de surveillance au portail, ai-je ajouté en me rappelant la cassette visionnée ce matin.

— Et les ordinateurs ?

— Il faut entrer son code. Très peu de gens sont autorisés à entrer ou supprimer des données.

— À supposer que Mme Hobbs l'ait rendu, où devrait se trouver le pied actuellement ?

— À la fin de la journée, tout est remisé dans le camion frigorifique avec la mention : *identifié, en cours d'identification* ou *non identifié*. Chaque lot est placé dans un endroit précis, déterminé par ordinateur.

— Ce serait difficile de s'y introduire ?

— Des élèves du secondaire ont bien réussi à craquer le système du Pentagone.

J'entendais au loin des bribes de conversation. On aurait dit que les voix se faufilaient dans l'espace par de petits trous pas plus gros que ceux que font les vers de bois.

— Shérif, je crois que c'est à cause de ce pied que Primrose Hobbs a été assassinée.

— Ou à cause d'autre chose.

— Une femme étudie un lot faisant l'objet d'une polémique, ce lot disparaît et, trois jours plus tard, on retrouve cette femme assassinée ! S'il n'y a pas de rapport entre ces faits, vous avouerez que la coïncidence est troublante.

— Nous n'écartons aucune possibilité.

— Pourquoi personne n'a déclaré sa disparition ?

— Plusieurs équipes sont en cours de transfert à Charlotte, vous savez bien. Lundi matin, en ne la voyant pas à la morgue, ses collègues se sont dit qu'elle était partie pour Charlotte. Et, là-bas, ils ont pensé qu'elle était toujours ici. Son fils, elle l'avait appelé samedi, comme d'habitude. Il est tombé des nues en apprenant qu'elle était morte.

J'ai tenté de m'imaginer le fils de Primrose. Était-il marié, papa, militaire, homo ? Était-il proche de sa mère ? De par mon travail, il m'arrive parfois d'être chargée de délivrer la terrible nouvelle. Au cours de ces visites, je vois des familles brisées, des vies changées à tout jamais. Peter dit que, pendant la guerre du Vietnam, la plupart des officiers de marine préféraient partir à l'attaque plutôt que d'aller annoncer la mort d'un copain à ses parents, au fin fond de l'Amérique. Comme je les comprends !

Je me suis représenté ce fils, son visage décomposé, son ébahissement, son chagrin croissant à mesure qu'il reprenait ses esprits. Sa douleur enfin, pire qu'une fracture ouverte. J'ai fermé les yeux, partageant son effroyable désespoir.

— Je suis allée faire un tour au motel Riverbank.

La phrase du shérif m'a arrachée à mes pensées.

— En rentrant, je suis allée bavarder avec Ralph et Brenda. Ils ont admis qu'ils n'avaient pas vu Mme Hobbs depuis dimanche, mais que cela ne les avait pas surpris car elle était déjà partie deux fois sans les prévenir.

— Partie pour où ?

— Dans sa famille. Ce n'est pas l'impression que j'ai eue en visitant sa chambre. Ses affaires de toilette étaient là, brosse à dents, fil dentaire, crème de soin, toutes choses qu'une femme emporte avec elle. L'armoire était pleine de vêtements, sa valise sous le lit et ses cachets contre l'arthrite sur la table de nuit.

— Son sac ? Ses clefs de voiture ?

— Négatif. Mon impression est qu'elle est partie de son plein gré, mais pas dans l'intention d'aller passer la nuit ailleurs.

J'ai alors raconté au shérif ma propre visite au motel. Je n'ai omis qu'une chose : ma tentative d'effraction. Elle m'a écoutée sans rien dire. En conclusion, j'ai demandé :

— Pourquoi, à votre avis, Ralph Stover est-il allé fureter dans sa chambre ?

— Par curiosité, probablement, comme vous en avez eu l'intuition. À moins qu'il n'en sache davantage qu'il ne veut bien le dire. Dans ce cas, peut-être a-t-il voulu récupérer quelque chose. Je ne sais pas, mais je vais le faire surveiller. Et interroger aussi tous ceux qui connaissaient la victime.

Chercher des témoins qui l'auraient vue pendant son absence à la morgue. La routine, quoi.

— Oui, passer en revue les suspects habituels.

— Chez nous, dans le comté de Swain, ils ne sont pas légion.

— Dans sa chambre, vous n'avez rien trouvé indiquant où elle est allée ? Une adresse, une carte, un ticket de péage ?

Bourdonnement sur la ligne.

— Deux numéros, à côté du téléphone.

En entendant le shérif les énoncer, mon estomac s'est noué.

Le premier était le numéro de High Ridge House ; le second, celui de mon cellulaire.

Une heure plus tard, allongée dans mon lit, j'ai tenté de faire le point parmi toutes les informations en ma possession.

Fait : ce mystérieux pied n'appartenait pas à Daniel Wahnetah. Éventualité nº 1 : il provenait en effet d'un cadavre dissimulé dans le mur d'enceinte du chalet, le taux d'acides gras volatils dans l'échantillon de sol tendant à prouver qu'un corps s'était bien décomposé à cet endroit. Éventualité nº 2 : il se trouvait à bord de l'avion de Trans-South Air, soit qu'il ait été contenu dans un récipient pour éléments biologiques dangereux, comme ceux qu'on avait retrouvés près de l'épave, soit qu'il appartienne à un passager non encore identifié.

Fait : le pied et son dossier avaient disparu. Éventualité nº 1 : Primrose les avait conservés. Éventualité nº 2 : Primrose les avait restitués, et une tierce personne s'en était emparée.

Fait : les restes de Jean Bertrand et de Petricelli n'avaient pas été retrouvés. Éventualité nº 1 : les deux hommes n'étaient pas montés dans l'avion. Éventualité nº 2 : ils étaient bien à bord, mais ils avaient été pulvérisés dans l'explosion.

Fait : Jean Bertrand était considéré comme suspect.

Fait : un témoin prétendait avoir vu le Poivre-Petricelli dans le nord de l'État de New York. Éventualité nº 1 : Bertrand avait été retourné. Éventualité nº 2 : Bertrand avait été descendu.

Fait : j'étais soupçonnée d'avoir volé un indice. Éventualité n° 1 : on ne me faisait plus confiance à cause de mes relations avec Andrew Ryan, coéquipier de Jean Bertrand à la Sûreté du Québec. Éventualité n° 2 : on cherchait à m'éloigner de l'enquête en faisant de moi un bouc émissaire. Mais de quelle enquête ? Celle sur le crash ou celle sur le chalet ? Éventualité n° 3 : je représentais un danger pour quelqu'un. On avait tenté de m'écraser l'autre jour et ma chambre avait été fouillée.

La peur m'a saisie. Oreille tendue, j'ai retenu mon souffle.

Silence total alentour.

Fait : Primrose Hobbs avait été assassinée. Éventualité n° 1 : ce crime, non prémédité, aurait aussi bien pu ne pas se produire. Éventualité n° 2 plus probable : le meurtre de Primrose et la disparition du pied étaient liés.

Fait : Edward Arthur avait reçu en 1933 la propriété de Running Goat Branch, en épousant Sarah Livingstone. C'était la dot de sa femme. Il l'avait louée un temps comme terrain de chasse avant d'y faire bâtir une maison. En 1949, il l'avait vendue à un certain Prentice Dashwood. Toutefois, l'acte de propriété avait été établi au nom de la F & E. Par ailleurs, Arthur n'avait pas élevé de mur d'enceinte. Ni autour du terrain ni autour de la cour. Qui était donc ce Prentice Dashwood ?

Rallumant la lumière, je suis allée chercher le fax de McMahon. Le temps de réintégrer mon lit, je claquais des dents. Emmitouflée dans mes couvertures, j'ai relu la liste.

W. G. Davis, F. M. Payne, C. A. Birkby, F. L. Warren, P. H. Rollins, M. P. Veckhoff.

Un seul nom m'était vaguement connu, Veckhoff : un type de Charlotte, sénateur de Caroline du Nord seize ans durant, mort subitement l'hiver dernier. Était-il apparenté à ce M. P. Veckhoff ?

Ayant fait le noir dans la chambre, je me suis rallongée. Y avait-il des rapports entre tous ces éléments ? Impossible de me concentrer. Des images de Primrose venaient sans cesse brouiller mes pensées.

Primrose devant son ordinateur, les lunettes sur le bout de son nez. Primrose dans le stationnement. Primrose lors d'un autre crash aérien, en 1997 celui-là, à Kinston en Caroline du Nord. Primrose jouant aux cartes. Primrose à la cafétéria du Presbyterian Hospital. Je mangeais une pizza végétarienne à base de petits pois et d'asperges en boîte. Infecte, la pizza. En revanche, aucun souvenir des raisons pour lesquelles nous avions déjeuné là ensemble ce jour-là.

Primrose dans une housse mortuaire.

Pourquoi, grand Dieu?

Avait-on décidé de la tuer pour des raisons précises? L'avait-on traquée, piégée, puis maîtrisée selon un plan soigneusement élaboré ou était-elle tombée par le plus grand des hasards dans les griffes d'un psychopathe? D'un dingue qui l'avait sélectionnée sur la base d'un critère connu de lui seul : la première Honda bleue à passer à un certain endroit ; la quatrième femme à franchir la porte du centre commercial ; la première Noire aperçue ce soir-là. Est-ce que la tuer avait fait partie du plan dès le départ ou est-ce que les choses avaient mal tourné, échappé au pouvoir de cet individu à un moment quelconque et rendu la mort de Primrose inévitable?

Violenter les femmes n'est pas nouveau. L'histoire comme la préhistoire sont pavées des os de mes congénères : qu'on se rappelle la sépulture collective de Cahokia ; le champ funéraire sacré de Chichén Itzá ; la Jeune Fille du Marais, retrouvée le crâne rasé, les yeux bandés et le cou serré dans un lacet. Et cela se passait à l'âge du fer.

Les femmes sont conditionnées à se montrer méfiantes. À accélérer quand elles entendent des pas derrière elles ; à jeter un œil dans l'entrebâillement avant d'ouvrir la porte ; à se tenir près des boutons dans un ascenseur ; à avoir peur du noir. Primrose était-elle simplement une de ces innombrables marcheuses qui forment l'immense cortège des femmes tuées sans raison?

Mais qu'est-ce que je me racontais là? ! Je la connaissais, la raison de sa mort. Elle ne faisait aucun doute !

Primrose Hobbs avait été assassinée parce qu'elle avait rempli un formulaire. Mon formulaire. Et rempli à ma demande ! Elle avait reçu un fax, pris des mesures, et mes les avait transmises. Elle m'avait aidée. Et, ce faisant, elle avait fait peser une menace sur quelqu'un.

C'est moi qui l'avais mêlée à une sale histoire. Résultat, quelqu'un l'avait expédiée à l'abattoir. Rien que pour ça. Ma tristesse et mon sentiment de culpabilité étaient tels que je sentais physiquement un poids écraser ma poitrine.

Mais en quoi Primrose avait-elle pu se révéler un danger pour quelqu'un? Avait-elle découvert une chose que j'ignorais? En avait-elle compris le sens ou bien n'avait-elle pas la moindre idée de son importance? L'avait-on réduite au silence parce qu'elle savait quelque chose ou parce qu'on craignait qu'elle ne l'apprenne bientôt?

Et moi dans tout cela? Étais-je aussi une menace pour un type saisi de folie meurtrière?

Un gémissement venant d'en bas a interrompu mes pensées. J'ai sauté dans mon jean. Vite, un sweat-shirt et des mocassins. Traversant la maison endormie sur la pointe des pieds, je suis sortie par la porte de derrière.

Boyd était assis à côté de sa niche, le nez levé au ciel. À ma vue, il a bondi sur ses pattes et a frétillé de l'arrière-train avant de se ruer sur la barrière. Là, debout, les pattes avant appuyées sur le grillage, il a tendu le cou et poussé de petits jappements.

Je l'ai gratté entre les oreilles. Il m'a léché la main, ivre d'excitation.

Quand, entrée dans son enclos, j'ai voulu lui mettre sa laisse, il s'est mis à tournoyer comme une girouette en faisant gicler la terre sous ses pattes. Le doigt pointé sur son museau, je l'ai menacé.

— Holà, du calme! Un peu de tenue, veux-tu!

Il m'a regardée, en faisant danser ses sourcils, langue pendante.

Je l'ai fait entrer dans la maison.

Quelques instants plus tard, nous étions tous les deux allongés dans le noir, moi dans mon lit, lui sur la carpette, le menton sur ses pattes.

Je l'ai entendu pousser un gros soupir et me suis endormie, la main posée sur sa tête.

Chapitre 21

Le lendemain matin, réveil de bonne heure avec une barre dans la poitrine et une sensation de froid et de vide inexplicable... Jusqu'à ce que je me rappelle.

Primrose était morte.

La déferlante redoutable m'a laissée anéantie, incapable de me lever, paralysée par un sentiment inextricable de perte et de culpabilité. Je ne voulais plus rien avoir à faire avec le monde.

Du museau, Boyd m'a titillé la hanche. J'ai roulé sur moi-même pour lui gratter l'oreille.

— Tu as raison, mon garçon. Inutile de rester à s'apitoyer sur son sort.

M'étant habillée, j'ai furtivement sorti le chien de ma chambre et l'ai emmené faire sa promenade du matin. À mon retour, une note était apparue sur ma porte : Ryan passerait de nouveau la journée avec McMahon et n'aurait donc pas besoin de sa voiture. Les clefs étaient sur mon bureau.

Cinq appels sur ma messagerie. Quatre de journalistes, un du garage.

La réparation allait prendre plus de temps que prévu, mais la voiture devrait être prête le lendemain.

Il y avait des progrès : de «peut-être», on était passé à «devrait».

Que faire maintenant ?

Un souvenir très ancien, émergeant des profondeurs du passé, a fait son chemin dans ma tête : où donc, quand j'étais petite, allais-je chercher refuge dans les moments d'angoisse ou d'énervement ? La bibliothèque. Oui... Ça ne pouvait pas faire de mal, ça pouvait même m'aider à découvrir des choses. Et puis, là-bas, au moins, je serais introuvable et inconnue pendant un bon moment. Mais d'abord, Corn Flakes et pain grillé.

Cube en brique rouge d'un seul étage, la bibliothèque Black Marianna se trouvait à l'angle des rues Everett et Academy. Le hall était flanqué de deux squelettes en carton, portant chacun un livre à la main.

Assis à l'accueil, un grand Noir au crâne dégarni, mais dont la mâchoire aurifère compensait l'aspect pitoyable. À côté, une femme d'un certain âge s'échinant à suspendre des citrouilles orange à une guirlande au-dessus de leurs têtes. Ils se sont retournés en chœur à mon entrée. J'ai lancé :

— Bonjour.

— Bonjour.

L'homme a répondu par des kilomètres de métal précieux, sa compagne, par un regard soupçonneux.

— Je voudrais consulter d'anciens numéros du journal local.

— Le *Smoky Mountains Times* ? a demandé Mme la bibliothécaire en reposant son agrafeuse.

— Oui.

— Quelle date ?

— Vous avez les années trente et quarante ?

Son froncement de sourcils s'est accentué.

— Notre collection remonte à 1895. C'était le *Bryson City Times* à l'époque. Un hebdomadaire. Les numéros les plus anciens sont sur microfilm, naturellement. On ne consulte pas les originaux.

— Ça m'ira très bien.

Elle s'est mise à empiler des livres ouverts. Tirée à quatre épingles, Mme la bibliothécaire, et les ongles impeccables.

— La visionneuse est dans la salle de lecture, près de la section de généalogie. (Elle a sorti une boîte grise d'une des deux armoires métalliques derrière le comptoir.) Vous ne pouvez en avoir qu'une à la fois. Je vais vous montrer le fonctionnement.

— J'ai l'habitude. Je me débrouillerai très bien, ne vous inquiétez pas.

Elle m'a remis les microfilms avec un regard mauvais. Une étrangère farfouillant dans ses rayonnages, la pire chose qui puisse lui arriver !

1931-1937, disait l'étiquette sur la boîte. Je me suis installée à la machine.

Flash de Primrose. Les larmes ont brouillé ma vue. Stop ! Interdiction de pleurer. Concentre-toi sur tes recherches. Mais lesquelles ? Avais-je seulement un but en venant ici ou n'était-ce que du baratin ?

Non, j'avais bien un objectif, et c'était d'en apprendre davantage sur ce chalet et sa drôle de cour. Il était au cœur de tous mes problèmes, j'en étais convaincue !

Selon Edward Arthur, c'est à Prentice Dashwood qu'il avait vendu sa propriété, bien que l'acte de propriété stipule comme acquéreur la F & E. En dehors de ce nom et de ceux des membres du conseil d'administration de cette boîte indiqués sur le fax du Delaware, je n'avais guère de pistes et peu d'espoir de découvrir quoi que ce soit d'intéressant. Mais j'étais à court d'idées, et je ne pouvais pas laisser les charges s'accumuler contre moi sans réagir. Puisque j'étais interdite d'enquête et contrainte à rester sur place tant que ma voiture ne serait pas réparée, autant me plonger dans le passé ! Il me livrerait peut-être des enseignements utiles.

L'indécision est la clef de la souplesse, clamait une affiche dans le bureau que Peter occupait à l'époque où il était sous les drapeaux. Si cet aphorisme, concocté par des juristes opposés au service militaire, était bon pour les avocats enrégimentés chez les Marines, il était sûrement bon pour moi.

La visionneuse, à manivelle, devait dater de l'époque où les frères Wright n'avaient pas encore effectué leur fameux vol à Kitty Hawk [1]. Texte et photos ne cessaient de passer du flou au net, je n'ai pas tardé à avoir mal à la tête.

Des pages et des pages de lecture, une bobine après l'autre, et des voyages à n'en plus finir de ma table à la réception. Jusqu'à ce que Mme la bibliothécaire veuille bien me

---

1. Wilbur et Orville Wright, précurseurs américains de l'aviation. Le 17 décembre 1903 à Kitty Hawk, à bord d'un avion à deux hélices, Orville Wright réussit le premier vol propulsé et soutenu d'un appareil plus lourd que l'air (N.d.T.).

confier une demi-douzaine de boîtes à la fois. J'en étais déjà aux années quarante.

Kermesses de bienfaisance, lavages de voiture, drames et délits divers : infraction au code de la route, conduite en état d'ivresse, vols ou vandalisme, la plupart du temps. Et des kyrielles de faire-part : naissances, décès, mariages, ventes publiques ou brocantes.

La guerre avait réclamé un lourd tribut au comté de Swain. De 1942 à 1945, les noms et les photos des hommes tombés pour la patrie remplissaient des colonnes entières, chaque disparition donnant prétexte à un article.

Certains citoyens avaient quand même réussi à mourir dans leur lit, tel ce juge, Henry Arlen Preston, avocat et journaliste à ses heures, dont le décès en décembre 1943 avait mérité la une, et ses deux titres de gloire un récit détaillé : son élection au Sénat de l'État et son recueil en deux volumes consacré aux oiseaux de l'ouest de la Caroline du Nord. Décédé à quatre-vingt-neuf ans au terme d'une vie entièrement passée dans le comté, il laissait une veuve, quatre enfants, quatorze petits-enfants et vingt-trois arrière-petits-enfants.

La semaine suivante, le *Times* rapportait la disparition d'un certain Tucker Adams. Deux centimètres et demi sur une seule colonne en page 6. Pas de photo.

Émue, je ne sais pourquoi, par cette discrète notice, j'ai voulu en savoir davantage. En vain. Cet Adams s'était-il engagé sans en informer ses concitoyens et avait-il trouvé la mort de l'autre côté de l'océan, comme tant de jeunes appelés ? Ou bien, revenu au pays sain et sauf, avait-il épaté ses amis avec ses récits sur l'Italie et la France ? Était-il allé chercher fortune à Hollywood et était-il toujours vivant ou avait-il fait une chute mortelle, ici, dans la montagne ?

Car ce pays accidenté avait exigé un bon lot de victimes. En 1939, une jeune femme du nom d'Hilda Miner, partie de chez elle lestée d'une tarte aux fraises, n'était jamais arrivée chez sa grand-mère. L'assiette à tarte ayant été retrouvée sur la berge du Tuckasegee en crue, on avait supposé qu'elle s'était noyée, bien que son corps n'ait pas été retrouvé. Dix ans plus tard, ce même fleuve avait emporté un biologiste de l'université d'État des Appalaches, le Dr Sheldon Brodie. Et, le lendemain, Edna Farrell. Probablement noyée comme Hilda Miner, car son corps n'avait pas été retrouvé non plus.

Edna Farrell... Me renversant en arrière, je me suis frotté les yeux. C'est le vieil Arthur qui avait parlé d'elle. Qu'avait-il dit au juste ? Ah oui... qu'ils auraient dû mieux s'occuper d'elle. Qui étaient donc ces « ils » et que lui avaient-ils fait ? À quoi pensait Arthur en disant cela ? Au fait qu'on n'ait pas retrouvé son corps ou au fait que Thaddeus Bowman ait célébré un service funèbre indigne ?

En 1959, c'est la faune qui avait prélevé sa dîme. Sur la personne de Charlie Wayne Tramper, un Cherokee de la réserve de soixante-quatorze ans. Deux semaines après sa disparition, son fusil avait été retrouvé dans une vallée perdue et des traces d'ours relevées sur le sentier. Le vieux avait été enterré en grande pompe dans sa tribu.

Ayant déjà travaillé sur des victimes attaquées par des ours, je me suis représenté aisément ce qui restait de ce malheureux Charlie. Mieux valait chasser l'image de mon esprit.

La liste des victimes réclamées par mère Nature ne s'arrêtait pas là. En 1972, une petite fille de quatre ans s'était perdue dans Maggie Valley. Son corps avait été repêché le lendemain, dans un lac. L'hiver suivant, des skieurs pris dans une tempête de neige étaient morts, gelés. Enfin, en 1986, un pomiculteur du nom d'Albert Odell n'était jamais revenu de sa cueillette de morilles.

Rien sur le terrain d'Arthur, sur Prentice Dashwood ou sur le groupe financier F & E. La seule information se rapportant vaguement à mes recherches concernait un accident de voiture sur la route 19, en mai 1959. Horribles photos des véhicules encastrés. Quatre morts et six blessés, dont un certain Dr Anthony Allen Birkby de soixante-huit ans, originaire de Cullowhee, décédé de ses blessures trois jours plus tard. J'ai relevé son nom, assez courant, il est vrai, mais la liste de la F & E comportait un C. A. Birkby.

Vers midi, j'avais la tête qui bourdonnait et la glycémie à un niveau qui ne me permettait plus d'être efficace. J'ai discrètement grignoté une barre Granola tout en faisant défiler les clichés.

Comme les dernières années du journal n'étaient pas encore sur microfilm, en milieu d'après-midi, j'ai enfin pu palper du papier. Mon mal de tête était passé de la petite gêne à la douleur lancinante — front, tempes et occiput, avec un épicentre juste derrière l'œil droit.

Dernière ligne droite. Courage, les gars. Quand le jeu devient dur, c'est aux durs de jouer[2]. En avant pour le Gipper[3].

Shit.

J'en étais à feuilleter les journaux de l'année en cours, me contentant de survoler gros titres et photos, quand un nom a retenu mon attention : George Adair. Le pêcheur disparu.

L'article donnait des détails sur la tragique partie de pêche. Date, lieu et description complète des vêtements de la victime, y compris sa bague de finissant et sa médaille de saint Blaise.

Saint Blaise... Flash-back de mon enfance : le prêtre de ma paroisse bénissant les gorges des fidèles, le jour de la fête de ce saint. Qu'avait-il donc fait ? Ah, oui... il avait sauvé un enfant qui avait avalé une arête de poisson. D'après le shérif, Adair se plaignait de sa gorge. Logique qu'il porte une médaille de ce saint.

Interviews du compagnon de pêche, de l'épouse, d'amis, d'un ancien employeur et même du pasteur. Sur la photo granuleuse, on voyait nettement la médaille.

Comment s'appelait l'autre disparu mentionné par le shérif ? Impossible de me concentrer. Ça tambourinait trop dans ma tête. Jeremiah Mitchell... Disparu en février, lui.

Retour presque huit mois en arrière pour relire plus attentivement un encart le concernant. De petites pièces du puzzle commençaient à s'assembler.

Le 15 février, Jeremiah Mitchell, Noir de soixante-douze ans, avait quitté le Mighty High Tap. Toute personne ayant des informations, etc., etc. Un seul paragraphe et l'oubli.

---

2. « Quand le jeu devient dur, c'est aux durs de jouer » : célèbre phrase attribuée à Vince Lombardi, entraîneur des Steelers de Pittsburgh dans les années soixante (N.d.T.).

3. « En avant pour le Gipper » : célèbre phrase tirée du film *The Knute Rockne Story* tourné dans les années quarante sur une équipe de football des années vingt et son célèbre joueur George Gipp, incarné par Ronald Reagan (N.d.T.).

Que les vieilles habitudes ont la vie dure, me suis-je dit avec colère. Un Blanc disparaît et vous avez tout un article de fond, mais un Noir n'a droit qu'à deux lignes en dix-septième page. Peut-être la différence de statut y était-elle pour quelque chose, car George Adair avait un travail, des amis, une famille, alors que Jeremiah Mitchell était un alcoolo, solitaire et sans emploi. Mais enfin, il avait bien eu des parents, quand même!

Au début du mois de mars, nouvelle mention de Jeremiah. Quelques lignes sur les recherches. Là, le nom de sa grand-mère maternelle était précisé, une certaine Martha Rose Gist. Je me suis figée, les yeux dans le vague. Où donc avais-je lu ce nom?

Je suis repassée aux microfilms, faisant défiler des semaines entières en un tour de manivelle. 16 mai 1952. Une notice nécrologique de quinze centimètres dans la section artistique et la photo d'une admirable coupe en céramique. Une célèbre potière de la région, cette Martha Rose Gist. Mais elle-même n'était pas représentée.

Coup d'œil sur la salle. Déserte. J'ai allumé mon cellulaire. Six messages que j'ai ignorés. Emmitouflant soigneusement l'appareil dans ma veste, j'ai appelé le shérif.

— Sequoyah, ça vous dit quelque chose? ai-je demandé tout bas, sans même me présenter.

— Vous êtes à l'église?

— À la bibliothèque municipale.

— Si jamais Iris vous surprend, elle va vous arracher les lèvres et les jeter dans la déchiqueteuse.

Le dragon aux cheveux violets à l'entrée, probablement.

— Sequoyah?

— C'est le type qui a créé l'alphabet cherokee. Traînez un petit bout de temps par chez nous et il se trouvera bien quelqu'un pour vous offrir un cendrier avec les symboles.

— Sequoyah, c'était son nom de famille?

— Guess.

— C'est important! ai-je insisté en haussant le ton.

— C'était son nom, Guess[4]. Gist en transcription indienne. Pourquoi?

_____
4. Jeu de mots intraduisible, *guess* signifiant « deviner » (N.d.T.).

— Jeremiah Mitchell avait pour grand-mère maternelle Martha Rose Gist.

— La potière ?

— Oui.

— Vous m'en bouchez un coin !

— Vous savez ce que ça veut dire ? Que Mitchell était en partie cherokee !

— Avez-vous perdu la tête !

La bibliothécaire ! Son cri m'a brûlé au fer rouge tout un côté du visage. J'ai levé un doigt.

— Raccrochez immédiatement !

Elle parlait aussi fort qu'il est possible de le faire sans utiliser ses cordes vocales. Je ne me suis pas laissé démonter.

— Les Indiens de la réserve publient un journal ?

— Le *Cherokee One Feather*. Le musée a sûrement des archives photo.

— Je suis obligée de raccrocher.

J'ai coupé la communication.

— Je vais devoir vous demander de partir.

Iris, poings sur les hanches, était la statue même du Verbe imprimé dans sa version gestapiste.

— Je vous rapporte les boîtes ?

— Ce sera inutile !

Trois visites m'ont été nécessaires pour trouver ce que je cherchais. Au *Cherokee One Feather*, situé dans les locaux du conseil tribal, j'ai appris que le journal n'existait que depuis 1966. Avant cela, des années auparavant, il y avait bien eu le *Cherokee Phoenix*, mais ils n'en possédaient pas les archives.

À l'Association historique cherokee, ils avaient des archives photo, mais c'étaient surtout des clichés promotionnels sur les productions théâtrales de la troupe qui jouait actuellement *Dans ces collines*.

De l'autre côté de la rue, au musée de l'Indien cherokee, je suis enfin tombée sur le filon. À peine ai-je exposé ma demande qu'on m'a conduite au deuxième étage où l'on m'a remis des gants de coton avant de m'autoriser à consulter les dossiers.

Une heure plus tard, mes suppositions se voyaient confirmées.

Née en 1889 en pays qualla et mariée à John Patrick Gist en 1908, Martha Rose Standing Deer[5] avait donné naissance en 1909 à une petite Willow[6] Lynette.

Celle-ci, à dix-sept ans, avait épousé Jonas Mitchell en l'église méthodiste de Sion, à Greenville, en Caroline du Sud. La photo de mariage montrait une délicate jeune fille en robe Empire et long voile de mariée, un bouquet de marguerites dans les mains, debout à côté d'un homme à la peau nettement plus sombre, maigre et un peu fruste, mais avec un charme indéniable. Genre mannequin pour Benetton.

En 1929, Willow Mitchell avait donné naissance à Jeremiah et était morte de tuberculose, l'hiver d'après. Aucune mention du mari ou du fils après cette date.

Résumons : Jeremiah Mitchell était moitié indien et il avait soixante-douze ans lors de sa disparition. Victoire. Le pied devait sûrement être le sien.

Pas si vite ! ont carillonné mes centres déductifs. Les dates ne correspondent pas.

En effet, Mitchell avait disparu en février, or l'analyse des acides gras volatils plaçait la mort du propriétaire du pied en août ou début septembre.

Mitchell avait pu vivre encore après sa disparition. Il pouvait être simplement parti quelque part et, revenu au pays, être mort de froid six mois plus tard.

Parti pour où ?

En voyage.

Un vieil alcoolique de soixante-douze ans, sans voiture et sans le sou ?

Tout est possible.

Admettons... Mais mourir de froid en plein été... !

Je me suis redressée sur mon siège, agacée et déconcertée par ces faits qui ne s'intégraient pas dans l'histoire.

Ma tête allait exploser. Mieux valait passer aux archives photo, ce serait moins douloureux.

Là encore, de petits détails m'ont mise sur la voie, notamment un cliché noir et blanc alors que j'avais déjà consulté près de soixante classeurs.

5. *Standing deer* : chevreuil debout (N.d.T.).
6. *Willow* : saule (N.d.T.).

Une foule endeuillée autour d'un cercueil recouvert de fleurs, les hommes en costume ample à épaules tombantes ou en tenue cherokee. Au dos, une étiquette jaunie avec une inscription à l'encre décolorée : *Enterrement de Charlie Wayne Tramper, 17 mai 1959*. Le vieil homme tué par un ours.

J'ai parcouru l'assistance. Deux jeunes gens se tenaient un peu à l'écart. Je n'ai pu retenir un hoquet de surprise.

Simon Midkiff! Même à quarante ans de distance, impossible de ne pas reconnaître la superstar en archéologie à présent sur le déclin. 1959... Il ne devait pas avoir trente ans à l'époque, et débarquer tout juste d'Angleterre.

Que fabriquait-il à l'enterrement d'un Indien ?

Je suis passée à son voisin. Et là, d'effarement, j'ai presque poussé un cri. Car l'homme qui se tenait il y a quarante ans, épaule contre épaule, avec Simon Midkiff, n'était autre que le vice-gouverneur.

Parker Davenport en personne! Incroyable...

Non, je devais faire erreur. Je me suis concentrée. Oui... Non... Sur la photo, il était beaucoup plus jeune, nettement plus mince.

Hésitation, coups d'œil autour de moi. En fait, ce ne serait pas vraiment du vol, juste un emprunt de quelques jours. De toute façon, personne n'avait ouvert ce dossier depuis un bon demi-siècle. J'ai glissé la photo dans mon sac. Ayant reporté la chemise dans son tiroir, j'ai déguerpi.

Par les renseignements téléphoniques, j'ai obtenu le département des ressources culturelles à Raleigh. Moins de dix secondes plus tard, Carol Burke était au bout du fil.

— Tu tombes à pic, j'allais partir. Tu as un nouveau cimetière à fouiller ?

Parmi leurs multiples fonctions, les ressources culturelles de Caroline du Nord ont pour tâche de veiller à la conservation du patrimoine. Tout projet immobilier, qu'il soit d'intérêt public ou privé, financé par l'État ou par des particuliers, doit recevoir l'aval d'une commission chargée d'évaluer si les futures constructions prévues ne risquent pas de mettre en péril des sites archéologiques. À l'époque où l'archéologie était mon domaine d'activité, j'ai été engagée par des promoteurs de Charlotte pour transférer des sépultures historiques. Les deux fois, Carol supervisait le projet.

— Non, je voudrais juste une information. Je m'intéresse au site que Simon Midkiff fouille à votre demande.

— En ce moment ?

— Oui.

— Pour autant que je sache, il ne fait rien pour nous.

— Il ne fouille pas dans le comté de Swain ?

— Je n'ai pas l'impression. Attends.

Le temps qu'elle revienne en ligne, j'avais atteint la voiture de Ryan et ouvert la portière.

— Midkiff n'a pas travaillé pour nous depuis deux ans,
et il peut courir pour qu'on le réengage. Il ne nous a toujours pas rendu son rapport de fouilles.

— Merci.

— J'aimerais bien que toutes les demandes qu'on me
fait soient aussi faciles !

Je venais à peine de raccrocher quand la sonnerie a
retenti. Un journaliste du *Charlotte Observer*. J'avais presque
oublié ma notoriété. J'ai coupé, sans faire de commentaire.

J'avais le cerveau en ébullition. Rien de tout cela ne faisait
sens. Pourquoi Midkiff m'avait-il menti ? Que faisait-il avec
Davenport à l'enterrement de Tramper ? Se connaissaient-ils
depuis tout ce temps ?

Oh, ma tête ! J'avais vraiment besoin d'une aspirine. De
me mettre aussi quelque chose sous la dent. Et de me confier à une oreille objective.

Boyd.

Ayant avalé deux Bayer, je suis partie en balade avec le
chow-chow. Nez à la portière, il tournicotait sur le siège à
côté de moi, curieux de toutes les odeurs. Ses frétillements
m'ont rappelé sa réaction dans la forêt quand il avait découvert l'écureuil et, plus tard, devant le mur du chalet. Aurait-
il été dressé à retrouver des choses ? me suis-je demandé
alors que nous arrivions en vue du Burger King.

Subitement, j'ai eu envie de manger mon pique-nique
dans un endroit où je puisse en même temps faire quelque
chose d'utile. Comme de vérifier des noms.

Direction, le cimetière de Bryson City.

Sept minutes pour atteindre Schoolhouse Hill et la
colline sur laquelle il est perché. Court trajet que Boyd a

employé à mordiller le carton de nourriture, déçu qu'on ne fasse pas sur-le-champ un sort aux hamburgers. À l'arrivée, l'emballage était dans un tel état qu'on ne pouvait le porter qu'à deux mains.

Boyd m'a traînée de tombe en tombe, s'arrêtant pour les arroser et les ensevelir sous des touffes d'herbe. Enfin, il s'est arrêté près d'une colonne de granit rose et a jappé dans ma direction.

Sylvia Hotchkins
Emportée trop tôt, au printemps de sa vie.
Venue au monde le 12 janvier 1945
Elle l'a quitté le 20 avril 1968.

1968, une année difficile pour tout le monde, Sylvia.

Pensant qu'elle apprécierait un peu de compagnie, je me suis installée sous le grand chêne qui ombrageait sa tombe. Sur mon ordre, Boyd s'est assis, dévorant des yeux la boîte dans mes mains.

Je commençais à peine à en extraire un hamburger qu'il avait déjà bondi sur ses pattes.

— Assis.

Il a obéi. J'ai déballé un sandwich et le lui ai donné. S'étant remis debout, il a entrepris d'en séparer les divers composants pour les déguster l'un après l'autre et dans l'ordre suivant : viande, pain brioché, laitue et tomate. La chose étant faite, il s'est abîmé dans la contemplation de mon Whopper, le museau couvert de ketchup.

— Assis.

J'ai éparpillé des frites dans l'herbe. Il les a saisies délicatement, de façon qu'elles ne s'enfoncent pas entre les herbes. J'en ai profité pour déballer mon hamburger et introduire la paille dans le couvercle de mon gobelet en carton.

— Et maintenant, écoute.

Bref regard de Boyd sur moi et retour aux frites.

— Comment expliquer qu'en 1959 Simon Midkiff ait assisté à l'enterrement d'un Cherokee tué par un ours à l'âge de soixante-douze ans ?

Une bouchée chacun, tout en réfléchissant à la question.

— Vois-tu, Midkiff est archéologue. S'il fouillait dans la région, il a pu avoir Tramper pour guide, tu ne crois pas ?

Comme Boyd s'intéressait à mon hamburger, j'ai ajouté des frites sous son museau.

— Tout à fait plausible.

J'ai avalé une bouchée.

— Pourquoi Parker Davenport était-il là, lui aussi ?

Regard de Boyd levé vers moi sans interrompre pour autant sa mastication.

— Davenport devait connaître Tramper, puisqu'il a passé son enfance dans le coin.

Légère crispation des oreilles de Boyd. Ses frites terminées, il a fixé les miennes. Message reçu. J'en ai répandu quelques-unes devant lui.

— Peut-être que Tramper et Davenport avaient des amis en commun dans la réserve ? Peut-être que Davenport avait déjà des ambitions politiques et cherchait à se constituer une base ?

Petit supplément de frites au chien.

— À ton avis, Davenport et Midkiff se connaissaient déjà, en 1959 ?

Boyd a levé les sourcils, la langue pendant hors de sa gueule.

— Si oui, comment ?

Tête penchée sur le côté, il m'a regardée finir mon hamburger. Je lui ai offert le reste de mes frites. Il les a dévorées pendant que je buvais une gorgée de Coke.

— Et maintenant, voici le clou de l'histoire, ai-je déclaré en ramassant les emballages.

N'ayant plus rien à manger, Boyd s'est laissé tomber sur le flanc avec un lourd soupir et a fermé les yeux.

— Midkiff m'a menti et Davenport veut ma tête au bout d'une pique. Tu crois que c'est lié ?

Le chien ignorait la réponse.

Adossée au chêne, je me suis laissé envahir par la chaleur et la lumière de cette fin d'après-midi. Ça sentait l'herbe fraîchement coupée et les feuilles sèches gorgées de soleil. À un moment, Boyd s'est relevé. Après quatre petits tours, il s'est recouché près de moi.

Un homme est apparu sur la crête, tenant un colley en laisse. Assis sur son arrière-train, Boyd a jappé en direction de l'animal. Sans manifester d'agressivité. Aussi ramolli que moi. Titubant, je me suis remise sur pied.

Le jour tombait. Nous avons flâné parmi les tombes sans découvrir de Dashwood ni de dirigeant de la F & E. En revanche, plusieurs sépultures de gens connus : Thaddeus Bowman, Victor Livingstone et sa fille, Sarah Masham Livingstone. Enoch McCready.

Le mari de Ruby. Mort en 1986.

De quoi donc ? me suis-je demandé, en me rappelant la réserve de Luke Bowman quand je l'avais interrogé sur Ruby.

Finalement, cette visite au cimetière soulevait plus de questions qu'elle n'apportait de réponses.

Je faisais demi-tour pour partir quand j'ai trébuché sur une plaque toute simple, au sud du cimetière :

Tucker Adams
1871-1943
R.I.P.

Un disparu qui réapparaissait.
Cela faisait déjà un mystère de résolu.

Chapitre 22

Du cimetière, je suis rentrée à High Ridge House. Boyd enfermé dans son enclos, je suis montée dans ma chambre. Mon cellulaire a sonné. J'ignorais encore que j'allais passer ma plus longue soirée au téléphone depuis mes années de collège.

Pour commencer, Peter.

— Le toutou va bien?

— Il a l'air d'apprécier la nourriture et la faune des montagnes. Tu es rentré à Charlotte?

— Je prends racine au pays des péquenots. Tu n'en as pas encore ta claque, du chien?

— Disons qu'il a ses façons à lui de considérer la vie.

— Et sinon?

Je lui ai appris la mort de Primrose.

— Oh, c'est affreux. Tu n'es pas trop triste?

— Si seulement les ennuis s'arrêtaient là!

Et de lui résumer l'interrogatoire de Davenport et les griefs énumérés contre moi.

— Ils ont décidé de te faire chier.

— Explicite-moi ton jargon juridique, tu veux bien.

— Ça cache sûrement des combines politiques. Pourquoi t'a-t-il dans le collimateur, tu as une idée?

— Je crois qu'il n'aime pas ma couleur de cheveux.

— Moi si. Et ce pied? Tu as découvert quelque chose?

J'ai mentionné les deux disparus, Daniel Wahnetah et Jeremiah Mitchell, lui expliquant la classification des races à partir de certains traits physiologiques et les méthodes histologiques permettant de calculer l'âge.

— Mitchell me paraît un bon candidat, a-t-il conclu.

Enfin, je lui ai parlé de Midkiff. La photo à l'enterrement de Charlie Wayne Tramper et mon coup de téléphone à Raleigh.

— Pourquoi ce type te mènerait en bateau à propos de fouilles qu'il serait en train de faire ?

— Lui non plus ne doit pas aimer mes cheveux. Je devrais prendre un avocat, non ?

— Tu l'as au bout du fil.

— Merci, Peter.

Après mon ex-mari, Ryan. Pour me dire qu'ayant fini tard et devant retourner au site de réassemblage demain matin très tôt, il resterait dormir à Asheville avec McMahon.

— Tu as eu des ennuis avec ton téléphone ?

— Je l'avais coupé. Pires que des sangsues, ces journalistes. Je suis allée à la bibliothèque.

— Tu as fait des découvertes intéressantes ?

— Que la vie de montagne est bien pénible pour les vieux.

— Qu'est-ce que tu veux dire ?

— C'est fou le nombre de vieux qui finissent noyés, gelés ou dans l'estomac d'un animal, par ici ! Je vais me cantonner aux basses terres, si tu n'y vois pas d'inconvénient. L'enquête avance ?

— Les chimistes ont relevé des traces suspectes.

— D'explosif ?

— Pas forcément. Je te raconterai ça demain.

— On a retrouvé Bertrand et Petricelli ?

— Toujours pas.

Troisième sonnerie : Lucy Crowe, qui n'avait pas grand-chose de neuf à m'apprendre et toujours pas de mandat.

— Le *district attorney* dit qu'elle ne veut pas obliger le juge à se perdre en conjectures tant qu'elle n'a rien de vraiment solide à lui soumettre.

— Qu'est-ce qu'ils veulent, à la fin ? Miss Scarlett dans la bibliothèque, un bougeoir à la main ?

— Elle trouve votre argument antithétique.

— C'est-à-dire ?

— L'analyse des acides gras volatils indique que la mort remonte à cet été. Or Mitchell a disparu en février. Mme le procureur est convaincue que la tache provient d'un animal. Elle dit qu'on ne peut pas sauter sur quelqu'un sous prétexte qu'on a trouvé de la vieille viande dans sa cour.

— Et le pied?

— Pour elle, c'est celui d'une victime du crash.

— Vous avez du nouveau sur le meurtre de Primrose?

— J'ai vu Ralph Stover. À ne pas confondre avec un culterreux. Il détient des brevets en électronique et a possédé une entreprise dans l'Ohio jusqu'en 1986. Et là, complète métamorphose à la suite d'une crise cardiaque. Il a vendu sa boîte une fortune et acheté le Riverbank.

— C'est bizarre, vous ne trouvez pas?

— Peut-être qu'il a trop regardé les rediffusions de *Newhart*[1].

— Il a un casier judiciaire?

— Deux arrestations pour conduite en état d'ivresse dans les années soixante-dix.

Quatrième appel: Laslo Sparkes, pour savoir si on pouvait se rencontrer demain, à neuf heures.

Cinquième et dernier appel: le chef de mon département à l'université. Pour s'excuser de sa rudesse, l'autre soir.

— C'était la crise. Ma femme faisait du bouche-à-bouche au chat que mon gamin de trois ans avait enfermé dans le sèche-linge après l'avoir fait tomber dans les toilettes.

— Quelle horreur! Il a survécu?

— Ça a l'air d'aller, mais je crois qu'il a un problème aux yeux.

— Ça va passer.

Une pause. Une respiration amplifiée par l'appareil. Puis:

— Bon, Tempe, comme je ne sais pas comment m'y prendre pour vous annoncer la nouvelle, je vais vous la dire, tout simplement. Le recteur m'a convoqué aujourd'hui. Il a reçu une plainte concernant votre comportement pendant l'enquête et décidé de vous suspendre en attendant que la lumière soit faite.

---

1. Série télévisée dont le héros, jadis employé à New York, tient une auberge dans le Vermont (N.d.T.).

J'ai gardé le silence. Mes activités à Bryson City ne dépendent en rien de l'université, même si mon salaire de prof continue de m'être versé pendant mes absences.

— La suspension concerne aussi la paie, naturellement.

Il dit qu'il ne croit pas un mot de tout ça, mais qu'on ne lui laisse pas le choix.

— Comment ça ? ai-je demandé, mais je connaissais la réponse.

— Son devoir est de protéger la réputation de l'université. Apparemment, le vice-gouverneur n'arrête pas de le relancer. Un vrai morpion.

— Et l'université est financée par l'État, comme chacun sait.

Mes doigts se sont crispés sur le combiné.

— J'ai essayé tous les arguments possibles et imaginables. Pas moyen de le fléchir.

— Merci, Mike.

— Le département vous reste ouvert. On sera ravis de vous récupérer. Et si vous déposiez une requête à la commission d'arbitrage ?

— Non. Je dois d'abord régler cette question.

Ensuite, rituel du soir : dentifrice, savon, Oil of Olay et crème pour les mains. Nettoyée et hydratée, je me suis mise au lit. Lumière éteinte, cachée sous mes couvertures, les genoux remontés contre la poitrine, j'ai hurlé de toutes mes forces. Après quoi, crise de larmes. La deuxième en deux jours.

J'allais laisser tomber. Ce n'était pas dans mes habitudes, mais il fallait regarder les choses en face : sur tous les fronts je piétinais. Je n'avais pas découvert d'indices suffisamment probants pour qu'une perquisition soit mandatée ; je n'avais pas appris grand-chose au cadastre et j'avais fait chou blanc avec les journaux. Par ailleurs, j'avais volé — la photo au musée — et j'avais presque commis deux effractions — au chalet tout d'abord et ensuite au motel de Primrose. Le jeu n'en valait pas la chandelle. J'allais présenter mes excuses au vice-gouverneur, démissionner du DMORT et reprendre ma vie normale.

Ma vie normale ! Mais c'était quoi, ma vie normale ? Des autopsies. Des exhumations. Des morts collectives.

On me demande souvent comment j'ai pu choisir un métier aussi morbide, ce qui me pousse à travailler sur des cadavres mutilés ou décomposés. Avec du temps et de l'introspection, j'en suis venue à comprendre mon choix : je veux servir à la fois les vivants et les morts.

Les morts ont le droit d'être identifiés, de prendre dans nos mémoires la place qui leur revient. Droit à ce que le mot « Fin » s'inscrive au bas de leur histoire, et droit à ce que la main criminelle soit jugée et condamnée.

Les vivants méritent tout autant notre soutien, eux dont l'existence est subitement bouleversée par le décès d'un être cher — parents désespérés qui veulent tout connaître des derniers instants de leur enfant ; familles incrédules qui n'admettront pas la mort de leur fils tombé pour la patrie tant qu'elles n'auront pas reçu sa dépouille de Jima, de Chosin ou de Hué ; villageois du Kurdistan ou du Guatemala, ahuris de découvrir des charniers. Ou foule stupéfiée de mères, de maris, de fiancés et d'amis rassemblés sur une esplanade, au cœur des Smoky Mountains. Tous tant qu'ils sont, ces gens ont le droit d'être informés et assurés que le coupable sera puni.

C'est pour les victimes et leurs proches que je force les ossements à me livrer leurs secrets. Certes, mes efforts ne ressusciteront pas les morts, mais ils contribueront à apporter des réponses et à débusquer le coupable. Nous ne pouvons vivre dans un monde qui accepte que la vie soit anéantie, en toute impunité et sans raison.

Évidemment, que le vice-gouverneur parvienne à ses fins et que je sois jugée coupable d'avoir failli à l'éthique du métier, et c'en serait fini de toute ma carrière. Je serais bannie de la profession. Un médecin légiste sur qui planent des soupçons n'est plus jamais appelé à témoigner au tribunal.

Mon apitoiement sur moi-même s'est mué en colère. Non, pas question de me laisser déboulonner par une campagne d'insinuations calomnieuses ! J'allais prouver que j'avais raison, je me devais bien ça. À moi-même, mais encore plus à Primrose et à son malheureux fils.

Mais que faire ? Et comment ?

Je me tournais et me retournais dans mon lit, comme l'autre soir l'araignée pendue à son fil. Sauf que mon monde à moi ne subissait pas une attaque de pluie mais l'assaut de forces impitoyables. Et face auxquelles je n'arrivais même pas à rassembler les miennes.

Le sommeil a fini par venir, mais sans m'apporter le répit espéré. Quand je suis énervée, mes pensées s'organisent en collages psychédéliques. Toute la nuit, des images plus ou moins nettes n'ont cessé de tanguer devant mes yeux.

J'étais à la morgue en train de trier des corps en lambeaux. Ryan passait en courant. Je l'appelais, lui demandais ce qui était arrivé au pied. Il ne s'arrêtait pas. Je voulais me lancer à sa poursuite, mais mes jambes ne m'obéissaient plus. Je criais, j'arrivais à sortir dans la cour, mais Ryan continuait de courir, s'éloignant de plus en plus.

Boyd galopait ventre à terre autour d'un cimetière, un écureuil mort dans la gueule.

Willow Lynette Gist et Jonas Mitchell posaient pour leur photo de mariage. La jeune Cherokee tenait à la main le pied que j'avais arraché aux coyotes.

Le juge Henry Arlen Preston tendait un livre à un vieil homme qui partait sans vouloir le prendre. L'autre insistait, se mettait à le suivre. Le vieux se retournait et le juge laissait tomber le livre. Boyd s'en emparait et s'enfuyait sur un chemin qui filait tout droit. Quand j'arrivais enfin à le rattraper et à le lui arracher de la gueule, le livre s'était métamorphosé en une pierre tombale où était gravé : *Tucker Adams, 1943*. L'année où ces deux vieux étaient morts, l'un notable, l'autre obscur citoyen.

Simon Midkiff était assis dans le bureau du garage P & T, à côté d'un Indien cherokee portant de longues tresses grises et un bandeau autour du front.

— Qu'est-ce que vous fichez ici ? me demandait-il.

— Je ne peux pas conduire, il y a eu un accident. Il y a des morts, répondais-je.

— Birkby ? s'inquiétait Tresses Grises.

— Oui.

— Et Edna, on l'a retrouvée ?

— Non.

— Moi non plus, on ne me retrouvera pas.

Sur ce, par une sorte de métamorphose, le visage de Tresses Grises se transformait en celui de Ruby McCready, puis en celui de Primrose morte.

J'ai poussé un cri, ma tête a rebondi sur l'oreiller. Mon regard s'est porté sur le réveil. Cinq heures et demie.

Malgré le froid dans ma chambre, j'avais le dos poisseux de transpiration et les cheveux plaqués contre le crâne. J'ai couru à la salle de bains boire un verre d'eau. Ensuite, je suis restée à fixer le miroir en faisant rouler le verre sur mon front.

Revenue dans ma chambre, j'ai allumé la lumière. Le ciel avait encore la noirceur d'avant l'aube. Du givre étirait ses toiles d'araignée aux quatre coins de la fenêtre.

Ayant passé un sweat-shirt et des chaussettes, j'ai pris un cachet et me suis installée au bureau. J'allais noter tous les gens que j'avais vus en rêve. Je me suis fait des cartes à partir de feuilles coupées en trois.

Henry Arlen Preston. Le pied pris aux coyotes. Le vieux Cherokee avec des tresses. Était-ce Charlie Wayne Tramper ? J'ai écrit son nom sur une carte, suivi d'un point d'interrogation. Edna Farrell. Tucker Adams. Birkby. Jonas et Willow Mitchell. Ruby McCready. Simon Midkiff.

Après, j'ai inscrit tout ce que je savais sur ces gens.

Henry Arlen Preston : mort en 1943, à quatre-vingt-neuf ans. Avocat, juge, écrivain. Aime les oiseaux et sa famille.

Pied arraché aux coyotes : retrouvé près du chalet construit par Edward Arthur et appartenant à la F & E. Provenant d'un Amérindien âgé, mesurant environ un mètre soixante-huit et mort durant l'été. Est-ce un passager du vol Trans-South Air ?

Charlie Wayne Tramper : cherokee, mort en 1959, à soixante-quatorze ans, tué par un ours. Midkiff et Davenport étaient à son enterrement.

Edna Farrell : morte noyée en 1949. N'a jamais été retrouvée. Membre de l'Église de la sainteté.

Tucker Adams : né en 1871, porté disparu. Mort en 1943.

Anthony Allen Birkby : mort en 1959 dans un accident de voiture. La liste des dirigeants de la F & E comprend un C. A. Birkby.

Jonas Mitchell : afro-américain. Époux de Willow Lynette Gist, père de Jeremiah Mitchell.

Willow Lynette Gist : morte de tuberculose en 1930. Fille de Martha Rose Gist, potière cherokee. Épouse de Jonas Mitchell, mère de Jeremiah.

Bien que ce dernier ne figure pas dans mon rêve, j'ai fait une carte à son nom. Jeremiah Mitchell : né en 1929, signalé disparu en février dernier. Mi-cherokee, mi-afro-américain. Solitaire.

Ruby McCready : en parfaite santé. Épouse d'Enoch, mort en 1986.

Simon Midkiff : diplômé d'Oxford en 1955. Professeur à Duke University de 1955 à 1961, puis en poste à l'université du Tennessee de 1961 à 1968. Assistait à l'enterrement de Tramper en 1959. Apparemment connaît Davenport. Prétend travailler pour le département des ressources culturelles.

Il s'agissait maintenant de classer toutes ces informations. Premier critère, le sexe. La pile des femmes ne comptait que trois cartes : Edna Farrell, Willow Lynette Gist et Ruby McCready. J'en ai ajouté une au nom de Martha Rose Gist. À première vue, rien ne liait ces femmes entre elles.

Second tri d'après la race. Charlie Wayne Tramper et la lignée de Gist-Mitchell sont entrés dans la même pile, ainsi que le pied arraché aux coyotes. J'ai tracé une ligne entre Jeremiah Mitchell et le pied, ébauchant ainsi un premier diagramme.

Troisième tentative sur la base de l'âge. Cette fois encore, le nombre de vieux m'a frappée. En dehors de Henry Arlen Preston, décédé dans son lit (ce qui n'avait rien de surprenant pour un juge), rares étaient ceux qui avaient connu ce bonheur. Tucker Adams, soixante-douze ans. Charlie Wayne Tramper, soixante-quatorze ans. Jeremiah Mitchell, soixante-douze ans. Tous des vieux ! Comme le pêcheur disparu. Lequel a eu également droit à sa carte : George Adair, disparu à l'âge de soixante-sept ans.

La fenêtre était en train de virer du noir au gris étain.

Quatrième essai par date de naissance. Résultat nul.

Nouveau tri selon la date du décès.

1943 : Henry Arlen Preston et Tucker Adams, à en croire sa pierre tombale. Une longue nécrologie et un court entrefilet à moins d'une semaine d'écart.

1959 : A. A. Birkby et Charlie Wayne Tramper. Quand donc avait eu lieu l'accident dans lequel Birkby était décédé ? En mai. Le mois où Charlie Wayne avait été signalé disparu.

Tiens, tiens !

1949 : Edna Farrell. Quelqu'un ne s'était-il pas noyé, la veille ? Ah oui, le professeur de biologie à l'université d'État des Appalaches. Son corps à lui avait été retrouvé, ce qui n'était pas le cas d'Edna Farrell.

J'ai établi une carte au nom de ce Sheldon Brodie.

J'avais maintenant trois paquets de cartes. Des paires. Pouvait-on considérer qu'il y avait là un modèle ? Quelqu'un disparaît, tué ou mort de sa belle mort, et un second décès survient dans les jours qui suivent.

J'ai établi une liste de questions.

L'âge d'Edna Farrell.

Avant elle, il y avait déjà eu une noyade. Une histoire de tarte aux fraises. À quel âge, cette mort-là, et à quelle date ?

De quoi était mort Tucker Adams ?

Jeremiah Mitchell, disparu en février. George Adair, disparu en septembre. Qui d'autre ?

La chambre avait maintenant la couleur du soleil levant et le pépiement des oiseaux me parvenait par la fenêtre, bien qu'elle soit fermée. Un rectangle de lumière tombait sur ma feuille.

Il y avait autre chose, dans ces cartes rangées ensemble. Quelque chose d'important. Quelque chose que mon subconscient n'avait pas eu le temps d'intégrer.

Laslo en était à saucer son assiette quand je suis arrivée au bistrot, rue Everett. J'ai commandé des crêpes aux noix de pacane, un jus de fruits et un café. Il se rendait à un symposium à l'université d'Asheville, voilà pourquoi il était dans la région. Je lui ai appris que le mandat de perquisition n'avait toujours pas été délivré.

— Si je comprends bien, les gars du coin y vont à reculons, a-t-il dit tout en indiquant à la serveuse qu'il avait terminé.

— Les filles aussi. Le procureur est une femme.

— Dans ce cas, j'ai peur que mes analyses ne vous soient pas très utiles.

Il m'a remis un papier que j'ai lu pendant que la serveuse remplissait nos tasses.

— En gros, ça confirme ce que vous m'avez dit au labo.

— Oui. Sauf pour les acides caproïque et heptanoïque.

— Leur taux est plus élevé que la normale ?

— Oui.

— Ce qui veut dire ?

— La présence de taux élevés dans les plus longues chaînes d'acides gras volatils signifie d'habitude que le cadavre a été exposé au froid. En tout cas, qu'il est passé par une période pendant laquelle l'activité des insectes et des bactéries s'est trouvée ralentie.

— Ça change votre estimation en ce qui concerne le temps écoulé depuis la mort ?

— Je continue à croire que la décomposition a débuté à la fin de l'été.

— Alors, qu'est-ce que ça signifie ?

— Je ne sais pas bien.

— C'est fréquent ?

— Pas vraiment.

— Super. Voilà qui devrait couper le sifflet aux gens qui ont encore des doutes !

— J'ai quelque chose de peut-être plus efficace.

Cette fois, c'est une petite fiole en plastique qu'il a sortie de sa serviette.

— Je l'ai trouvé en filtrant le reste de votre échantillon de terre.

J'ai dévissé le bouchon. Un petit fragment blanc, pas plus gros qu'un grain de riz, est tombé dans ma paume.

— Ça provient d'une racine de dent, ai-je déclaré après un examen attentif.

— C'est ce que j'ai pensé, je n'y ai donc pas touché. Je l'ai seulement nettoyé.

— Merde !

— C'est aussi ce que je me suis dit.

— Vous l'avez regardé au microscope ?

— Oui.

— Comment était la cavité pulpaire ?

— Pleine à craquer.

Nous avons signé les formulaires de transfert et j'ai rangé fiole et rapport dans mon sac.

— Je peux vous demander un dernier service ?

— Bien sûr.

— Ma voiture était en panne. Pourriez-vous me suivre jusqu'à mon *bed and breakfast* pour que je rende celle qu'on m'a prêtée et ensuite me redescendre au garage pour que je récupère la mienne, si elle est réparée ?

Le dieu des véhicules à moteur veillait sur moi : ma Mazda était prête. Nous avons fait comme convenu, et Laslo a repris la route, me laissant débattre de pompes et tuyaux avec l'une des deux initiales du garage.

Installée au volant, j'ai fait défiler les numéros en mémoire sur mon cellulaire.

— Le laboratoire criminel de la police de Charlotte-Mecklenburg ? Je voudrais parler à Ron Gillman, s'il vous plaît.

— De la part de qui, je vous prie ?

— Tempe Brennan.

Quelques secondes plus tard, Ron prenait l'appel.

— L'infâme docteur Brennan ?

— En personne.

— Tu es attendue pour un relevé d'empreintes.

— Très drôle !

— Pas vraiment, j'imagine. Je ne te demanderai donc pas de te forcer. Tu as un peu dégagé le terrain ?

— Je vais avoir besoin d'un service.

— Je t'écoute.

— Tu pourrais me faire l'analyse d'ADN d'un fragment de dent et comparer le résultat avec un échantillon provenant du crash ?

— Je ne vois pas ce qui m'en empêcherait.

— Quand ça ?

— C'est pressé ?

— Urgent.

— Je le mets sur la voie express. Quand est-ce que tu me l'apportes ?

J'ai regardé ma montre.

— À deux heures.

— Je préviens la section ADN. À tout à l'heure.

J'ai mis le contact et me suis lancée dans la circulation. J'avais encore deux ou trois choses à faire avant de prendre la route pour Charlotte.

Chapitre 23

Cette fois-ci, le dragon aux cheveux lilas était seul. Prenant mon sourire le plus affable, je lui ai demandé :

— Je voudrais vérifier un détail sur un microfilm.

Un triptyque d'émotions s'est gravé sur ses traits. Étonnement. Soupçon. Gravité.

— Si je pouvais prendre plusieurs bobines à la fois, ça me faciliterait vraiment les choses. C'était si gentil de votre part de m'y autoriser, hier.

Expression un tantinet radoucie et profond soupir pour sortir six boîtes de l'armoire en fer et les poser sur le comptoir.

— Merci infiniment.

J'ai gratifié la bibliothécaire de mon plus charmant roucoulement et me suis dirigée vers la salle de lecture. Un tabouret a grincé dans mon dos. Elle devait se dévisser le cou pour me suivre des yeux tandis que je filais avec mon butin.

— Les téléphones mobiles sont strictement interdits dans la bibliothèque ! a-t-elle lancé d'une voix haut perché.

Contrairement à la veille, j'ai visionné les bobines très attentivement et en prenant des notes. Je savais ce que je cherchais. En moins d'une heure, j'avais mes renseignements.

Tommy Albright n'était pas là. Une femme à l'accent traînant m'a promis de lui transmettre mon message. Je n'avais pas même atteint les faubourgs de Bryson qu'il me rappelait déjà.

— En 1959, un Cherokee du nom de Charlie Wayne Tramper a été tué par un ours. Est-ce qu'on aurait gardé son dossier si longtemps?

— Difficile à dire. Depuis, les fichiers ont été centralisés. Qu'est-ce que vous vouliez savoir, au juste?

— Parce que vous vous rappelez cette affaire! me suis-je écriée, stupéfaite.

— Et comment! C'est moi qui ai fait l'autopsie.

— Et c'était?

— Pire que tout ce que j'avais vu jusque-là, et je m'y connais en victimes d'ours. Ceux-là lui avaient tout bouffé. Il ne restait plus rien de sa tête.

— Vous voulez dire qu'on n'a pas retrouvé son crâne?

— Non.

— Sur quelle base l'a-t-on identifié, alors?

— Sa femme a reconnu ses vêtements et son fusil.

Le révérend Luke Bowman était occupé à ramasser des branches tombées quand je suis arrivée. Mis à part son anorak noir, il portait la même tenue que les autres fois.

Il m'a regardée me garer à côté de sa camionnette et est allé jeter les branchages sur un tas près de l'allée avant de s'avancer vers moi. J'ai baissé ma vitre.

— Bonjour, mademoiselle Temperance.

— Bonjour. Belle journée pour travailler au jardin!

— Ça oui, vous avez raison.

Des morceaux d'écorce et de feuilles sèches étaient restés accrochés à sa veste.

— Je peux vous poser une question, révérend Bowman?

— Naturellement.

— Quel âge avait Edna Farrell quand elle est morte?

— Je crois bien qu'il ne lui manquait que quelques jours pour fêter ses quatre-vingts ans.

— Vous vous souvenez d'un certain Tucker Adams?

Il a plissé les paupières et le bout de sa langue a entamé un va-et-vient sur sa lèvre supérieure.

— Un vieux, mort en 1943, ai-je précisé pour le mettre sur la voie.

La langue s'est rétractée, remplacée par un doigt crochu pointé sur moi.

— Bien sûr. J'ai participé aux recherches, j'avais dix ans à l'époque. Il avait disparu de sa ferme. Comme il était aveugle et à moitié sourd, toute la communauté s'est mobilisée.

— De quoi est-il mort ?

— On pense qu'il s'est perdu dans les bois, on ne l'a jamais retrouvé.

— Pourtant, il a une tombe au cimetière.

— Elle est vide. C'est la sœur Adams qui a fait poser la plaque, deux ans plus tard.

— Merci. Vous m'avez bien aidée.

— Je vois que mes petits gars ont réussi à remettre votre voiture en marche.

— Oui.

— J'espère qu'ils ne vous ont pas pris une fortune.

— Non, monsieur. Le prix m'a paru correct.

J'ai pénétré dans le stationnement devant le bureau du shérif à la suite de Lucy Crowe. Elle a attendu, mains sur les hanches, que je coupe le moteur et attrape ma serviette sur la banquette. Elle avait les traits tirés et l'air abattue.

— La matinée a été rude ?

— Des tarés ont piqué une voiturette au club de golf pour l'abandonner, deux kilomètres plus loin sur la route de la crique Conley. Des galopins de sept ans l'ont retrouvée et se sont payé un arbre. Résultat, l'un a la clavicule brisée, l'autre est en état de choc.

— Les tarés, ce sont des jeunes ?

— Y a des chances.

Tout en bavardant, nous nous sommes dirigées vers le bâtiment.

— Vous avez du nouveau sur le meurtre de Primrose Hobbs ?

— Un de mes gars, de service à la morgue dimanche matin, se rappelle l'avoir vue arriver aux alentours de huit heures. Et de vous aussi. D'après l'ordinateur, elle a pris le pied à neuf heures et quart et l'a restitué à quatorze heures.

— Elle l'a gardé aussi longtemps que ça après m'avoir parlé au téléphone ?

— Apparemment.

Nous avons monté les marches et franchi une première porte actionnée pour nous de l'intérieur, puis une seconde pourvue de barreaux. Ensuite nous avons longé un couloir et traversé une salle de travail et sommes enfin arrivées à son bureau.

— La feuille de sortie indique quinze heures dix, écrit de la main de Mme Hobbs. Mais le garde qui était de service l'après-midi, un flic de Bryson, ne se rappelle pas l'avoir vue.

— Et la caméra de surveillance ?

— Vous ne le croirez pas !

Ayant détaché la radio de sa ceinture, elle l'a posée sur une commode avant d'aller s'affaler derrière son bureau. Je me suis assise en face d'elle.

— Cette saloperie est tombée en panne dimanche vers deux heures de l'après-midi. En rade jusqu'à lundi, onze heures !

J'ai insisté :

— Personne n'a vu Primrose après son départ de la morgue ?

— Nan !

— Sa chambre vous a appris quelque chose ?

— Que c'était une fanatique des petits papiers. Il y avait des numéros de téléphone, des dates et des noms, en veux-tu en voilà. La plupart, liés à son travail.

— Primrose passait son temps à égarer ses lunettes, c'est pour ça qu'elle les portait autour du cou. Elle avait toujours peur d'oublier quelque chose… (Une vague de froid s'est propagée jusqu'au plus profond de ma poitrine.) Toujours aucune idée de l'endroit où elle a pu aller dans l'après-midi ?

— Non.

Un adjoint est venu poser une feuille sur le bureau du shérif. Après un bref coup d'œil, elle a reporté les yeux sur moi.

— Vous avez récupéré votre voiture, à ce que je vois.

À croire que ma Mazda concentrait tout l'intérêt du comté.

— Je pars pour Charlotte. Avant, je voulais vous montrer quelque chose.

Je lui ai tendu la photo de l'enterrement de Tramper que j'avais dérobée au musée de l'Indien cherokee.

— Vous ne reconnaissez personne ?

— Sacré nom, le vice-gouverneur ! Ce crétin a l'air d'avoir quinze ans. Qu'est-ce que ça veut dire ?

Elle m'a rendu le cliché.

— Je ne sais pas très bien.

Ensuite, je lui ai donné à lire le rapport de Laslo.

— Ainsi le procureur avait raison…, a-t-elle dit.

— À moins que ce ne soit moi.

— Ah bon ?

— Écoutez mon scénario : Jeremiah Mitchell meurt en février dernier, quelque temps après avoir quitté le Mighty High Tap. Son corps est conservé au congélateur ou dans un réfrigérateur, et ressorti plus tard.

— Mais pour quelle raison ? s'est-elle exclamée, ahurie.

J'ai sorti les notes que j'avais relevées à la bibliothèque. Prenant une grande inspiration, je me suis lancée.

— Henry Arlen Preston meurt ici, en 1943. Trois jours plus tard, un fermier de soixante-douze ans disparaît. Tucker Adams. Son corps n'est pas retrouvé.

— Qu'est-ce que ça vient faire dans… ?

J'ai levé une main.

— En 1949, un professeur de biologie, Sheldon Brodie, se noie dans le Tuckasegee. Le lendemain, une vieille dame de presque quatre-vingts ans se noie à son tour. Edna Farrell. Là non plus, le corps n'est jamais retrouvé.

Lucy Crowe s'est mis à faire tournicoter son stylo, en le tenant debout sur son sous-main.

— En 1959, Allen Birkby est tué dans un accident sur la route 19. Deux jours après, Charlie Wayne Tramper, soixante-quatorze ans, disparaît. Son corps est retrouvé, mais très endommagé et sans tête. Seules des preuves circonstancielles ont permis l'identification.

J'ai relevé les yeux sur le shérif.

— C'est tout ?

— Quel jour Jeremiah Mitchell a-t-il disparu ?

Lucy Crowe a lâché son stylo pour pêcher un dossier dans son tiroir.

— Le 15 février.

— Martin Patrick Veckhoff est mort à Charlotte, le 12 février.

— Il y a plein de gens qui meurent en février. C'est un sale mois, février.

— La liste des dirigeants de la F & E comporte un Veckhoff.

— Vous voulez parler du groupe d'investissement qui possède le chalet de Running Goat Branch?

J'ai hoché la tête.

— Et un Birkby aussi.

Elle s'est rejetée en arrière dans son fauteuil en se frottant le coin de l'œil. J'ai posé devant elle la fiole que m'avait remise Laslo.

— Laslo Sparkes a retrouvé ceci dans la terre que nous avons prélevée là-bas, près du mur.

Elle l'a regardée sans la prendre.

— C'est un fragment de dent. Je l'emporte à Charlotte pour voir si son ADN est identique à celui du pied.

Son téléphone a sonné. Comme elle l'ignorait, j'ai poursuivi.

— Il faut que vous me trouviez un échantillon d'ADN appartenant à Mitchell.

Elle a hésité.

— Je peux essayer...

— Shérif?

Ses yeux couleur kiwi se sont plantés dans les miens.

— Ça risque d'impliquer des poissons beaucoup plus gros qu'un sans-abri comme Jeremiah Mitchell.

Trois heures plus tard, ayant suivi la I-85 en direction du nord, j'arrivais à l'embranchement avec la route de Little Rock. Au loin, se profilaient les points culminants de la ville de Charlotte, tels les cactus dans le désert de Sonora.

Je les ai énumérés à l'intention de Boyd : le phallus géant, c'était le siège de la Bank of America ; la seringue avec un toit vert en forme de chapeau rond et une antenne au milieu, c'était le Charlotte City Club, sur le square ; l'immeuble qui ressemblait à un juke-box, c'était le numéro un, First Union Center.

— Sexe, drogues et rock n'roll. Ouvre grand les yeux, mon garçon.

Boyd a dressé les oreilles sans répondre.

Si les abords de Charlotte ont un aspect charmant de petite ville de province, son centre est celui d'une métropole, en verre teinté et pierre polie. La criminalité n'y est pas un sujet tabou. En témoigne le monumental édifice en béton, baptisé Centre du maintien de l'ordre, à l'angle de la Quatrième Rue et de la rue McDowell. Outre leurs quatre cents auxiliaires non assermentés, les forces de l'ordre emploient près de mille neuf cents agents et officiers et possèdent leur propre laboratoire criminel, le second au niveau de l'État après celui du SBI. Pas mal pour une population de moins de six cent mille habitants !

J'ai quitté l'autoroute urbaine et pris la direction du centre-ville pour aller me garer dans le stationnement du QG de la police de Charlotte-Mecklenburg, dans la partie réservée aux visiteurs.

Des gens entraient et sortaient du bâtiment, tous en uniforme bleu marine. Boyd a grogné doucement quand l'un d'eux est passé près de notre voiture.

— Tu as vu son emblème sur l'épaulette ? Ça représente un nid de frelons.

Le nez à la fenêtre, Boyd a fait entendre un son proche du yodler.

— C'est en souvenir de la guerre révolutionnaire. Les poches de résistance étaient si nombreuses, ici, que le général Cornwallis chargé d'en venir à bout n'a pas trouvé de meilleur terme pour décrire ce secteur.

Le chien n'a pas fait de commentaire.

— Je dois y aller, Boyd. Toi, tu n'es pas admis.

Il était clair qu'il n'appréciait pas. Je lui ai donné ma dernière barre Granola. Ayant remonté les fenêtres de façon à ne laisser passer qu'un filet d'air, je lui ai promis d'être de retour dans moins d'une heure.

Ron Gillman était dans son bureau d'angle du quatrième étage. En voyant sa chevelure argent, sa haute taille et sa musculature, on pense immédiatement à un basketteur ou un joueur de tennis. Son seul défaut est ce petit espace entre les incisives du haut qui a fait la gloire de Lauren Hutton [1].

---

1. Actrice top model.

Il m'a écoutée sans m'interrompre pendant que je lui exposais ma théorie sur Mitchell et le pied. Quand je me suis tue, il a tendu la main.

— Voyons ça.

Ayant chaussé des lunettes loupes, il a fait rouler le fragment à l'intérieur de la fiole. Après quoi, il a appelé la section d'ADN.

— Ça va plus vite quand la demande émane d'ici, m'a-t-il dit en reposant le combiné.

— La voie express, c'est exactement ce dont j'ai besoin !

— J'ai déjà réservé une place pour ton prélèvement de l'autre jour. Il ne reste plus qu'à faire l'analyse et à entrer les résultats dans la base de données pour comparer avec les victimes du crash. Quant à cet échantillon-ci, a-t-il poursuivi en désignant la fiole, s'il donne des résultats, nous les enregistrerons aussi. Après, on verra.

— Je n'ai pas de mots pour te remercier.

Il s'est renversé dans son fauteuil, les mains croisées derrière la tête.

— On dirait que tu as enfoncé le doigt pile dans l'œil de quelqu'un, docteur Brennan.

— J'ai bien l'impression.

— Tu sais de qui il s'agit ?

— Parker Davenport.

— Le vice-gouverneur ? Qu'est-ce que tu lui as fait pour qu'il s'énerve ?

Geste d'ignorance de ma part, épaules levées, paumes tournées vers lui.

— Je ne vois pas comment je vais pouvoir t'aider si tu n'y mets pas un peu du tien.

Je l'ai regardé, partagée entre deux sentiments. C'est vrai que je n'avais pas eu d'hésitation à exposer mes soupçons au shérif, mais c'était dans le comté de Swain, alors qu'ici j'étais chez moi. Et si ce laboratoire criminel sous l'égide de Ron Gillman avait pu se hisser au deuxième rang de l'État, c'est parce qu'il n'était pas seulement financé par la municipalité, comme la police, mais parce qu'il recevait des subventions fédérales. Subventions distribuées selon le bon vouloir de l'administration en place à Raleigh.

Tout comme les services de l'expert médical. Tout comme l'université.

Oh, puis merde !...

J'ai répété en version abrégée le récit que j'avais fait au shérif.

— Ainsi, tu penses que ce M. P. Veckhoff sur ta liste est notre sénateur de Charlotte, Pat Veckhoff ?

J'ai acquiescé.

— Et que ce Pat Veckhoff et Parker Davenport auraient partie liée dans une sale histoire ?

Nouvel assentiment de ma part.

— Un vice-gouverneur et un sénateur d'État, ça fait lourd dans la balance.

— Henry Preston était juge.

— Quel est le rapport ?

Je n'ai pas eu le temps de répondre car un homme s'était encadré dans la porte : Krueger, comme l'indiquait le nom brodé sur la poche de sa blouse. Gillman me l'a présenté comme étant le responsable de la section d'ADN, l'homme qui, aidé d'un seul assistant, effectuait toutes les analyses d'ADN du labo. Je me suis levée pour lui serrer la main.

Gillman lui a remis ma fiole en lui exposant ma demande. Krueger a levé le pouce.

— S'il y a des traces d'ADN là-dedans, ce serait bien le diable qu'on ne les retrouve pas.

— Ça prendra longtemps ?

— Ça demande tout un travail de filtration, de grossissement et de documentation à chaque étape. Je devrais pouvoir vous donner une réponse orale dans quatre ou cinq jours.

— Formidable, ai-je répondu, tout en pensant par-devers moi : « Quarante-huit heures, voilà ce qui serait formidable. »

Nous avons échangé des reçus et Krueger s'est éclipsé, emportant mon spécimen. Gillman avait pris un appel. J'ai attendu qu'il raccroche pour demander :

— Tu connaissais Pat Veckhoff ?

— Non.

— Et Parker Davenport ?

— Je l'ai rencontré.

— Et tu en penses ?

— Il est populaire. Les gens votent pour lui.

— Mais encore… ?

— C'est un emmerdeur patenté.

Je lui ai montré la photo de l'enterrement. Il y a reconnu Davenport et a déclaré que ça remontait à longtemps.

— Tu as des explications pour tout ça ? a-t-il demandé tout en me rendant l'image.

— Aucune.

— Mais tu en auras ?

— Ben voyons.

— Si je peux t'aider…

— Eh bien, il y a une chose que tu pourrais faire.

Boyd était roulé en boule sur la banquette arrière parmi des miettes de barre Granola. Au bruit de la clef dans la portière, il s'est dressé en aboyant. Me reconnaissant, il s'est mis à frétiller de l'arrière-train, les pattes avant posées chacune sur un siège. À peine étais-je au volant qu'il m'a démaquillé tout un côté du visage.

Quarante minutes plus tard, je m'arrêtais à l'adresse que m'avait donnée Gillman. Bien que la maison se trouve à seulement dix minutes du centre-ville et cinq minutes de chez moi, il m'avait fallu tout ce temps pour m'y retrouver dans le dédale des rues et routes Queens que je confonds toujours. Au croisement de Rea Road et Rea Park, je m'étais fichue dedans.

À Charlotte, le nom des rues reflète bien le caractère schizophrénique de la ville. D'un côté, on a baptisé les artères selon le principe tout simple consistant à trouver des noms qui plaisent et à s'y tenir coûte que coûte ; de l'autre, aucun de ces noms n'a été jugé digne de se voir offrir plus de quelques kilomètres. Et c'est ainsi qu'on a une Queens Road, une Queens Road West et une Queens Road East, de même qu'un Sharon qui se décline en cinq versions : Sharon Road, Sharon Lane, Sharon Amity, Sharon View et Sharon Avenue. Il y a les rues dont le nom s'inspire de la Bible, comme Providence Road, Carmel Road ou Sardis Road, et celles qui se réincarnent au petit bonheur la chance. Tyvola devient Fairview et se poursuit en Sardis ; le Billy Graham Parkway se prolonge en Woodlawn avant de renaître en Runnymede, et Wendover engendre Eastway. À un certain croisement, quand vous venez de Providence Road et que vous voulez continuer sur cette rue, il vous faudra tourner à angle droit, car si vous aviez le malheur de continuer en face, vous vous retrouveriez sur Queens Road, laquelle se transforme en Morehead, cent mètres plus loin. Mais attention ! prenez bien à droite, sinon vous serez sur Queens Road, qui devient très vite Selwyn. Oui, la famille Queens reste de loin la pire. C'est pourquoi je donne toujours aux touristes un petit truc qui a toujours marché avec moi : quand vous vous retrouvez sur une rue qui s'appelle Queens quelque chose, quittez-la au plus vite !

Conseil qu'il m'avait été impossible de mettre en pratique, car Marion Veckhoff habitait justement dans la Queens Road East.

C'était une grande demeure de style Tudor en stuc clair, avec des colombages en bois sombre et des vitraux au rez-de-chaussée. Une haie bien taillée entourait un jardin où s'épanouissaient deux immenses magnolias. Des parterres de fleurs multicolores égayaient la façade et les flancs de la maison. Une dame en collier de perles et pantalon turquoise, chaussée d'escarpins à talons, arrosait des pensées le long d'une allée médiane qui coupait la pelouse. Elle avait un teint pâle et des cheveux *ginger-ale.*

Ayant intimé à Boyd l'ordre de bien se conduire, je suis descendue de voiture et j'ai verrouillé la portière. J'ai appelé. La dame n'a pas semblé remarquer ma présence.

— Madame Veckhoff ? ai-je répété en m'approchant.

Elle s'est retournée d'un coup, m'arrosant les pieds.

— Oh, mon Dieu ! Je suis vraiment navrée, ma chère !

Elle s'est empressée de réorienter son jet.

— Ce n'est rien, ai-je dit en reculant d'un pas pour éviter les rebonds de l'eau sur le dallage. Vous êtes madame Veckhoff ?

— Oui, ma chère. Vous êtes la nièce de Carla ?

— Non, madame. Je suis le Dr Brennan.

Son regard s'est levé un instant au-dessus de mon épaule, comme pour y consulter un agenda.

— Nous avions rendez-vous ?

— Non, madame. Je voudrais seulement vous interroger sur votre mari, si vous me le permettez.

Elle a reposé les yeux sur moi.

— Pat a été sénateur de l'État pendant seize ans. Vous êtes journaliste ?

— Pas du tout. Quatre mandats, c'est un franc succès.

— Il adorait son travail, même si le fait d'être un élu de la nation le tenait éloigné des siens.

— Il voyageait beaucoup ?

— La plupart du temps pour aller siéger à Raleigh.

— Il n'est jamais allé à Bryson City ?

— Où est-ce donc, ma chère ?

— Dans les montagnes.

— Oh, Pat aimait beaucoup la montagne. Il y allait chaque fois qu'il le pouvait.

— Vous l'accompagniez dans ces voyages ?

— Oh, non, non. J'ai de l'arthrite, et…

Elle a traîné sur la dernière syllabe comme si elle hésitait à développer sa pensée.

— C'est parfois bien douloureux, ai-je commenté pour lui venir en aide.

— Oh, certainement. Et ces moments étaient les seuls que Pat pouvait passer avec les garçons. Ça vous ennuie si je finis mon arrosage ?

— Je vous en prie.

J'ai marché à côté d'elle, le long des parterres de pensées.

— M. Veckhoff allait à la montagne avec ses fils ?

— Oh, non. Nous n'avons qu'une fille, mariée maintenant. Je voulais dire : avec ses amis. (Petit rire à mi-chemin entre l'étranglement et le hoquet.) Il disait qu'il avait besoin de s'éloigner un peu de ses femmes pour refaire le plein d'énergie.

— Avec des amis, disiez-vous ?

— Des garçons dont il était très proche, qu'il connaissait depuis l'école. Des amis qui se languissaient terriblement de lui. Et de Kendall, aussi. Oui, on se fait vieux…

De nouveau, sa voix a traîné sur les mots.

— Kendall ?

— Kendall Rollins. Toujours le premier à vouloir aller là-bas. C'était un poète. Vous connaissez son œuvre ?

J'ai secoué la tête, tout en m'efforçant de dissimuler l'émotion qui s'était emparée de moi. Ce nom était sur la liste des dirigeants de la F & E.

— Une leucémie l'a emporté à l'âge de cinquante-cinq ans.

— C'est jeune. Il y a longtemps de cela, madame ?

— En 1986.

— Où est-ce que votre mari et ses amis habitaient, quand ils allaient à la montagne ?

Ses traits se sont crispés. La poche en virgule sous son œil gauche a tressailli.

— Ils avaient une sorte de cabane. Pourquoi toutes ces questions ?

— Un avion s'est écrasé récemment près de Bryson City. J'essaie de me renseigner sur un terrain proche du lieu de l'accident. Il est possible que votre mari en ait été l'un des propriétaires.

— Vous voulez parler de cette tragédie, avec tous les étudiants ?

— Oui.

— Pourquoi faut-il que les gens meurent si jeunes ? Comme l'homme qui s'est tué en se rendant à l'enterrement de mon mari. Quarante-trois ans.

— Qui ça, madame ?

Elle a détourné les yeux.

— Le fils d'un ami de Pat. Je ne l'ai jamais rencontré car il vivait en Alabama. Pourtant, ça m'a brisé le cœur.

— Vous connaissez son nom ?

— Non.

Son regard me fuyait.

— Vous connaissez les noms des autres personnes qui allaient dans cette cabane ?

Elle s'est mise à titiller son tuyau.

— Madame Veckhoff ?

— Pat ne me parlait jamais de ses voyages. Et moi, je le laissais tranquille. Il avait besoin d'intimité. C'est bien normal quand on est en permanence sous l'œil du public.

— Avez-vous déjà entendu parler d'un groupe financier appelé F & E ?

— Non, a-t-elle répondu, les yeux rivés sur le tuyau.

Quand elle les a enfin relevés vers moi, j'ai décelé comme une tension dans ses épaules.

— Madame Veck…

— Il est tard. Je dois rentrer maintenant.

— Je voudrais savoir si votre mari détenait des parts dans cette propriété.

Elle a débranché le tuyau et, le laissant tomber à terre, s'est hâtée vers sa maison.

— Je vous remercie de m'avoir consacré un peu de votre temps, madame. Excusez-moi si je vous ai retenue.

Elle s'est retournée, la main sur la poignée de la porte déjà ouverte, une main aux veines apparentes. Le son lointain du carillon de Westminster est parvenu jusqu'à moi.

— Pat disait toujours que je parle trop. Je disais que non, que c'était seulement pour être aimable. Je crois qu'il avait raison. On se sent un peu abandonné quand on vit seul.

La porte s'est refermée. Le verrou est entré dans le pêne avec un cliquetis.

Rassurez-vous, Mme Veckhoff, ce n'était que du bavardage, mais un charmant bavardage.

Et très instructif.

J'ai glissé une carte de visite avec mon adresse et mon numéro de téléphone dans le jambage de la porte.

Chapitre 24

Il était huit heures passées quand un premier visiteur a débarqué chez moi.

En quittant Mme Veckhoff, j'étais allée acheter un poulet à la Roasting Company avant d'aller récupérer mon chat chez le voisin. Puis, le trio que nous formions avait dîné en chœur, Birdie gonflant sa queue en plumeau dès que Boyd faisait mine d'approcher. J'étais en train de laver les assiettes dans l'évier quand on a toqué à la porte de service.

Peter, un bouquet à la main.

Il m'a tendu ses marguerites, avec une profonde inclinaison du buste.

— Au nom de mon associé canin.

— Tu n'étais pas obligé, mais ça me fait plaisir.

Je lui tenais la porte, il m'a frôlée pour entrer dans la cuisine.

Au son de sa voix, Boyd avait rappliqué à fond de train pour s'aplatir devant lui, l'arrière-train dressé en l'air. Il s'était lancé ensuite dans une cavalcade ponctuée de cabrioles tout autour de la pièce. Devant ses aboiements, Birdie n'avait eu d'autre choix que la fuite. Quant à Peter, il avait beau taper dans ses mains en criant son nom, rien ne calmait le chien.

— Arrête. Tu vas rayer le plancher.

Il a fini par s'asseoir près de la table et Boyd est venu se mettre à côté de lui.

— Assis !

Boyd le dévisageait en faisant danser ses sourcils. Une tape sur les fesses l'a fait obtempérer. Il a posé le menton sur le genou de son maître qui s'est lancé dans une séance de grattage à deux mains entre les oreilles.

— Tu as une bière ?

— Sans alcool.

— Ça ira. Vous vous êtes bien entendus, tous les deux ?

— Oui.

J'ai placé une Hire décapsulée devant mon ex.

— Quand êtes-vous rentrés ? a demandé Peter, en inclinant la bouteille à hauteur du museau de Boyd pour le faire boire.

— Aujourd'hui. Ça s'est bien passé en Indiana ?

— Les experts étaient à peu près aussi délicats que des éléphants dans un magasin de porcelaine. Mais le pire, c'était l'assureur du couvreur. Son client réparait le toit avec une torche d'acétylène juste à l'endroit où le feu a pris.

Ayant essuyé le goulot avec sa main, il l'a porté à ses lèvres.

— Un connard, je te dis pas ! Il connaissait parfaitement la cause et l'origine du sinistre. Il savait que nous la connaissions aussi et que nous savions qu'il savait que nous savions. Mais pas moyen de le faire bouger de ses positions. Il voulait un supplément d'enquête, un point c'est tout.

— Ça se terminera en procès ?

— Tout dépend de ce qu'ils proposeront.

Il a de nouveau incliné sa bouteille vers Boyd qui a lapé une bonne rasade.

— Ça m'a fait du bien d'avoir un peu de répit avec ce toutou.

— Arrête, tu l'adores.

— Pas autant que je t'aime, toi.

Il m'a décerné le sourire le plus tarte de son répertoire.

— Des progrès avec le DMORT ?

— Peut-être.

Il a regardé sa montre.

— Crois bien que je tiens à entendre tout ce que tu as à me dire mais, là, je suis dans le jus.

Ayant vidé sa bouteille, il s'est levé, aussitôt imité par le chien.

— Il faut que j'y aille. Je le reprends.

Je les ai regardés partir, Boyd virevoltant dans les jambes de mon ex. Birdie, pattes ancrées au sol, fixait le hall de l'immeuble, prêt à fuir.

— Bon débarras ! ai-je lâché, vexée que le chien n'ait pas même jeté un regard en arrière.

En slip et t-shirt, emmitouflée dans une vieille robe de chambre, je regardais *Le Grand Sommeil*, le chat sur les genoux, quand pour la deuxième fois des coups ont été frappés à ma porte.

Ryan.

Dans la lumière de la véranda, il avait le teint terreux. Je me suis retenue de lui sortir ce qu'il appelait mes salutations habituelles. Comme il me dirait forcément ce qui l'amenait à Charlotte, je me suis cantonnée à un neutre :

— Comment as-tu su que j'étais là ?

Il m'a répondu par une autre question.

— Tu passes la soirée toute seule ?

— Bacall et Bogart sont dans la pièce à côté.

Je me suis aplatie contre le battant pour le laisser passer, comme un peu plus tôt avec Peter. Il sentait la sueur et la cigarette. Visiblement, il arrivait tout droit de Bryson City.

— Ça ne les ennuiera pas si je fais le quatrième ?

Il avait beau badiner, on voyait que le cœur n'y était pas.

— Ils ont un caractère en or.

Il m'a suivie jusqu'au divan. Nous nous y sommes installés, chacun à un bout. J'ai coupé la télé.

— Bertrand a été identifié.

Je n'ai pas réagi.

— Les dents… Et aussi un autre fragment…

Sa pomme d'Adam a tressailli.

— Et Petricelli ?

Il a secoué la tête. Un mouvement bref et sec.

— Il a dû être pulvérisé, ils étaient assis pile à l'endroit de l'explosion. Ce qu'ils ont retrouvé de Bertrand était à deux vallées du site principal. Planté dans un arbre, a-t-il ajouté durement, avec un tremblement dans la voix.

— Tyrell a signé le bon de remise du corps ?

— Ce matin. Je l'escorte à Montréal, dimanche.

J'aurais voulu passer mes bras autour de son cou, presser ma joue contre sa poitrine en lui caressant les cheveux. Je n'ai pas bougé de ma place.

— La famille souhaite un enterrement civil. La cérémonie se tiendra mercredi, ainsi en a décidé la Sûreté du Québec.

— Je t'accompagne, ai-je déclaré sans hésiter.

— Ce n'est pas nécessaire.

Il est resté à ouvrir et à refermer une main sur l'autre. Ses jointures, dures et blanches, faisaient comme une rangée de cailloux.

— Jean était aussi mon ami.

— C'est un long voyage.

Il avait les yeux brillants. Il a cligné des paupières. Renversé en arrière, il s'est passé les mains sur le visage.

— Tu veux que je vienne?

— À quoi vous vous amusez, avec Tyrell? À qui pissera le plus loin?

J'ai mentionné le fragment de dent, sans rien dire de mes découvertes.

— L'analyse d'ADN va prendre longtemps?

— Quatre ou cinq jours. Rien ne m'oblige à rester ici. Tu veux que je vienne?

Il m'a regardée. Une ride s'est creusée au coin de sa bouche.

— J'ai comme l'impression que tu viendras, quoi que je dise.

Ryan avait pris une chambre au Market Adams, un hôtel du haut de la ville, car il lui faudrait plusieurs jours pour régler les formalités d'acheminement du cercueil. Il devait aussi passer voir McMahon au FBI. Avait-il d'autres motifs pour rester à Charlotte? Je n'ai pas voulu le savoir.

Le lendemain, forte de mon succès à Bryson City, je suis allée à la bibliothèque éplucher d'anciens numéros du *Charlotte Observer*. Mes découvertes sur les responsables de la F & E se sont en gros résumées à ceci: à défaut de briller au service de l'État, le sénateur Pat Veckhoff s'était montré, comme on dit, un citoyen exemplaire.

Ma recherche sur Kendall Rollins, le poète mentionné par Mme Veckhoff, a débouché sur deux ou trois références à son œuvre trouvées sur Internet. Le Web m'a trimbalée aussi dans des labyrinthes remplis de renseignements inutiles sur toutes sortes de Davis, Payne, Birkby et autres Warren. Même chose avec l'annuaire, où l'on en recensait treize à la douzaine.

Cette matinée de recherches m'a au moins convaincue d'une chose : c'est que, sortie de mon domaine, je n'étais pas si douée que ça pour l'investigation.

Le soir, dîner au Selwyn Pub avec Ryan. Il avait l'air fatigué et préoccupé. Je l'ai jouée délicate.

Le dimanche après-midi, Birdie a emménagé chez Peter et, moi, j'ai pris l'avion avec Ryan. Ce qui restait de Jean Bertrand faisait le voyage en soute, dans un froid cercueil de plomb.

À l'aéroport de Montréal-Dorval, le comité d'accueil se composait de quatre officiers de la Sûreté du Québec en grand uniforme et du directeur de l'entreprise de pompes funèbres avec deux préposés pour le corbillard. Tous ensemble, nous avons escorté Jean Bertrand jusqu'à Saint-Lambert.

Octobre est parfois superbe à Montréal : les gratte-ciel et les clochers des églises s'élancent dans un ciel d'azur et, dans le fond, la montagne chatoie de tous les feux de l'automne. Mais ce peut également être un mois gris et morose où la pluie le dispute au verglas, quand ce n'est pas à la neige.

En ce jour de dimanche, la température flirtait avec le zéro et de lourds nuages stagnaient au-dessus de la ville. Les arbres dressaient leurs noirs branchages sur des pelouses blanches de givre et, devant les maisons, les arbustes emmaillotés contre le froid ressemblaient à des sentinelles momifiées.

Il était plus de dix-neuf heures quand nous avons laissé le cercueil de Jean Bertrand au funérarium. À partir de là, mon chemin et celui de Ryan se sont séparés. Il rentrait chez lui à Habitat 67 et moi, au centre-ville.

La première chose que j'ai faite, arrivée à la maison, a été d'allumer le chauffage. Puis, coup d'œil au répondeur et au congélateur. Le premier était plein, et sa petite lumière bleue clignotait comme un grand magasin, un jour de soldes ; le second n'offrait à la vue qu'une couche de glace dure et blanche sur les parois et les étagères.

Un message de mon patron LaManche, un second d'Isabelle, quatre de démarcheurs, un septième d'un étudiant de McGill et un dernier de LaManche.

Emmitouflée dans une veste chaude et des gants trouvés dans le placard de l'entrée, je suis partie à pied m'acheter de quoi dîner.

Pendant mon absence, l'appartement s'était réchauffé, ce qui ne m'a pas empêchée de faire un feu dans la cheminée. Pour l'agrément, plus que pour la chaleur. J'étais aussi déprimée qu'à Charlotte. Triste à l'idée d'enterrer Jean Bertrand, et incapable de chasser de ma tête cette mystérieuse Danielle apparue dans la vie de Ryan.

Au menu, coquilles Saint-Jacques et haricots verts, mangés devant la cheminée au son du givre craquant sur les carreaux, en pensant au détective que j'avais porté en terre.

Au fil des ans et des meurtres, nos chemins s'étaient croisés en de multiples occasions et j'en étais venue à le connaître et à le comprendre un peu. Dénué de toute perfidie, Jean voyait le monde en noir et blanc, coupé en deux par une barrière, avec les flics d'un côté et les criminels de l'autre. Persuadé que le tri entre les bons et les méchants se ferait bien un jour, il avait foi dans le système.

Au printemps dernier, quand une cassure inexplicable s'était produite chez Ryan, il s'était confié à moi. Je le revoyais, ce soir-là, effondré sur le divan, à la fois anéanti par la colère et incrédule, ne sachant que dire ni que faire. À présent, c'était Ryan qui passait par ces mêmes sentiments.

Ayant mis mes couverts au lave-vaisselle et ajouté du bois dans la cheminée, je me suis installée sur le divan avec le téléphone. Mentalement, je me suis branchée sur le français.

Mon patron était chez lui. Il s'est dit heureux de mon retour, même s'il déplorait les tristes circonstances qui en étaient à l'origine. Le laboratoire travaillait actuellement sur deux affaires, m'a-t-il appris.

— La semaine dernière, une femme nue et enveloppée dans une couverture a été retrouvée dans le parc Nicolas-Viel. La décomposition est assez avancée.

— Où est-ce?

— En banlieue nord.

— La CUM est sur le coup?

La Communauté urbaine de Montréal est l'organisme de police qui a juridiction sur toute l'île de Montréal.

— *Oui*[1]. Le sergent-détective Luc Claudel a été chargé du cas.

Claudel, un as pour tout ce qui relève de son métier, mais un bulldog pour ce qui est d'œuvrer la main dans la main avec moi. Les forces de l'ordre, selon lui, n'ont que faire d'un anthropologue judiciaire en jupon. Bref, le collaborateur rêvé dans ma situation.

— On connaît le nom de la victime ?

— Nous avons une identité présumée. Le suspect arrêté clame qu'elle a fait une chute, mais M. Claudel a des doutes. Je vous serais bien reconnaissant si vous pouviez examiner son traumatisme au crâne.

Ah, les formules si châtiées de LaManche.

— Je m'en occuperai dès demain.

Le deuxième cas, moins urgent, concernait un fragment de diaphyse retrouvé du côté de Chicoutimi, là où un petit avion s'était écrasé, deux ans auparavant. Il s'agissait de déterminer si l'os appartenait au copilote qui n'avait jamais été retrouvé. J'ai assuré LaManche que je pouvais également me charger de ce cas.

Il m'a remerciée, s'est enquis des progrès de l'enquête sur le crash et m'a exprimé sa tristesse pour la disparition de Bertrand. Pas un mot sur mes problèmes avec les autorités bien qu'il soit forcément au courant. Mais LaManche est un homme trop discret pour aborder lui-même un sujet délicat.

Les démarcheurs, je les ai ignorés.

Quant à l'étudiant, il avait depuis longtemps obtenu la référence qu'il cherchait.

Restait Isabelle. Elle avait donné une de ses soirées mémorables, le samedi précédent. Je lui ai exprimé tous mes regrets pour l'avoir manquée. Elle m'a assuré que ce n'était pas la dernière.

Je venais à peine de reposer le combiné quand mon cellulaire a sonné. Tout en me jurant pour la énième fois de lui trouver un meilleur lieu de rangement que mon sac, j'ai piqué un sprint jusqu'à l'autre bout de la pièce.

---

1. En français dans le texte (N.d.T.).

— Qu'est-ce que tu fais ?

Il m'a fallu un moment pour reconnaître la voix d'Ann.

— Je mets la dernière touche à la paix mondiale. Je raccroche à l'instant d'avec Kofi Annan.

— Tu es où ?

— À Montréal.

— Quelle mouche t'a piquée, pour rentrer si tôt au Canada ?

Je lui ai appris qu'on avait identifié Bertrand.

— C'est pour ça que tu as l'air si abattue ?

— En partie. Et toi, tu es à Charlotte ? Comment était Londres ?

— Qu'est-ce que ça veut dire, en partie ?

— Oh, ça n'a pas d'intérêt.

— Mais si, je veux savoir ! Qu'est-ce qui ne va pas ?

Je lui ai tout déballé. Elle m'a écoutée pendant vingt minutes. Quand je me suis tue, si je ne pleurais pas, je n'en étais pas loin.

— Si je comprends bien, le dossier chalet, anciennement propriété d'Arthur, et le dossier pied non identifié sont séparés du dossier crash ?

— En quelque sorte. Ce pied n'est pas celui d'un passager, j'en suis convaincue. Encore faut-il que je le prouve !

— Tu crois qu'il appartient à ce Mitchell qui a disparu en février ?

— Oui.

— Et le NTSB ne connaît toujours pas la cause de l'explosion ?

— Non.

— Quant au terrain, tout ce que tu en sais, c'est qu'un certain Livingstone l'a donné en dot à un type appelé Arthur, qui l'a vendu ensuite à un certain Dashwood.

— Ouais.

— Pourtant l'acte de propriété n'est pas au nom de ce Dashwood mais à celui d'un groupe financier.

— Oui. La F & E, enregistrée au Delaware.

— Et plusieurs responsables de cette boîte ont les mêmes noms que des personnes décédées quelques jours à peine avant que des vieux du coin ne viennent à disparaître.

— Dis donc, tu es forte, toi !

— J'ai pris des notes.

— Je sais que ça ne fait pas sérieux.

— En effet. Et tu n'as aucune idée des raisons pour lesquelles Davenport cherche à t'écarter de l'enquête ?

— Pas la moindre.

Le silence a retenti sur toute la distance qui sépare les deux pays.

— En Angleterre, on nous a parlé d'un lord Dashwood. Un ami de Benjamin Franklin, je crois.

— Voilà qui va certainement résoudre mes problèmes. Comment était Londres ?

— Un peu trop de CCC pour mon goût mais, à part ça, superbe.

— De CCC ?

— De criminels cachés dans les cathédrales. Ted est un passionné d'histoire, comme tu sais. Il a réussi à me traîner dans des grottes. Quand est-ce que tu reviens à Charlotte ?

— Jeudi.

— Quel est le programme, pour *Thanksgiving* ?

Notre tradition de passer les fêtes ensemble remonte presque au jour où nous avons fait connaissance, toutes deux jeunes et enceintes. Ann de Brad, moi de Katy. L'été suivant, nous avons emmené nos bébés admirer l'océan. Depuis, nous réitérons. Tous les ans, nous passons quelques jours ensemble en été et à *Thanksgiving*, en variant les plages.

— Les enfants aiment assez Myrtle Beach. Moi, Holden.

— Je penche assez pour les îles Pawley que je ne connais pas, a dit Ann. Déjeunons ensemble, on en discutera et je te raconterai l'Angleterre. Les choses vont s'arranger, Tempe, tu verras.

Rêvant de sable et de palmiers, je me suis endormie au son des voitures roulant sur la neige fondue. Quand donc retrouverais-je une vie normale ?

Le Laboratoire de sciences judiciaires et de médecine légale, labo de la police criminelle du Québec, occupe les deux derniers étages de l'*édifice Wilfrid-Derome*[2], plus connu sous le nom de SQ, Sûreté du Québec.

___

2. En français dans le texte (N.d.T.).

Le lundi matin, j'étais à l'œuvre dans le labo d'anthropologie et d'odontologie dès neuf heures et demie, ayant assisté à la réunion du personnel et récupéré les *demandes d'expertise en anthropologie*[3] des affaires que je devais traiter auprès des pathologistes responsables de ces cas.

Établir que le tibia censé appartenir au copilote provenait en fait de la jambe antérieure d'un cerf ne m'a pas pris longtemps. La rédaction du rapport non plus. Après quoi, je suis passée à la dame confiée aux bons soins du sergent-détective Claudel.

Tout d'abord, j'ai réparti ses os sur ma table d'examen en veillant à respecter l'ordre anatomique. L'inventaire du squelette achevé, j'ai déterminé l'âge, le sexe, la race et la taille, à l'aide des indicateurs à ma disposition. Cela, en vue de prouver par la suite que la victime était bien la personne qu'on croyait. Étape importante, car la malheureuse avait perdu toutes ses dents et nous n'avions pas son dossier dentaire.

À une heure et demie, j'ai fait une pause. Bagel au fromage, banane et biscuits Ahoy dans mon bureau, en regardant les bateaux passer sous les voitures qui empruntaient le pont Jacques-Cartier. Sur le coup de deux heures, je suis retournée à mes ossements. À quatre heures et demie, l'analyse était bouclée.

La victime *pouvait effectivement* s'être éclaté la mâchoire, l'orbite et la pommette et s'être aussi enfoncé ces kyrielles d'os brisés dans le front en tombant. À la condition que ce soit d'une montgolfière ou du toit d'un gratte-ciel !

J'ai laissé mes conclusions sur le répondeur de Claudel et suis rentrée chez moi.

Nouvelle soirée à grignoter en tête à tête avec moi-même un blanc de poulet cuit par mes soins, en regardant une rediffusion de *Northern Exposure*. Après, un peu de lecture. Deux-trois chapitres d'un roman de James Lee Burke. Pas un signe de Ryan. À croire qu'il s'était évaporé de la surface de la Terre. À onze heures, j'étais endormie.

J'ai consacré la journée du lendemain à documenter mon rapport sur la femme battue en tenant compte des

---

3. En français dans le texte (N.d.T.).

analyses biologiques et des clichés déjà contenus dans son dossier, autrement dit : à photographier les examens que j'avais effectués la veille, à faire des diagrammes et à mettre par écrit mes conclusions. En fin d'après-midi, le rapport était transmis au secrétariat. J'en étais à retirer mon sarrau quand Ryan s'est encadré dans ma porte.

— Tu as besoin d'une voiture pour aller à l'enterrement ?

— Deux journées difficiles ? ai-je rétorqué, en prenant mon sac dans le tiroir du bas de mon bureau.

— Disons que ça manque un peu de soleil à la brigade.

— En effet.

Mes yeux plantés dans les siens.

— Je suis débordé, avec cette histoire de Petricelli.

— Ah bon ?

J'ai soutenu son regard.

— Tout à coup, Métraux n'est plus si sûr de l'avoir vu.

— À cause de Bertrand ?

Geste d'ignorance de sa part.

— Ce salaud vendrait sa propre mère pour passer un après-midi dehors.

— C'est dangereux.

— Pas plus que l'eau du robinet à Tijuana. Tu voudras que je t'emmène ?

— Si ce n'est pas trop te demander.

— Je passerai te prendre à huit heures et quart.

Le sergent-détective Jean Bertrand étant mort en service, les pleins honneurs lui seraient rendus. La Direction des communications [4] de la Sûreté du Québec avait informé de la cérémonie toutes les forces de police de l'Amérique du Nord, les canadiennes par la voie du CPIC, celles des États-Unis par la voie du NCIC [5]. Au funérarium, un détachement montait la garde autour du cercueil. Jean Bertrand a été escorté en grande pompe jusqu'à l'église et, de là, au cimetière.

---

4. En français dans le texte (N.d.T.).
5. Système informatique reliant toutes les forces de l'ordre du pays (N.d.T.).

M'attendant à ce que les gens se défilent, j'ai été étonnée de découvrir une si nombreuse assistance en plus de ses parents et de ses proches, de ses collègues à la SQ ou à la CUM et d'un bon nombre de scientifiques du labo médico-légal. À croire que tous les commissariats canadiens et un bon nombre de commissariats américains avaient tenu à se faire représenter. La presse britannique et française avait même dépêché des reporters et des équipes de télé.

Vers midi, les infimes résidus censés incarner le corps de Jean Bertrand étaient ensevelis au cimetière Notre-Dame-des-Neiges et je rentrais au centre-ville en voiture avec Ryan.

— Quand repars-tu ? m'a-t-il demandé, en tournant de Côte-des-Neiges dans la rue Saint-Mathieu.

— Demain matin, par le vol de onze heures cinquante.

— Je passerai te prendre à dix heures et demie.

— Si tu espères te faire engager comme chauffeur, j'aime autant te prévenir que le salaire est minable.

Ma plaisanterie a fait chou blanc.

— Je suis sur le même vol.

— Comment ça ?

— Hier soir, un truand d'Atlanta a été arrêté à Charlotte. Un certain Pecan Billie Holmes.

Il a extirpé un paquet de Du Maurier de sa poche, l'a tapé sur le volant et en a extrait une cigarette qu'il s'est vissée entre les lèvres avant de l'allumer d'une seule main. Je lui ai décoché un regard assassin quand il a soufflé la fumée par les narines. J'ai baissé ma vitre.

— Cette noix de pacane a, semble-t-il, des trucs à raconter à propos d'un certain coup de téléphone passé au FBI.

Chapitre 25

Je garde des jours suivants une impression de plongeon comme on en éprouve sur ces montagnes qui font la fierté des parcs d'attractions Six Flags. Après des semaines et des semaines de grimpée laborieuse, voilà que tout a basculé d'un coup. La dégringolade n'a pas été aussi drôle.

L'après-midi était déjà bien avancé quand Ryan et moi avons atterri à Charlotte. En notre absence, l'automne avait rattrapé son retard et c'est malmenés par une brise qui rabattait les pans de nos vestes que nous sommes allés récupérer la voiture au stationnement.

Direction : le FBI, au coin de la Deuxième Rue et de la rue Tryon, dans le centre de la ville. McMahon rentrait tout juste de la prison où il avait interrogé Pecan Billie Holmes.

— Hier soir quand ils l'ont attrapé, bourré de stupéfiants jusqu'aux yeux, et ramené au bloc, il tempêtait et jurait ses grands dieux qu'il allait tout nous dire depuis la fois où son équipe de foot a participé à la coupe des juniors, en classe de huitième.

— C'est qui, ce gars-là ? a demandé Ryan.

— Un raté de trente-huit ans qui fricote plus ou moins avec les motards d'Atlanta.

— Les Hells Angels ?

Hochement de tête de McMahon.

— Il n'en porte pas les couleurs. Pour ça, il lui faudrait autre chose que du sorbet à la banane dans le cerveau. Le club le tolère tant qu'il rend des services.

— Qu'est-ce qu'il fabriquait à Charlotte ?

— Disons qu'il était là pour un déjeuner du Rotary.

— Et il sait vraiment qui a refilé l'info à propos de la bombe ? ai-je demandé.

— En tout cas, c'est la tactique que sa voix intérieure lui soufflait d'utiliser vers les quatre heures du matin. Raison pour laquelle les flics nous ont prévenus. Mais le temps que je me pointe, un petit roupillon lui avait fait passer son envie de confidences.

McMahon a pris une tasse sur son bureau et l'a tournicotée entre ses doigts, avec l'air concentré du médecin qui étudie un échantillon de selles.

— Heureusement que cette ordure était en liberté surveillée pour avoir inondé de chèques sans provision toute la région d'Atlanta. On a pu le persuader qu'il avait tout intérêt à nous ouvrir son cœur.

— Et alors ?

— Il jure qu'il était là quand la décision a été prise.

— Là où ?

— Au Claremont Lounge, à Atlanta. À six blocs de la cabine d'où le tuyau nous a été téléphoné.

McMahon a reposé sa tasse.

— Holmes dit qu'il s'était bourré la gueule en buvant et en sniffant avec deux Hells, Harvey Poteet et Neal Tannahill. Ils discutaient de Petricelli et du crash quand Poteet s'est dit que ce serait drôle de lancer le FBI sur une fausse piste.

— Pourquoi donc ?

— Une brillante idée de poivrot. Si Petricelli était vivant, ça lui foutrait la frousse et il fermerait sa gueule. S'il était mort dans le crash, ça ferait passer aux autres le message que si tu l'ouvres, les frères te rayent de la surface de la Terre. Bref, rien qui vaille.

— Mais pourquoi ces abrutis auraient-ils parlé affaires en présence d'un outsider ?

— Ils le croyaient endormi. Comme je vous l'ai dit : ils s'étaient fait des lignes dans la voiture et Holmes était dans le cirage sur la banquette arrière.

— Ainsi, tout ça n'aurait été qu'un canular ?

— Ça y ressemble, a répondu McMahon en posant sa tasse en dehors de son sous-main.

— Métraux est revenu sur ses dires à propos de Petricelli, a annoncé Ryan. En fait, il ne l'aurait pas vu.

— Moi aussi, j'ai une surprise.

Une sonnerie de téléphone dans le hall a interrompu McMahon. Un appel a suivi, puis des cliquettements de talons dans le couloir.

— Il semblerait que votre coéquipier et son prisonnier aient seulement joué de malchance en montant dans ce coucou.

— Vous voulez dire que les Sri Lankais sont lavés, que Simington va recevoir le titre d'Humanitaire de l'année et que les Hells ne sont rien d'autre que de petits farceurs? a soupiré Ryan. Et que nous, on est à la case départ, avec un avion explosé et pas d'explication?

— L'explication, on commence à l'avoir. Magnus Jackson m'a appelé au moment où je partais de Bryson City. D'après les indices, il semblerait qu'il y ait eu combustion lente.

— Quels indices exactement? ai-je demandé.

— Des traces géométriques sur des débris.

— Ce qui signifie?

— Qu'un feu a précédé l'explosion.

— À la suite d'un problème mécanique?

McMahon a levé les épaules. J'ai insisté :

— On peut distinguer la combustion qui a eu lieu avant le crash de celle qui s'est produite après? Ça me paraît difficile à avaler.

Ayant repris sa tasse, McMahon s'est extirpé de son fauteuil.

— Si ça se trouve, Pecan Holmes est un héros...

— Alors que Métraux fait un sérieux plongeon dans les sondages, a terminé Ryan en se levant à son tour.

— C'est pas merveilleux, ça?

Jusque-là, je n'avais rien dit à Ryan des insinuations de Parker Davenport sur son compte et sur celui de Bertrand. Je lui en ai fait part dans la voiture, devant le Market Adams Hotel où il était descendu. Il m'a écoutée, les mains serrées sur ses genoux, le regard droit devant lui.

— Ce cul à tête de rat !

Visage durci par la colère où les rides et les aplats ressortaient nettement dans la lumière mouvante des phares.

— Une bonne colère, ça calme !

— Exactement.

— Tu sais, le fait que Davenport fasse tout son possible pour me neutraliser n'a rien à voir avec toi ou Bertrand. Ce n'est que la cerise sur le gâteau. Ses véritables intentions sont ailleurs, j'en suis sûre.

— Et quelles sont-elles, à ton avis ?

— Je n'en sais rien, mais je vais le découvrir !

Les muscles de Ryan ont joué sous la peau, près de la mâchoire.

— Pour qui se prend-il, ce con ?

— C'est ça, les puissants !

Il a frotté ses paumes sur ses cuisses et m'a pris la main.

— Je ne peux vraiment pas t'inviter à dîner ?

— Je dois récupérer mon chat.

Il a laissé retomber ma main pour saisir la poignée de la portière. Je n'ai pas eu le temps de dire : «Je t'appelle demain matin» que la portière a claqué. Il avait disparu.

Retour à l'Annexe. Le répondeur clignotait. Quatre messages.

Ann.

Ron Gillman.

Deux personnes qui n'avaient pas donné leur nom.

J'ai contacté Gillman sur sa pagette. Je n'avais pas fini de remplir l'assiette du chat qu'il me rappelait déjà.

— Krueger dit qu'il y a bien correspondance d'ADN.

Mon estomac et mes amygdales ont brusquement changé de place.

— Il en est sûr ?

— Une chance d'erreur sur soixante-dix millions, ou tout autre chiffre que vous, les savants, aimez à brandir.

— La dent et le pied proviendraient du même individu ? ai-je répété sans y croire.

— Oui. Tu peux aller chercher ton mandat de perquisition.

J'ai appelé Lucy Crowe. Sortie. Un adjoint m'a promis de lui mettre la main dessus.

La chambre de Ryan ne répondait pas.

Ann, en revanche, a décroché à la première sonnerie.

— Tu as retrouvé ton poseur de bombe ?

— Non, mais on a éliminé un suspect de la liste.

— C'est déjà ça ! Ça te dit, un dîner en tête à tête avec moi ?

— Ted n'est pas là ?

— Il est à Orlando, à une réunion de commerciaux.

À vrai dire, ma garde-robe aurait fait la fierté de la fée Carabosse, mais j'étais tellement énervée que rester à la maison aurait été bien pire que sortir, fagotée comme l'as de pique.

— Chez Foster's dans une demi-heure.

Foster's Tavern est un petit bistrot au sous-sol sans prétention avec des panneaux en bois sombre et cuir noir jusqu'à mi-hauteur des murs, un comptoir en demi-cercle et des tables vétustes à l'autre bout de la salle. Cousin germain du Selwyn Avenue Pub, l'endroit se veut cent pour cent irlandais.

Ann a pris un ragoût Guinness et un verre de chardonnay. À sa place, j'aurais choisi un Black and Tan, mais il est vrai que je suis hors jeu. Et Ann boit toujours du chardonnay. Pour moi, un Perrier citron pour arroser mon corned-beef au chou. Citron vert pour être exacte. D'habitude, je préfère le citron ordinaire, mais le vert m'a paru mieux adapté à la situation.

— Alors, c'est qui le type éliminé des suspects ? a demandé Ann en pêchant du bout du doigt un éclat de bouchon dans son verre.

— Je ne suis pas habilitée à en parler, mais je peux te raconter mes progrès dans un autre domaine.

— Tu as résolu ton problème sur la température du système solaire au tout début de son existence ?

D'une chiquenaude, elle a expédié la particule au loin.

— Non, ça c'était la semaine dernière. Dis donc, tu ne te serais pas éclairci les cheveux ?

— Parlons plutôt de toi, va !

Je lui ai fait part du résultat de la comparaison d'ADN.

— Ainsi, ton pied appartient au cadavre qui s'est décomposé près du mur ?

— Et ce n'était pas un chevreuil, tu peux me croire !

— Quoi, alors ?

— Je parierais volontiers sur Jeremiah Mitchell.

— Le Noir cherokee ?

— Oui.

— Qu'est-ce que tu comptes faire ?

— Attendre que le shérif me rappelle. Maintenant, ce ne devrait pas être bien difficile d'obtenir un mandat, même d'un magistrat moyenâgeux et merdique.

— Pas mal, ton allitération.

— Merci.

Ensuite, nous avons abordé le sujet *Thanksgiving*. Wild Dunes a remporté nos suffrages. Le reste du dîner a été consacré au voyage d'Ann en Angleterre.

— Ainsi, tu n'as fait que visiter des cathédrales, des monuments et des grottes ?

— Et très bizarres, ces grottes. Creusées au XVIIIe siècle par un certain Francis Dashwood et fermées par un bâtiment en pierre. Trois pans percés de fenêtres ; des portes et des voûtes comme dans les cathédrales. Au milieu, un portique entouré de pierres et sur les côtés, des grilles noires en fer forgé. Une sorte de cloître, si tu veux. Du dernier chic gothique, si on oublie le stand de souvenirs et le café avec tables et chaises en plastique pour les touristes aussi assoiffés que moi.

Elle a bu une gorgée de vin.

— Tu entres dans la grotte par un long tunnel tout blanc, avec un plafond bas en voûte.

— Pourquoi blanc ?

— C'est de l'épate, tout ça. En fait, ces cavernes ont été creusées dans du calcaire.

— Ça se trouve où ?

— À West Wycombe, dans le Buckinghamshire. À environ une heure de voiture au nord-ouest de Londres. Ted en avait entendu parler. On s'y est arrêtés en allant à Oxford. (Faisant rouler ses yeux, elle a enchaîné :) Ces cavernes sont *mondo bizarro*, tu sais. Des couloirs qui serpentent dans tous les sens, avec des salles, des niches et des renfoncements qui partent sur les côtés. Le tout rempli de dessins qui flanquent la chair de poule, gravés dans la roche.

— La chair de poule, rien que ça ?

— On dirait des dessins d'enfant pour la plupart, mais en plus grotesque.

— C'est-à-dire ?

— Une tête avec une croix creusée dans le front, une autre avec un chapeau de sorcier et des *O* tout ronds à la place de la bouche et des yeux. (Elle s'est interrompue pour me faire une grimace censée reproduire un fantôme.) Les tunnels se dédoublent, se rejoignent ou changent de direction sans aucune raison. Il y a aussi une salle des banquets et un fleuve Styx, avec faux stalactites et j'en passe, qu'il faut traverser pour entrer dans une autre salle. Le Temple intérieur. Personnellement, mon tunnel préféré a été un passage qui ne menait nulle part, bourré de mannequins gluants représentant Dashwood et ses copains.

— Pour quelle raison a-t-il fait creuser ces grottes ?

— Il devait avoir plus de fric que de cervelle. Il a même son mausolée, là-bas. Un Colisée en miniature.

Elle a vidé son verre et s'est dépêchée d'avaler sa bouchée. Visiblement, une idée venait subitement de la frapper.

— Peut-être que c'était un Walt Disney avant l'heure, et qu'il rêvait de faire des millions avec des visites guidées ?

— On ne vous a pas donné d'explications ?

— À l'extérieur de la grotte, dans un long couloir en brique, il y avait des panneaux qui racontaient toute l'histoire. Ted les a lus, moi pas. Je prenais des photos.

Elle a soulevé son verre, s'est rendu compte qu'il était vide.

— Plus bas, sur la route, il y a un joli manoir anglais, Medmenham Abbey, construit par des moines cisterciens au XIIe siècle, et que Dashwood a transformé en pavillon de campagne. Des murs gothiques et un porche à demi éboulé, avec une devise gravée sur le linteau.

Elle avait pris une voix rauque et mimait une arche au-dessus de sa tête. Ann, qui est agent immobilier, recourt parfois à une langue des signes propre à sa profession pour décrire les choses.

— Elle disait quoi, la devise ?

— Je serais incapable de te le dire, même sous la torture.

Le café est arrivé. Nous y avons ajouté du lait.

— Depuis que je t'ai eue au téléphone, je n'ai pas arrêté de penser à ce Dashwood, a repris Ann.

— Ce n'est pas un nom bien rare.

— Tu trouves ça courant, toi?

— Je ne peux pas citer de chiffres.

— Tu connais des Dashwood?

— Non.

— Dans ce cas, disons que c'est assez rare.

Conclusion qui ne menait pas très loin.

— Ton Francis Dashwood a vécu il y a deux cent cinquante ans.

Elle a haussé les épaules. Au même moment, mon cellulaire a sonné. Grimaçant des excuses à la ronde, je me suis hâtée d'enfoncer le bouton. Si quelqu'un trouve grossier d'utiliser son cellulaire au restaurant, c'est bien moi! Mais voilà, je ne voulais pas rater l'appel du shérif, et justement c'était elle.

Je suis sortie dans la rue, tout en lui rapportant les conclusions de l'analyse d'ADN.

— Maintenant, ça devrait marcher pour le mandat, a-t-elle déclaré.

— Et si cet abruti refuse?

— J'irai moi-même trouver le juge Battle. S'il persiste à ne rien vouloir entendre, je trouverai un autre moyen.

Retour à table. Ann avait devant elle un autre verre de chardonnay et une pile de photos. J'ai passé vingt minutes à m'extasier sur Westminster, Buckingham Palace, la Tour de Londres, le pont et tous les musées de la capitale et de sa grande banlieue.

Il était presque onze heures du soir quand je suis rentrée à la maison. En contournant l'Annexe, mes phares ont éclairé une grande enveloppe brune sur mon perron. Je suis allée me garer à l'arrière. Moteur coupé, j'ai entrebâillé ma porte.

Chant de grillons et circulation sur Queens Road, c'est tout.

J'ai piqué un sprint jusqu'à la porte de la cuisine. Une fois à l'intérieur, j'ai de nouveau tendu l'oreille. Et Boyd qui n'était plus là!

À part le ronron du réfrigérateur et le tic-tac de la pendule de grand-mère sur la cheminée du salon, rien ne rompait le silence.

J'étais sur le point d'appeler le chat quand il s'est encadré dans la porte, étirant une patte arrière, puis l'autre.

— Quelqu'un est venu en mon absence, Birdie ?

Il s'est assis et m'a dévisagée de ses yeux jaunes tout ronds. Puis, il s'est léché une patte, l'a passée derrière son oreille droite et a répété l'opération.

— Évidemment, tu te fiches bien des intrus.

Passant dans le salon, je suis allée coller mon oreille à la porte d'entrée, sous l'œil curieux de Birdie. D'un même mouvement, j'ai tourné la poignée et reculé d'un pas. Personne dehors. Vite, le paquet ! J'ai refermé la porte à clef en toute hâte.

Birdie m'observait poliment.

Mon nom sur l'enveloppe. Des anglaises tracées par une main féminine. Pas d'adresse d'expéditeur.

— C'est pour moi, Birdie.

Pas de réponse.

— Tu sais qui l'a apporté ?

J'ai secoué le paquet.

— Un poseur de bombe n'agirait pas ainsi, j'imagine.

J'ai déchiré un coin de l'enveloppe et glissé un œil à l'intérieur.

Un livre.

J'ai défait le paquet.

Un journal intime avec une feuille de papier à lettres couleur pêche, scotchée sur la couverture en cuir. Même écriture que mon nom sur l'enveloppe.

Mes yeux sont descendus jusqu'à la signature.

Marion Louise Willoughby Veckhoff.

Chapitre 26

Docteur Brennan,

Je suis une femme âgée et inutile. Je n'ai jamais travaillé de ma vie ni occupé de fonction officielle. Je ne laisserai derrière moi ni jardin ni œuvre littéraire. Je n'ai pas davantage de talent pour la peinture ou la musique. Toutefois, j'ai été une épouse fidèle et soumise pendant tout mon mariage. J'ai aimé mon mari et l'ai soutenu sans faillir. Tel était le rôle auquel on m'avait préparée.

Martin Patrick Veckhoff a toujours subvenu aux besoins de sa famille; il s'est montré un père affectueux et un homme honnête en affaires. Pourtant, assise comme je le suis maintenant dans le silence assourdissant d'une autre nuit sans sommeil, des interrogations brûlantes se lèvent et me submergent. Tout un pan de l'homme auprès de qui j'ai vécu presque six décennies me serait-il resté inconnu ? Mon mari cachait-il des choses qui n'étaient pas droites ?

Vous trouverez ici son journal intime. Il le conservait sous clef, mais les épouses ont leurs petites astuces, docteur Brennan; les femmes esseulées ont le temps pour allié. Voilà bien des années que j'ai découvert ce journal. Maintes et maintes fois, je suis revenue à ses pages. J'ai prêté l'oreille à ses histoires, j'ai décortiqué les événements qu'il relatait. Et j'ai gardé le silence.

L'homme tué en se rendant à l'enterrement de Pat s'appelait Roger Lee Fairley. Vous trouverez la date exacte de son décès dans la notice nécrologique que j'ai jointe. Lisez ce journal. Lisez aussi les articles que j'ai rassemblés.

Je ne sais pas ce que tout cela signifie, mais votre visite m'a bouleversée et j'ai passé ces derniers jours à fouiller mon âme. C'est assez. Je ne peux supporter de vivre une nouvelle nuit d'angoisse.

Je suis âgée, ma mort est proche. Je ne vous demande qu'une chose : au cas où mes soupçons se révéleraient fondés, préservez ma fille du déshonneur.

Je vous prie d'excuser ma brusquerie de vendredi dernier.

Avec tous mes regrets,
Marion Louise Willoughby Veckhoff

Ayant vérifié que l'alarme était correctement branchée, je me suis fait une tasse de thé et l'ai emportée dans mon bureau. Armée d'un cahier et d'un stylo, j'ai ouvert le journal. Je trépignais de curiosité.

Une enveloppe était glissée entre les pages. Des articles de journaux soigneusement découpés se sont répandus sur ma table. Sur certains, l'origine était précisée : *Charlotte Observer, Raleigh News & Observer, Winston-Salem Journal, Asheville Citizen-Times, Charleston Post & Courier.* Pour la plupart, des notices nécrologiques, mais aussi des articles de fond célébrant quelque éminent personnage à présent décédé.

Kendall Rollins. Poète. Emporté par la leucémie, le 12 mai 1986. Au nombre des parents, il était fait mention du fils : Paul Hardin Rollins.

Les petits cheveux se sont dressés tout droit sur ma nuque : la F & E comptait un P. H. Rollins parmi ses dirigeants. J'ai noté le fait sur mon cahier.

Roger Lee Fairley. Comme l'avait dit Mᵐᵉ Veckhoff, son petit avion s'était écrasé en Alabama, voilà maintenant huit mois. J'ai recopié son nom et la date du décès. Le 13 février.

L'article le plus ancien relatait l'accident de voiture de 1959 dans lequel Anthony Allen Birkby avait trouvé la mort.

Les autres noms ne me disaient rien ; je les ai quand même ajoutés à ma liste, avec la date du décès.

Maintenant, le journal intime !

La première notation remontait au 17 juin 1935, la dernière à novembre 2000. L'écriture changeait plusieurs fois au fil des pages, comme si plusieurs auteurs s'étaient succédé. Celle qui correspondait aux trois dernières décennies était nerveuse, ramassée, minuscule. Presque indéchiffrable. Un homme bien secret que ce Martin Patrick Veckhoff.

Deux heures durant, je me suis escrimée sur ce texte à l'encre fanée, ne levant le nez que pour jeter un coup d'œil à ma montre. Que fabriquait donc Lucy Crowe pour ne pas me rappeler ?

Le journal ne contenait pas un seul nom propre habituel, uniquement des codes ou des surnoms. Omega. Ilus. Khaffre. Chac. Inti. Un pharaon par ici, une lettre grecque par là. Certaines appellations me disaient vaguement quelque chose ; d'autres, rien du tout.

Il y avait des comptes. Recettes et dépenses. Réparations. Achats. Récompenses. Punitions. Il y avait des récits d'événements. Dîners. Réunions d'affaires. Rencontres littéraires.

À partir du début des années quarante, le système de transcription changeait. Listes de noms de code, suivies de symboles étranges. Les mêmes acteurs apparaissaient d'une année à l'autre, pour disparaître un beau jour et ne plus jamais revenir. Et quand l'un des noms sortait, un nouveau le remplaçait.

J'ai compté les noms. À aucun moment, ils ne dépassaient dix-huit.

Quand je me suis enfin renversée dans mon fauteuil, mon thé était froid et j'avais l'impression qu'on avait mis mon cou à sécher en plein vent sur une corde à linge. Birdie, en boule sur le sofa, dormait du sommeil du juste.

— Bien. Changeons de méthode.

Le chat s'est étiré sans daigner ouvrir l'œil.

J'ai recommencé ma lecture en prenant pour repères les dates de décès indiquées dans les articles de journaux. Une liste de noms de code avait été établie quatre jours après l'accident de Birkby. Le nom de Sinuhe y apparaissait pour la première fois, celui d'Omega n'y figurait plus. Disparu également de toutes les listes suivantes.

Anthony Birkby aurait-il été Omega ?

L'hypothèse méritait d'être retenue.

1986. Nouvelle liste dans les jours qui suivaient la mort de Kendall Rollins. Ici, Mani se substituait à Piankhy.

Mon cœur s'est mis à battre plus vite. J'ai continué, toujours d'après les dates indiquées dans les notices nécrologiques.

1972 : mort de John Morgan. Trois jours plus tard, une liste. Entrée dans la danse d'Arrigatore, sortie d'Itzmana.

1979 : décès de William Glenn Sherman. Cinq jours plus tard, nouvelle liste. De la main de Veckhoff, celle-là. Adieu Rho, bonjour Ometeotl !

À chaque coupure de journal, correspondait une liste de noms de code établie les jours suivants. Et, systématiquement, un nom nouveau venait remplacer un ancien. En comparant les articles et les listes, je suis parvenue à relier les noms codés avec de vrais noms pour toutes les personnes décédées depuis 1959.

A. A. Birkby était Omega. John Morgan, Itzmana. William Glenn Sherman, Rho. Kendall Rollins, Piankhy.

— Tu ferais comment, toi, pour les premières années? ai-je lancé à Birdie.

Mon matou a donné sa langue au chat.

— Dans ce cas, revenons à la première tactique.

J'ai tourné une page blanche dans mon cahier. Chaque fois qu'un code venait en supplanter un autre dans une liste, je relevais la date. Il ne m'a pas fallu longtemps pour comprendre.

En 1943, Ilus avait été remplacé par Omega, alias Birkby. Était-ce l'année où Birkby avait adhéré à la F & E?

En 1949, Narmer succédait à Khaffre. Un pharaon à un autre. Qu'est-ce que c'était que ça? Une loge maçonnique?

Quoi qu'il en soit, ne pas lâcher! Sur chaque liste inscrire l'année correspondante.

1959. 1972. 1979. 1986. Je restais à fixer les chiffres.

Et, brusquement, le déclic! J'ai foncé chercher des notes dans ma serviette.

— Merde!

Trois heures vingt à ma montre. Mais où était donc passée Lucy Crowe?

Dire que j'ai mal dormi reviendrait à dire que Quasimodo était bossu. Je n'ai cessé de me tourner dans tous les sens, frôlant le sommeil sans jamais y entrer pleinement.

Quand le téléphone a sonné, j'étais debout et j'avais eu le temps de trier le linge, de balayer le patio et de couper les rameaux morts des arbustes, en buvant café sur café.

— Vous l'avez?

Je hurlais presque.

— Tu veux bien répéter?

— Je ne peux pas bloquer ma ligne, Peter.

— Ton téléphone a le double appel.

— Qu'est-ce qui se passe pour que tu me téléphones à sept heures du matin ?

— Je dois retourner en Indiana cuisiner mes éléphants.

Il m'a fallu un moment pour comprendre.

— Tu parles des experts d'assurances qui effaçaient les preuves d'incendie sur le toit de l'usine de ton client ?

— Ouais. J'appelle pour te dire que Boyd sera visible au chenil Granbar.

— Mes serviettes ne sont pas assez douces pour son poil ?

— Il ne voudrait pas s'imposer.

— Mais c'est hors de prix, le Granbar !

— Connaissant mon statut social, Boyd s'attend à un certain standing.

— Je devrais réussir à l'amadouer.

— C'est fou ce que tu l'aimes, ce chien ! a dit Peter.

Si quelqu'un sait comment me caresser dans le sens du poil, c'est bien mon ex-mari. J'ai répliqué aussi sec :

— Ce n'est pas parce que c'est un emmerdeur que tu dois dépenser des mille et des cents et me laisser tomber avec trois kilos de pâtée sur les bras.

— Les gens du chenil vont pleurer toutes les larmes de leur corps.

— Ils se remettront.

— Je te le dépose dans une heure.

Nouvelle sonnerie de téléphone, au moment où je nettoyais la poubelle.

Lucy Crowe, frémissante d'exaspération.

— Frank Battle a encore refusé. Je ne pige pas. Il est pourtant raisonnable, d'habitude. Ce matin, il était si furieux que j'ai cru qu'il allait me faire une attaque. J'ai préféré me tirer pour ne pas l'écrabouiller, ce putois !

Je l'ai mise au courant de mes découvertes grâce au journal intime de Veckhoff.

— Vous pourriez retrouver les noms des gens qui ont disparu entre 72 et 79 ?

— Ouais.

Un silence a dévalé les montagnes jusqu'à moi, puis :

— Il y avait une barre de métal près du chalet quand nous y sommes allées ensemble. Par terre, près de la véranda.

— Ah bon ?

Celle que j'avais utilisée pour tenter de forcer le volet !

Seconde pause.

— Dans les crashes, pendant la période de récupération, c'est le shérif local qui a juridiction pour les débris retrouvés à une certaine distance du site.

— Je vois.

— Cela ne concerne que les choses en rapport direct avec l'accident. Des survivants qui se seraient perdus en se sauvant, par exemple. Et qui seraient morts près de cette maison.

— Ou dans la cour entourée de murs.

— Pour l'intérieur des lieux, je ne suis pas habilitée à agir sans mandat.

— Naturellement.

— Or nous avons toujours deux passagers manquants.

— Oui.

— Cette barre de métal, à votre avis, elle ne proviendrait pas de l'avion ?

— C'est peut-être un morceau du plancher de la carlingue.

— C'est bien ce que je me disais. Je vais aller là-bas jeter un coup d'œil.

— Je peux être là vers deux heures.

— J'attendrai.

À trois heures, Boyd et moi étions à l'arrière d'une Jeep conduite par Lucy Crowe. À côté d'elle, un adjoint armé d'un fusil de chasse. Deux autres derrière, à bord d'un second véhicule.

Le chow-chow était aussi excité que moi, même si c'était pour des raisons différentes. Il avait fait tout le trajet depuis Charlotte, la tête à la fenêtre, en remuant sa truffe à la vitesse d'une girouette prise dans un orage tropical. De temps à autre, j'appuyais sur ses cuisses pour le faire asseoir. Il n'obéissait que pour se remettre aussitôt sur ses pattes.

Nous roulions à toute vitesse, au son des grésillements de la radio. Nous avons dépassé la caserne de pompiers d'Alarka. Plus un seul camion frigorifique dans le stationnement, quelques voitures seulement, et une seule voiture de police devant l'entrée. Le chauffeur, plongé dans un journal étalé sur le volant.

Au bout de la route asphaltée, Lucy Crowe s'est engagée sur la voie des Services forestiers, celle où je m'étais garée pour continuer à pied, le jour du crash, voilà trois semaines maintenant. Laissant de côté le raccourci menant au site, elle a parcouru encore un kilomètre avant de bifurquer sur une voie de bûcherons. Après avoir grimpé une distance qui m'a paru des kilomètres, elle s'est arrêtée pour étudier la forêt. Un peu plus loin, même manège, mais cette fois, nous nous sommes enfoncés sous les arbres, suivis par l'autre voiture.

Un chemin truffé d'ornières. La Jeep s'est mise à cahoter et rebondir. Les branches raclaient les flancs et le toit. J'ai vivement ramené mon bras. Boyd s'est recroquevillé comme une tortue sous sa carapace sans cesser pour autant de tourner la tête des deux côtés, en expédiant chaque fois des jets de salive. Au point que l'adjoint en est venu à s'essuyer le cou. Craig, Gregg, comment s'appelait-il, déjà ? a gardé pour lui ses commentaires.

Au bout d'un moment, les arbres se sont espacés jusqu'à former une sorte de layon étroit. Dix minutes plus tard, le shérif est descendu de voiture pour aller déplacer un énorme amas de *kudzu* et de lierre. Ou plutôt une grille, comme j'ai pu m'en convaincre quand nous l'avons franchie. L'instant d'après, le chalet d'Arthur est apparu.

— Que je sois damné si l'endroit est répertorié au 911 ! s'est écrié l'adjoint.

— Il est indiqué comme étant abandonné, a dit le shérif. Je ne savais pas que c'était ici.

Elle a roulé jusqu'à la maison et klaxonné deux fois. Personne ne s'est montré.

— Il y a une cour, là-derrière, a-t-elle expliqué à l'adjoint en désignant du menton la direction. Que George et Bobby aillent en couvrir l'entrée. Nous, nous pénétrerons par-devant.

Ils ont mis pied à terre, libérant d'un même geste le cran de sûreté de leur pistolet. Laissant son subalterne transmettre ses ordres à la seconde voiture, Crowe s'est tournée vers moi.

— Vous restez ici. (Son regard m'a dissuadée d'objecter.) Dans la Jeep, jusqu'à ce que je vous appelle !

J'ai levé les yeux au ciel, mais je n'ai rien dit. Mon cœur tambourinait dans ma poitrine, j'étais encore plus énervée que le chien.

Lucy Crowe a de nouveau klaxonné un long moment, en scrutant les fenêtres du haut. L'adjoint est revenu, sa Winchester en travers de la poitrine. Ensemble, ils se sont dirigés vers la maison et ont monté les marches du perron.

— Ici, le shérif du comté de Swain !

La voix s'est élevée dans le ciel clair.

— Police. Répondez !

Elle a cogné à la porte.

Personne ne s'est montré.

Elle a jeté un ordre. L'adjoint, jambes écartées, a épaulé son arme tandis qu'elle martelait la porte de coups de pied. Pas le moindre jeu entre le chambranle et le battant.

Une phrase à l'adjoint qui lui a répondu, tenant toujours son fusil en joue, puis elle est revenue à la Jeep. Les frisottis carotte qui s'échappaient de son chapeau étaient trempés de sueur. Ayant fouillé à l'arrière, elle s'en est retournée au chalet, lestée d'un pied-de-biche.

Elle a introduit l'outil entre les deux battants d'un volet et pesé de tout son poids. Imitation en plus costaud de ma tentative d'effraction.

Elle a recommencé, avec un grognement à la Monica Seles. Un vantail a cédé légèrement. Enfonçant la barre dans l'interstice, elle a appuyé plus fort. Dans un craquement bruyant, le volet, libéré d'un coup, est parti frapper le mur.

Lucy Crowe a déposé le pied-de-biche par terre. Bras serrés contre le torse pour se protéger des éclats, elle a brisé la vitre d'un seul coup de pied. La véranda s'est couverte de tessons miroitants au soleil. Nouveaux coups de pied pour élargir l'ouverture, rythmés par les jappements excités de Boyd.

Elle s'est redressée, l'oreille tendue, puis a passé la tête à l'intérieur et appelé encore avant de disparaître, arme au poing, happée par l'obscurité. L'adjoint a suivi.

Des siècles plus tard, la porte d'entrée s'est ouverte et, de la véranda, elle m'a fait signe de la rejoindre.

Non sans mal, j'ai mis sa laisse à Boyd. La poignée bien enroulée autour de ma main, j'ai cherché ma lampe de poche dans mon sac. Mes doigts ne m'obéissaient plus, mon sang cognait durement juste en dessous de ma gorge.

— Du calme, toi !

Le doigt, pointé sur le nez du chien.

Il m'a pour ainsi dire traînée jusqu'au sommet des marches.

— Il n'y a personne, a dit Lucy Crowe.

Son visage n'avait pas la moindre expression. Ni surprise, ni dégoût, ni gêne. Impossible de deviner ses sentiments.

— Mieux vaut laisser le chien ici.

Je l'ai attaché à la balustrade. Ma lampe de poche allumée, j'ai emboîté le pas au shérif.

Je m'attendais à une odeur de moisi, cela sentait la fumée et la rouille, avec des relents sucrés.

Église, a décrété mon lobe olfactif après avoir scanné sa base de données.

Église ?

Puis, il a séparé le parfum en deux ingrédients distincts : fleurs et encens.

La porte d'entrée donnait directement dans un salon qui faisait toute la profondeur de la maison. J'ai promené ma lumière d'un bout à l'autre de la pièce, de droite à gauche : canapés, fauteuils, petites tables groupées recouvertes d'un drap. Sur deux des côtés, des rayonnages du sol au plafond.

Une cheminée en pierre occupait tout le mur nord ; un miroir tarabiscoté décorait le mur sud. Dans la glace éteinte, je pouvais voir mon rayon jaune pâle éclairer les housses en tissu et nos silhouettes avancer lentement derrière.

Visite des pièces du bas, l'une après l'autre. Tourbillons de poussière virevoltant dans le faisceau. De temps à autre, une mite affolée traversait l'horizon, comme un animal ébloui par des phares sur une route de campagne. Fusil dressé, l'adjoint fermait la marche. Lucy Crowe tenait son pistolet à deux mains à hauteur de la joue.

Après le salon, un tambour : escalier à droite, salle à manger à gauche, cuisine en face.

La salle à manger avait pour tout mobilier une table rectangulaire parfaitement cirée et des chaises assorties. Huit de chaque côté, plus une à chaque bout. Dix-huit en tout.

La cuisine avait la porte grande ouverte. Évier de porcelaine. Pompe à eau. Fourneau. Un réfrigérateur qui avait célébré plus d'anniversaires que moi.

— Il doit y avoir un groupe électrogène, ai-je dit.

— À la cave, probablement.

Des voix montaient d'en dessous. Les adjoints devaient s'occuper du sous-sol.

Au premier étage, un couloir central coupait la maison en deux, desservant quatre petites chambres à coucher. Chacune avait deux lits superposés faits sur mesure. Au bout du couloir, un petit escalier en colimaçon menait à un troisième niveau. Les combles. Il y avait là deux autres couchettes.

— Nom de Dieu ! a dit Lucy Crowe. On se croirait dans une maison de poupées.

Pour ma part, ça m'évoquait plutôt le culte de la Porte du Ciel à San Diego, mais j'ai tenu ma langue.

Nous redescendions l'escalier à vis quand George, à moins que ce ne soit Bobby, a débouché de l'escalier principal, à l'autre bout du couloir. Rouge et transpirant à grosses gouttes.

— Shérif, faut que vous veniez voir en bas.

— Qu'est-ce qu'il y a, Bobby ?

Une goutte de sueur a dégouliné de son front sur sa joue et roulé jusqu'à son menton. D'un geste saccadé, il a balayé la question.

— Si seulement je le savais !

Chapitre 27

Une volée de marches en bois menait de la cuisine à la cave. Sur ordre du shérif, le policier venu en voiture avec nous est resté en haut tandis que nous descendions à la queue leu leu, Bobby devant, moi au milieu et Lucy Crowe fermant la marche.

George, au pied de l'escalier, faisait tournoyer sa lampe de poche, comme s'il avait pour tâche d'illuminer une scène, un soir de première.

L'air est passé de frais à glacé et l'obscurité, du glauque au noir opaque. Un clic derrière moi, et un rayon a éclairé l'espace devant mes pieds. Le shérif venait d'allumer sa lampe.

Réunis tous en bas, nous avons tendu l'oreille. Aucun bruit d'animal, ni fuite éperdue ni battement d'ailes.

J'ai planté ma lumière au cœur de l'obscurité. Nous nous trouvions dans une grande salle dépourvue de fenêtre, au sol de ciment et au plafond en planches. Trois côtés étaient en maçonnerie. Le quatrième, constitué par le pan de roche contre lequel s'appuyait la maison, était percé au centre d'une lourde porte en bois.

Sensation de tissu sur mon bras pendant que je faisais un pas en arrière. Lampe braquée devant moi, j'ai pivoté d'un coup. Des vêtements rouges, tous identiques, étaient pendus à des chevilles en bois. J'ai remis ma lampe à George pour en décrocher un. Une longue tunique à capuchon, comme en portent les moines.

— Sainte Mère de Jésus !

Léger bruit dans mon dos : Bobby s'essuyait le visage. Ou, alors, il faisait le signe de la croix.

J'ai récupéré ma lampe. Imitant le shérif, j'ai entrepris de fouiller point par point la salle qu'éclairaient George et Bobby.

Il n'y avait aucun des objets qu'on s'attendrait à trouver dans une cave, tels que : établi, planche à outils, instruments de jardin, bac à linge. Pas davantage de toiles d'araignée, de crottes de souris ou de grillons trépassés.

— Rudement propre pour une cave !

Le ciment et la pierre ont renvoyé ma voix en écho.

— Venez voir !

George illuminait un endroit, à la jonction du mur et du plafond.

Un monstre avait surgi de l'obscurité, une sorte d'ours au corps parsemé de bouches ouvertes et sanguinolentes. Au-dessus, une inscription : *Baxbakualanuxsiwae*.

— Francis Bacon ? ai-je lâché, plus pour moi-même qu'à l'intention de mes compagnons.

— Bacon a peint des humains et des chiens qui montraient les crocs, jamais rien de pareil, a répondu le shérif d'une voix assourdie.

Sur le mur voisin, un autre monstre nous dévisageait, un lion à en croire la crinière. Les yeux exorbités et la gueule ouverte, prêt à dévorer le nouveau-né décapité retenu dans ses griffes.

— Mauvaise copie d'un Goya de la série des œuvres « noires », a chuchoté Lucy Crowe. Je l'ai vu au musée du Prado à Madrid.

Ce shérif du comté de Swain est vraiment un être à part, ai-je pensé, mais George s'exclamait déjà :

— C'est quoi, cette horreur ?

— Un dieu grec.

Une troisième fresque représentant un radeau à la voile gonflée par le vent, sur lequel s'entassaient des morts et des mourants à demi tombés dans les flots.

— Un délice ! a commenté George.

Pas de réaction de la part de son chef.

La porte au centre du pan de roche était maintenue par des gonds noirs en fer forgé, scellés dans la pierre. La poignée ronde, en fer elle aussi, était reliée à une barre d'acier verticale fixée à côté du bâti par une chaîne et fermée à l'aide d'un cadenas brillant, visiblement neuf. Des traces de ciment sur le granit confirmaient qu'il s'agissait d'un ajout récent.

— Arrière! a ordonné le shérif.

Nous avons reculé. Dans le mouvement, nos faisceaux se sont élargis, faisant apparaître une phrase gravée sur le linteau.

Fay ce que voudras.

— Du français? m'a demandé Lucy Crowe, en accrochant sa lampe dans sa ceinture.

— Du vieux français, je crois…

— Ces gargouilles vous disent quelque chose?

Un homme et une femme sculptés aux deux bouts du linteau, avec leur nom au-dessus: Harpocrate et Angerona.

— Ça a l'air égyptien.

Le pistolet du shérif a claqué deux fois. Une odeur de cordite s'est répandue dans le sous-sol. Lucy Crowe a tiré sur la chaîne. Le verrou s'est débloqué. Elle a tourné la poignée.

La porte s'est ouverte vers l'extérieur. Un air glacé, imprégné d'odeurs de crevasses, de créatures aveugles et de siècles écoulés dans les entrailles de la Terre, s'est déversé sur nous.

— Il serait peut-être temps de faire venir le chien, a déclaré le shérif.

J'ai regrimpé l'escalier, escaladant les marches deux par deux.

À ma vue, Boyd s'est mis à griffer l'air de ses pattes, ravi d'être invité à participer au jeu et me le prouvant par des bonds et de grands coups de langue sur la main. Rien au rez-de-chaussée n'a paru altérer son bonheur. Au sommet de l'escalier, il s'est raidi contre mon mollet. J'ai rajouté un tour de laisse à mon poignet.

Boyd m'a tirée jusqu'au bas des marches et traînée près du shérif.

À un mètre de la porte, il s'est jeté en avant, pris de folie subite, en aboyant furieusement. Un froid glacé s'est propagé du bas de mon épine dorsale jusqu'au sommet de mon crâne.

— Écartez-le ! a ordonné le shérif.

Attrapant le collier à deux mains, j'ai tiré le chien en arrière et confié la laisse à Bobby. Boyd grognait de plus belle tout en s'efforçant d'entraîner le policier.

J'ai rejoint le shérif. Une sorte de grotte au sol de terre battue s'est révélée à moi, un tunnel creusé dans la roche et bordé de niches sur les côtés. La hauteur au point le plus élevé de la voûte devait atteindre deux mètres, la largeur, un mètre cinquante. La longueur, impossible à dire : au-delà de cinq mètres, c'était le trou noir.

Mon pouls, qui n'avait cessé de s'accélérer depuis que j'étais entrée dans cette maison, en était arrivé à un point critique.

Nous avons avancé avec précaution, sondant de nos lampes de poche le sol, le plafond et les parois. Certains renfoncements n'étaient que des creux, tout au plus des alcôves, d'autres au contraire avaient la taille d'une caverne et étaient fermés par des portes munies de barreaux en fer.

— Des celliers ? s'est demandé tout haut Lucy Crowe d'une voix bizarrement étouffée.

— Il y aurait des rayonnages, vous ne croyez pas ?

— Regardez-moi ça !

Elle éclairait un nom gravé dans la pierre. Il y en avait un autre plus loin, et d'autres encore sur toute la longueur du tunnel.

— Sawney Beane. Innocent III. Moctezuma. Dionysos..., a-t-elle lu à haute voix à mesure que nous avancions. Drôle de compagnonnage : un pape, un empereur aztèque et le dieu des ivrognes !

— Et Sawney Beane, qui est-ce ? ai-je demandé.

— Ma langue au chat...

Son faisceau a soudain illuminé le néant. J'ai reçu son bras tendu en pleine poitrine.

Le sol à nos pieds était plat. Rien n'indiquait un gouffre tout proche.

Un angle. Balançant nos lumières d'un côté à l'autre, nous avons repris la marche à petits pas. Au bruissement de l'air, j'aurais dit que nous étions entrés dans une salle immense et que nous en longions le pourtour.

La litanie des noms se poursuivait. Thyeste, Polyphème. Christie o'the Cleek. Cronos. Aucun ne figurait dans le journal de Veckhoff.

Comme le tunnel, la salle ouvrait sur des niches et des renfoncements, les uns barrés par des portes, les autres non. Exactement en face de l'endroit par lequel nous étions arrivés, se trouvait une porte en bois, semblable à celle qui fermait le tunnel et munie du même système de chaîne cadenassée. Crowe lui a fait subir un sort identique.

Le battant s'est ouvert sur nous. Un froid fétide nous a assaillis. Derrière moi, Boyd aboyait comme un possédé.

L'odeur de putréfaction se manifeste différemment selon la cause de la mort. Elle peut être douceâtre et s'accompagner d'un parfum de poire, d'amande ou d'ail, si on a utilisé le poison ; elle peut être retardée si on a employé un produit chimique ou, au contraire, accélérée si les insectes déploient une activité inhabituelle. Mais, dans tous les cas, elle demeure un miasme nauséabond qui ne laisse place à aucun doute.

De la chair était en train de se décomposer ici. Cette grotte recélait un mort.

Nous tenant au mur comme dans la salle précédente, nous avons entrepris de faire le tour de celle-ci par la gauche. Un mètre cinquante plus loin, ma lampe a fait ressortir une irrégularité du sol. Lucy Crowe l'a aperçue en même temps que moi.

Nous avons rapproché nos faisceaux : la terre, à cet endroit, était moins lisse, plus foncée.

Sans mot dire, j'ai remis ma lampe au shérif et sorti une bêche pliante de mon sac à dos. Accroupie, me retenant à la paroi de la main gauche, j'ai commencé à gratter à l'aide du tranchant.

Lucy Crowe avait rengainé son pistolet et passé son chapeau dans sa ceinture pour braquer les deux rayons de lumière devant mes pieds.

Creuser n'était pas difficile. Il y avait une frontière nette entre la partie tassée et celle retournée. L'odeur de putréfaction augmentait à mesure que je retirais des pelletées.

Au bout de quelques minutes, j'ai heurté quelque chose de mou et de bleu clair.

— On dirait du jean.

Le shérif avait les yeux brillants. Sa peau luisait d'une couleur ambrée dans la lumière jaune pâle.

J'ai agrandi le trou en suivant le tissu délavé. Un Levi's autour d'une jambe toute maigre.

J'ai creusé jusqu'à un pied brun desséché. En angle droit avec la cheville.

— C'est pas ça.

J'ai sursauté.

— Quoi pas ça ?

— Un passager de l'avion.

— Ça, c'est sûr.

— Je ne veux pas avoir de problème. On arrête jusqu'à ce que j'aie un mandat.

Inutile de discuter. La victime qui gisait dans ce souterrain méritait que son histoire soit dite au tribunal. Je ne ferais rien qui puisse entraver le bon fonctionnement de la justice.

J'ai rangé ma bêche dans mon sac à dos, non sans l'avoir tapée contre le mur et nettoyée soigneusement.

En récupérant ma lampe des mains du shérif, le faisceau, en se déplaçant, a fait scintiller quelque chose dans une alcôve plus loin.

— Qu'est-ce que c'est encore ! me suis-je écriée en scrutant le noir.

— On s'en va !

— Tant qu'à faire, autant apporter au procureur le plus de preuves possible.

À tâtons, je me suis dirigée vers l'endroit où avait brillé une lumière. Après une hésitation, le shérif m'a emboîté le pas.

Un gros rouleau gisait au pied du mur. Des rideaux de douche, l'un transparent, l'autre bleu, ficelés avec plusieurs tours de corde. Dans la partie transparente, sous les couches de plastique, on pouvait distinguer des cheveux emmêlés, une chemise rouge à carreaux et des mains ligotées d'un blanc fantomatique. J'ai enfilé des gants et entrepris de dérouler soigneusement le paquet.

Le shérif a eu un hoquet, la main devant sa bouche.

Collé au plastique comme une sangsue géante, un visage pourpre et ballonné, avec des yeux laiteux à demi fermés, des lèvres craquelées et une langue énorme.

Et avec un objet ovale à la base du cou.

J'ai rapproché ma lumière.

Une médaille.

Des gaz se sont échappés avec un sifflement quand j'ai fendu le plastique à l'aide de mon couteau, et une puanteur de chairs décomposées s'est répandue. J'ai senti mon estomac remonter dans ma gorge. Retenant ma respiration, je me suis cramponnée.

Par l'ouverture agrandie, on distinguait clairement un saint sur la médaille en argent, mains pieusement jointes à hauteur de la poitrine. Les lettres de son nom formaient l'auréole. J'ai incliné ma lampe de poche.

Saint Blaise.

George Adair, le pêcheur qui souffrait de la gorge.

J'ai proposé qu'on fasse un saut à High Ridge House. Le shérif a accepté et nous sommes partis, confiant le site à la garde de George et Bobby.

Nous avons arraché McMahon à un match de foot dans la salle de télé. Unissant nos talents, nous avons rédigé une déclaration sous serment, qu'il est allé remettre en main propre à un juge fédéral à Asheville.

Moins de deux heures plus tard, McMahon annonçait à Lucy Crowe qu'un mandat de perquisition lui avait été délivré sur la base que ce crime, vraisemblablement motivé par la haine, avait été commis à proximité d'une réserve et de parcs nationaux sous juridiction fédérale.

Il m'incombait de prévenir l'expert médical.

Je l'ai appelé chez lui. À en croire le bruit de fond, Larke Tyrell suivait également le match de foot.

Ton amical, bien que teinté d'agacement.

Je lui ai exposé les faits sans prendre la peine de l'amadouer ou de lui présenter mes excuses pour l'appeler aussi tard. Lorsque je me suis tue, le silence a duré si longtemps que j'ai cru que nous avions été coupés.

— Larke ?

— Je veux que vous vous chargiez de cette affaire. De quoi avez-vous besoin ?

Une voix radicalement changée.

Je lui ai rapidement dressé une liste.

— Vous voulez utiliser la morgue ?

— Oui.

— Il vous faut des assistants ?

— Qui est toujours là-bas ?

— Maggie et Stan.

Maggie Burroughs et Stan Fryeburg, deux excellents techniciens attachés au bureau de Chapel Hill, que j'avais eus l'un et l'autre comme étudiants dans mon séminaire de récupération des cadavres.

— Qu'ils soient prêts, demain à sept heures.

— Bien reçu.

— Ces morts n'ont rien à voir avec le crash, Larke.

— Je sais, mais ils ont été retrouvés dans mon État.

Nouvelle pause qui s'est éternisée. J'ai entendu un reporter se lancer dans une envolée enthousiaste, puis les encouragements de la foule.

— Tempe, je...

Je n'ai pas cherché à lui faciliter la tâche.

— Cette histoire est allée sacrément trop loin.

J'ai perçu des clic-clic, comme lorsqu'on compose un numéro de téléphone.

Qu'est-ce que ça voulait dire ?

Et puis, merde ! j'avais d'autres chats à fouetter.

Le lendemain, levée à l'aube, j'étais dans le vieux chalet dès sept heures et demie du matin. Les lieux avaient bien changé durant la nuit : un adjoint du shérif montait la garde à la barrière de ronces et deux autres étaient postés devant et derrière la maison. Un groupe électrogène avait été branché et il y avait de la lumière dans toutes les pièces.

À mon arrivée, George aidait McMahon à entasser livres et papiers dans des cartons, tandis que Bobby saupoudrait de poussière blanche le manteau de la cheminée. L'agent spécial m'a lancé un clin d'œil et m'a souhaité bon courage.

J'ai passé les quatre jours suivants à jouer au mineur de fond, descendant à l'aube dans le tunnel pour n'en remonter qu'à la tombée de la nuit, sauf pour une pause à midi, le temps d'avaler un café et un sandwich. Un second générateur avait été installé et des lampes éclairaient *a giorno* mon monde souterrain, de sorte qu'il n'y avait plus de différence entre le jour et la nuit.

Le matin du premier jour, Tommy Albright a débarqué pour examiner et photographier le paquet qui, à coup sûr, renfermait George Adair, et pour ordonner son transport au Harris Hospital de Sylva.

Confiant à Maggie le soin d'étudier la tache de décomposition près du mur de la cour, je me suis consacrée au sol de la grotte, aidée de Stan. Relevé photographique des lieux pour commencer, exhumation du cadavre en prenant soin de noter sa position exacte et la forme de la tombe, et tamisage de la terre retirée.

La victime était allongée à plat ventre sur une couverture de laine grise, un bras plié sous la poitrine, l'autre remonté au-dessus de la tête. Sa décomposition était déjà bien avancée. Les organes n'étaient plus que de la soupe, la tête et les mains presque entièrement réduits à l'état de squelette.

Il fallait dégager tous les restes et les répertorier avant de les transférer dans la housse mortuaire. Le bas de pantalon était en bouchon. Il manquait toute la partie inférieure de la jambe à partir du genou.

Le crâne de la victime présentait des fractures concentriques dans la région tempo-pariétale. Des lignes droites qui partaient en étoile d'un creux central, dessinant sur l'os comme une toile d'araignée.

— On l'a vraiment fait sauter, ce type, a fait observer Stan, interrompant son occupation pour venir examiner la blessure.

— Oui.

Comme toujours dans ces cas-là, je bouillais de fureur. Non seulement le meurtrier avait porté à la victime un coup suffisamment violent pour que le crâne éclate, mais il l'avait ensuite jetée dans un trou, comme un paillis de l'année passée. Quel monstre pouvait agir ainsi ?

Par-delà ma colère, je réfléchissais : malgré son état de putréfaction avancé, ce corps enterré sous quelques centimètres de terre présentait encore trop de chair pour être mort depuis longtemps. Y avait-il d'autres victimes ensevelies là, dans les différentes alcôves ? Il s'agissait d'ouvrir le bon œil !

Le deuxième jour, Maggie est venue nous donner un coup de main. La veille, dans le trou de trente centimètres sur trente qu'elle avait péniblement creusé dans la cour à l'endroit de la tache, elle avait récupéré deux dents.

Laissant à Stan le soin de tamiser la terre extraite du souterrain, j'ai décidé d'ausculter la grotte avec Maggie. Qui sait ? Des traces indiquant une différence de densité du sol nous mèneraient peut-être sur la piste d'autres cadavres. Nous avons répertorié huit endroits suspects, deux dans un même renfoncement, deux dans la salle principale et quatre dans un tunnel en cul-de-sac qui partait à l'ouest de cette salle.

En fin d'après-midi, nous avions creusé une fosse test à chacun des endroits. Rien d'intéressant dans la grande salle, mais des ossements humains dans les six autres emplacements.

J'ai expliqué à Stan et à Maggie la façon dont nous allions procéder. Je demanderais au shérif de l'aide pour photographier les lieux et tamiser la terre ; Stan s'occuperait du renfoncement, Maggie et moi, du tunnel.

Je dirigeais mon équipe avec un détachement de pro, d'une voix calme et d'un air détendu, mais en réalité mon cœur battait à tout rompre. Je vivais mon pire cauchemar, incapable d'imaginer à l'avance de quoi il serait fait. Combien de corps allions-nous encore déterrer ? Et pourquoi avaient-ils été enfouis là ?

J'étais en train d'excaver les deux premiers sites avec Maggie quand une silhouette s'est profilée à l'entrée. Placée à contre-jour, je ne la voyais pas bien. Était-ce un type de l'équipe de transport qui avait une question ?

La silhouette s'est avancée, raide comme un piquet. Larke Tyrell. Je me suis relevée, mais sans aller jusqu'à le saluer.

— Cela fait un temps fou que j'essaie de vous joindre.

— Les journalistes ont tous mon numéro en mémoire.

Il n'a pas insisté.

— On en est à combien ?

— Pour le moment, deux corps en décomposition et deux squelettes. Mais il y a des ossements dans au moins quatre autres sites.

Nous lui avons découvert les squelettes. Tous avaient les membres repliés près du corps.

— On dirait des restes préhistoriques.

— Oui, mais ce n'est pas le cas.

Son regard est revenu vers moi.

— Vous le sauriez.

— Évidemment.

— Au Harris Hospital, ils ne vont pas avoir envie qu'on encombre leur salle d'autopsie. Je vais ordonner le transfert à la morgue spéciale. Elle fonctionnera aussi longtemps que vous en aurez besoin.

Je n'ai pas répondu.

— Vous viendrez y travailler ?

— Naturellement.

— Sinon, tout se passe bien ?

— Ici, oui.

— J'attends votre rapport avec impatience.

— Vous verrez, mon écriture est très lisible.

— Vous serez certainement heureuse d'apprendre que les derniers passagers du vol TransSouth Air ont été identifiés.

— Petricelli et les étudiants de la rangée 22 ?

— Petricelli et un seul étudiant.

— Et l'autre ?

— Celui qui était assis à la 22-B a appelé son père du Costa Rica.

— Il n'était pas sur le vol ?

— Dans la salle d'attente, un homme lui a proposé mille dollars pour sa carte d'embarquement.

— Et il n'a pas jugé nécessaire de se manifester plus tôt ?

— Il était au fin fond de la forêt tropicale, coupé de tout. Ce n'est qu'en rentrant à San José qu'il a entendu parler du crash. Il a laissé passer quelques jours avant d'oser appeler chez lui. De toute façon, c'était cuit, son trimestre était foutu.

— Qui c'est, le type qui a pris sa place ?

— Le plus grand malchanceux de l'univers.

Il a marqué une pause. J'ai attendu.

— Un inspecteur des impôts de Buckhead. On l'a identifié grâce à l'empreinte de son pouce.

Il est resté à me dévisager un très long moment. J'ai soutenu son regard. La tension entre nous était palpable.

— Je sais que le moment est mal choisi, Tempe, mais nous devons parler. Je suis un homme juste, je sais reconnaître mes erreurs. J'ai mal agi à votre égard. Il y a eu des pressions.

— Et des plaintes.

Maggie avait beau s'être faite toute petite, j'ai compris au ralentissement de son outil qu'elle ne perdait pas une miette de la conversation.

— Même les sages ne font pas toujours des choix qui le sont.

Sur ce, il s'en est allé.

Quels choix n'avaient pas été sages ? Les miens, les siens, ceux d'une troisième personne ? Une fois de plus, je me suis demandé ce qu'il avait voulu dire.

Deux autres jours à manier la truelle et à nettoyer des os. Mon équipe creusait et faisait des listes, les adjoints du shérif évacuaient et tamisaient la terre. Ryan m'apportait du café et des beignets, ainsi que des nouvelles sur le crash, et McMahon, qui enquêtait à l'étage au-dessus, m'informait de l'avancement de l'enquête pendant les pauses. Je lui avais remis le journal intime de Veckhoff en lui expliquant comment j'étais parvenue à mes conclusions. Absorbée par mon travail, j'en oubliais les noms gravés dans la pierre et les monstres grotesques peints sur les murs et le plafond. J'oubliais jusqu'aux salles et aux grottes bizarres dans lesquelles j'œuvrais du matin au soir.

En tout, nous avons récupéré huit victimes, la dernière le jour d'Halloween.

Le lendemain, nous devions apprendre qui était l'auteur de l'explosion du vol TransSouth Air 228.

Chapitre 28

J'ai assisté au briefing au Bureau des transports en compagnie de Ryan et de McMahon. Larke Tyrell était là lui aussi, tout au bout de notre rangée de chaises pliantes. L'organisation des secours et les diverses équipes d'enquête occupaient le devant de la salle, les journalistes s'entassaient dans le fond.

Au pupitre, Magnus Jackson illustrait sa conférence de diapos projetées sur un écran derrière lui.

— Le vol 228 a explosé à la suite d'une chaîne d'événements imprévisibles et qui se sont produits dans l'ordre suivant : incendie, explosion, dépressurisation et désintégration en vol. Avant de répondre à vos questions, je vais vous exposer le déroulement des faits, étape par étape.

Il a tapé sur le clavier d'un ordinateur portable et un diagramme de la cabine est apparu à l'écran.

— Le 4 octobre, vers onze heures quarante-cinq, un passager du nom de Walter Lindenbaum s'est présenté au comptoir de la TransSouth Air pour prendre le vol 228. L'agent au sol James Sartore venait tout juste de lancer le dernier appel pour l'embarquement. Selon son témoignage, M. Lindenbaum était extrêmement nerveux et inquiet qu'on ait attribué son siège à un passager en stand-by en raison de son retard.

« Ce passager avait pour bagages deux sacs en toile, un petit et un gros. Comme il ne restait plus de place dans les casiers à bagages au-dessus des têtes, et que le petit sac qu'il voulait prendre avec lui en cabine était trop volumineux pour tenir sous le siège, James Sartore lui a demandé de le poser sur le tapis roulant. M. Lindenbaum a retiré son blouson en laine et l'a fourré dans son sac.

« Par ailleurs, le relevé de la carte de crédit de M. Lindenbaum fait apparaître qu'il a acheté un litre de rhum Demerara, le soir précédant son départ. »

Succession de diapositives à l'écran : reçu de carte de crédit, gros plans d'un sac en toile carbonisé.

— *De tous les objets récupérés après le crash...*, a martelé Jackson tout en balayant l'assistance d'un regard dur, *seuls le sac de Lindenbaum et son contenu* présentent des marques de brûlures géométriques, signe que la combustion s'est propagée symétriquement et qu'elle était plus importante à l'intérieur qu'à l'extérieur du sac.

Il a braqué son rayon laser sur les dessins géométriques.

— Nous tenons de la famille de Walter Lindenbaum qu'il fumait la pipe et avait pour habitude, en pénétrant dans un lieu non-fumeurs, de la ranger dans sa poche pour la rallumer plus tard. Tout porte à croire qu'il y avait une pipe mal éteinte dans la poche du blouson quand celui-ci s'est retrouvé dans la soute.

Un murmure a parcouru la salle. Des mains se sont levées, des questions ont fusé, lancées d'une voix forte. Jackson a continué à faire défiler les images : vêtements brûlés, étalés puis repliés.

— Là, dans la soute, des brins de tabac embrasés et de la cendre chaude se sont échappés du culot et ont communiqué la combustion incandescente aux autres objets en tissu se trouvant dans le sac, produisant ce que nous appelons un point chaud.

Nouvelles photos de fragments de toile et de vêtements brûlés.

— Je répète : nulle part, sur aucun autre article récupéré après le crash, nous n'avons trouvé trace de brûlures géométriques. Aucun événement susceptible de s'être produit en vol, après l'explosion, ne peut expliquer la présence de telles marques sur des vêtements pliés à l'intérieur d'un sac. C'est la preuve incontestable qu'il y a eu combustion lente. Je n'entre pas dans les détails, vous trouverez toutes les explications dans le communiqué de presse.

L'image suivante représentait des tessons de verre couverts de suie.

— La bouteille de rhum de M. Lindenbaum. Comme les affaires dans le sac n'étaient pas tassées, la fumée s'est répandue à une température correspondant à celle de cette combustion confinée, c'est-à-dire supérieure à celle de la bouteille et de son contenu, qui ne sont ni l'un ni l'autre impliqués dans le processus. La bouteille ne s'est pas cassée. De la fumée s'est déposée sur le verre. Les dépôts que vous avez sous les yeux ont été analysés par notre laboratoire. Les produits de décomposition qu'on y a trouvés confirment que la combustion a bien débuté à l'endroit indiqué. De plus, des dépôts de fumée provenant de la combustion de ce tabac bien précis ont été retrouvés sur la bouteille parmi d'autres traces. Le fait a pu être prouvé de façon d'autant plus formelle que le laboratoire d'analyses a pu disposer, comme éléments de comparaison, de brins intacts récupérés dans le culot de la pipe.

Jackson a fait apparaître un nouveau diagramme de l'avion.

— Dans les Fokker 100, le réseau de canalisations reliant les réservoirs de carburant, situés dans les ailes, aux moteurs, qui se trouvent à l'arrière, passe entre le plancher de la cabine et le plafond de la soute.

Après en avoir illuminé le parcours à l'aide de son stylo laser, il a tapé une commande sur son clavier. Gros plan à l'écran, puis zoom sur un raccord de tuyau.

— L'équipe des structures a trouvé sur un raccord, là où le tuyau de carburant traverse la cloison à l'arrière de la soute, une fissure de fatigue provenant selon toute vraisemblance d'un mauvais ajustement lors du montage. Fissure qui a joué le rôle de source de contrainte.

L'image agrandie d'une craquelure aussi fine qu'un cheveu a rempli l'écran.

— Sous l'effet de la chaleur dégagée par la combustion incandescente à l'intérieur du sac, cette fissure s'est élargie, permettant à une quantité infime de carburant de se disséminer dans la soute sous forme de vapeur.

Il a fait apparaître un gros morceau de bâti métallique, sale et décoloré.

— Cette décoloration, parfaitement visible sur une portion de tuyau à l'endroit de la fissure, prouve bien qu'il y a eu localement dégradation thermique. Passons maintenant à la simulation.

Cliquettement des touches. L'écran est devenu blanc avant d'être envahi par une image de synthèse représentant un F-100 en vol. En haut de l'écran, un indicateur de temps s'est mis à clignoter à intervalles d'une seconde.

Plan du sac de Lindenbaum vu de dessus, tout en haut de la pile de bagages à l'arrière de la soute, côté gauche, juste en dessous des sièges 23-A et 23-B. De rose clair, l'image est passée au saumon pour devenir rouge sang. Au fur et à mesure, une boule glacée s'est formée au creux de mon ventre.

— Premier stade de l'inflammation : la combustion incandescente à l'intérieur du sac, enchaînait Jackson.

De petites particules bleutées ont commencé à s'en échapper.

— La fumée.

Une brume fine et transparente se formait peu à peu.

— La pression est identique dans la soute et dans la cabine. Cela veut dire que l'air contient une proportion d'oxygène adéquate pour la combustion, et aussi que cet air est chaud et circule librement, là en bas.

La brume s'est dispersée lentement. Du rouge a coloré les extrémités du sac.

— La fumée, au départ confinée, a fini par s'échapper. À la longue, la chaleur a permis le percement de la toile et il y a eu alors développement, à l'extérieur du sac, d'une combustion vive laminaire qui a mis le feu aux bagages voisins en dégageant une intense fumée.

De minuscules points noirs sont apparus sur un tuyau de carburant qui courait le long de la cloison intérieure de la soute. Tétanisée, je les ai regardés se multiplier et retomber lentement, quand ils n'étaient pas entraînés dans le mouvement de l'air.

— C'est alors qu'a débuté le deuxième stade de l'inflammation. Au début, quand le carburant s'est échappé du tuyau, c'était en quantité si infime qu'il s'est vaporisé et mélangé à l'air. Mais, en se répandant, cette vapeur, qui est plus lourde que l'air, est retombée. À ce point des choses, l'odeur était présente et facilement détectable.

Des traces bleues sont apparues dans la cabine.

— De la fumée s'est infiltrée dans la carlingue par les conduits de ventilation, les bouches de chauffage ou d'air conditionné, et, ensuite, à l'extérieur de l'appareil par la valve de sortie du système de pressurisation.

J'ai pensé à Jean Bertrand. Avait-il senti l'odeur ? vu la fumée ?

Subitement, il y a eu un éclair à l'écran. Du rouge a jailli du sac de Lindenbaum, et le fond de la soute s'est déchiqueté, laissant apparaître un trou.

— Vingt minutes et vingt et une secondes après le décollage, les émanations de carburant ont atteint un faisceau de câbles électriques comportant, apparemment, des fils dénudés. Un court-circuit s'est produit. En a résulté une mise à feu. La détonation a été à ce point assourdissante qu'on l'entend même sur la bande des conversations dans le cockpit.

Je me suis rappelé ce que m'avait raconté Ryan après avoir entendu cet enregistrement, les pilotes échangeant leurs dernières phrases, leur voix angoissée. J'ai ressenti toute leur impuissance.

— Coupure générale du circuit.

Et les passagers ? Avaient-ils eu conscience du choc, entendu l'explosion ? Avaient-ils compris qu'ils allaient mourir ?

— Le souffle de la première explosion s'est propagé depuis la soute pressurisée vers la partie de fuselage non pressurisée qui se trouve de l'autre côté de la cloison étanche. Les paquets d'air qui se sont engouffrés alors ont commencé à déchiqueter l'appareil. À ce moment-là, une plus grande quantité de carburant s'est échappée du tuyau. En a résulté une combustion vive dans la soute.

À l'écran, des parties de l'avion commençaient à se détacher. Jackson les a énumérées au fur et à mesure.

— Le revêtement du fuselage arrière. Les aérofreins.

Un silence de mort régnait sur la salle.

— L'air est ensuite remonté dans l'empennage vertical et il en a délogé le stabilisateur horizontal et les élévateurs.

L'image de synthèse montrait l'avion piquant du nez et fonçant vers le sol, la cabine toujours intacte. Jackson a tapé sur son clavier, l'écran a viré au blanc.

Dans l'assistance, plus personne ne respirait ni ne faisait un geste. Les secondes ont passé. J'ai cru entendre un sanglot, peut-être n'était-ce qu'un soupir. Puis quelqu'un a toussé et les questions ont fusé.

— Monsieur Jackson…

— Pourquoi n'y avait-il pas de détecteur de fumée…

— Monsieur Jack…

— Combien de temps…

— Je répondrai aux questions, une par une.

Il a désigné une dame portant de grosses lunettes en écaille à la Buddy Holly.

— Combien de temps faut-il pour que la température dans un sac atteigne le point de combustion ?

— Nous parlons ici d'incandescence, c'est-à-dire d'une combustion de type rougeoyant qui se produit quand la petite quantité d'oxygène présente entre en contact avec un solide, tel que du charbon ou des braises. C'est une combustion sans flammes. Dans un espace réduit comme l'intérieur d'un sac, cette incandescence peut se former rapidement et se maintenir à une température de 250-300 °C.

Il a pointé le doigt sur un autre journaliste.

— Comment la bouteille de rhum a-t-elle pu supporter une telle chaleur sans exploser ?

— C'est très simple. À l'autre bout du domaine de température, l'incandescence peut atteindre une température allant jusqu'à 600-800 °C, c'est-à-dire celle du tabac dans une pipe ou d'une cigarette allumée. Cette température n'est pas assez élevée pour altérer une bouteille en verre contenant un liquide.

— Et les dépôts de fumée restent sur la bouteille ?

— Oui, à moins d'être soumis à un feu très intense et prolongé. Ce qui n'a pas été le cas puisque la combustion s'est produite à l'intérieur d'un sac.

Magnus a pointé une autre personne.

— Et les marques de fatigue sur le métal ont également survécu à l'incendie ?

— Pour que de l'acier fonde, il faut une température d'au moins 1 400 °C. Les marques que nous avons ici, qui

sont des preuves de fatigue typiques, supportent généralement des feux de cette intensité.

Il a invité un reporter du *Charlotte Observer* à poser sa
question.

— Est-ce que les passagers savaient ce qui se passait ?

— Ceux assis près de l'endroit où le feu a pris ont bien
évidemment senti le choc. Quant à l'explosion, tout le
monde a dû l'entendre.

— Et la fumée ?

— De la fumée a dû s'infiltrer dans la cabine par les
bouches de chauffage et d'air conditionné.

— Les passagers sont restés conscients tout le temps ?

— Ce type de combustion s'accompagne parfois de gaz
délétères qui affectent les humains très rapidement.

— C'est-à-dire ?

— Dans les quatre-vingt-dix secondes, indépendam-
ment de l'âge.

— Et ces gaz ont pu pénétrer dans la cabine ?

— Oui.

— A-t-on retrouvé des traces de fumée ou de gaz délétères chez les victimes ?

— Oui. Le Dr Tyrell vous en parlera dans un instant.

— S'il y a eu tant de fumée, comment pouvez-vous être
certain de l'origine des dépôts sur la bouteille ? est intervenu
un jeune homme qui n'avait pas l'air d'avoir plus de seize ans.

— On a retrouvé des fragments de la pipe de Lindenbaum. L'analyse des brins de tabac intacts retrouvés dans le
culot a confirmé que la fumée sur la bouteille était bien un
produit de la combustion de ce tabac.

— Comment une fuite de carburant a-t-elle pu se produire ?

Question criée du fond de la salle.

— Quand le feu a pris dans la soute, les flammes n'ont
atteint qu'une partie du tuyau de carburant. La chaleur a
dilaté la paroi de cette partie de tuyau ou lui a fait subir une
tension qui a très légèrement ouvert l'amorce de fissure.

Jackson a désigné un type qui ressemblait à Dick Cavett
et en avait la voix.

— Vous nous dites que le feu initial n'a pas directement
provoqué l'explosion, c'est bien ça ?

— Oui.

— Dans ce cas, qu'est-ce qui l'a provoquée ? a demandé le journaliste d'une voix insistante.

— Le court-circuit. Ça a été l'étape n° 2 dans le processus d'inflammation.

— Vous en êtes sûr à cent pour cent ?

— Nous avons de bonnes raisons de le croire. Quand une étincelle électrique déclenche une explosion, l'énergie dégagée n'est pas dissipée, elle doit rejoindre obligatoirement la terre. Des détériorations provoquées par ce phénomène ont été identifiées sur cette même portion de tuyau. Les dégâts de ce type s'observent d'habitude sur les objets en cuivre. C'est assez rare sur des pièces en acier.

— J'ai du mal à croire que le feu dans le sac ne soit pas à l'origine de l'explosion, a répliqué Cavett sans chercher à cacher son doute. Ce serait plus normal, non ?

— Votre remarque est justifiée, et c'est d'ailleurs ce que nous avons cru au début. Mais, voyez-vous, à une aussi courte distance de la source d'émission, les vapeurs ne s'étaient pas suffisamment mélangées à l'air. Or c'est une condition indispensable pour que la mise à feu puisse avoir lieu. Quand le processus se produit, il s'accompagne d'une explosion assourdissante.

Une nouvelle main a été désignée.

— L'analyse a été conduite par des spécialistes agréés en incendie et détonique ?

— Oui. On a fait appel à des experts de l'extérieur.

Un autre reporter s'est levé.

Quatre-vingt-huit personnes étaient mortes parce qu'un passager avait eu peur de rater son avion. Un oubli banal avait dégénéré en tragédie. J'ai regardé ma montre. Le shérif devait m'attendre. Je me suis glissée hors de la salle, dans un état proche de l'engourdissement. D'autres victimes avaient besoin de mes services, et leur mort à elles n'était pas due à une faute d'inattention.

Les camions frigorifiques avaient quitté la caserne d'Alarka. Le stationnement n'accueillait plus que les véhicules de pompiers qui n'avaient pas encore réintégré leur emplacement au garage et les voitures des gens chargés de me seconder. À l'entrée, il n'y avait plus qu'un garde relevant des services du shérif.

Lucy Crowe était déjà là. Me voyant arriver, elle s'est extirpée de sa voiture et a attrapé une petite mallette en cuir. Le ciel était couleur d'étain et le vent froid qui dévalait de la montagne s'en prenait aux bords de son chapeau, le remodelant à sa guise autour de son visage.

Nous sommes entrées dans ce qui était à présent une morgue bien différente. Stan et Maggie étaient en train de disposer des ossements sur les tables où, il y a encore si peu de temps, on autopsiait les restes des victimes du crash. Sur quatre autres tables, des boîtes en carton attendaient leur tour.

Ne prenant que le temps de saluer mon équipe, je me suis dirigée vers le poste de travail dont j'avais fait mon bureau. Retirant ma veste, j'ai enfilé un sarrau, laissant Lucy Crowe prendre place dans le fauteuil des visiteurs et sortir des dossiers de sa mallette à fermeture éclair.

— Pour l'année 1979, néant. Les disparus ont été retrouvés. Mais j'en ai toujours deux qui manquent pour 1972.

Elle a ouvert la première chemise.

— Mary Francis Rafferty, une Blanche de quatre-vingt-un ans qui vivait seule du côté de Dillsboro. Un samedi, comme toutes les semaines, sa fille est allée la voir mais ne l'a pas trouvée chez elle. On ne l'a pas revue depuis. On pense qu'elle s'est perdue et qu'elle est morte de froid.

— Ça s'est déjà vu, et plus d'une fois.

Chemise suivante.

— Sarah Ellen Deaver. Race blanche. Dix-neuf ans. Partie de chez elle pour aller à son travail, un dépanneur sur la route 74.

— Je ne pense pas que nous ayons cette demoiselle avec nous. Tommy Albright vous a communiqué les résultats de ses analyses sur le corps retrouvé dans la grotte?

— C'est George Adair.

— Grâce à l'analyse dentaire? ai-je demandé.

— Oui.

Pause.

— Le cadavre de la première niche n'avait pas de pied gauche, vous vous rappelez? La fille de Jeremiah Mitchell a cru reconnaître des habits. Nous allons effectuer des analyses à partir du sang d'une de ses sœurs.

— Je sais, Albright m'a demandé de faire un prélèvement osseux et Tyrell a promis d'accélérer les choses. Vous avez vérifié, pour les autres dates?

— Des disparus de 1986, Albert Odell est le seul à ne pas avoir été retrouvé.

— Le pomiculteur?

— Nous avons le nom de son dentiste.

— Ils ne sont pas nombreux à conserver les dossiers vieux de plus de dix ans.

— Cet après-midi, j'irai à Lauada, voir ce qu'il a chez lui. Ce Dr Welch ne m'a pas l'air d'être l'ampoule la plus brillante du chapiteau.

— Et les autres disparus? ai-je demandé, me doutant à l'avance de la réponse.

— Ça sera plus dur. Plus de cinquante ans ont passé pour Adams et Farrell, et plus de quarante pour Tramper.

Elle a sorti trois chemises de sa mallette et les a posées sur mon bureau.

— C'est tout ce que j'ai pour l'instant, a-t-elle dit en se levant. Je vous tiendrai au courant si j'apprends quelque chose chez le dentiste.

Lucy Crowe partie, je me suis plongée dans l'étude des dossiers. Celui de Tucker Adams ne renfermait que les articles de journaux que j'avais déjà lus.

Celui d'Edna Farrell contenait des notes manuscrites datant de l'époque des faits, notamment une déposition de Sandra Jane Farrell sur les activités de sa mère, les jours précédant sa disparition. Edna, y était-il dit, avait le visage « en biais », à la suite d'une chute de cheval dans sa jeunesse. Voilà qui était déjà un peu mieux. Il y avait aussi un cliché noir et blanc à bords découpés. Bien que l'image soit floue, l'asymétrie faciale apparaissait nettement.

— Pauvre Edna, la route aura été bien longue.

Le dossier Charlie Wayne Tramper comportait également des photos, mais presque aucun document manuscrit.

Les jours suivants ont ressemblé à s'y méprendre à mes premiers jours de travail sur les victimes du crash. Lieu: la caserne de pompiers d'Alarka. Durée : la journée entière. Occupation : tri des ossements, détermination du sexe et de la race, évaluation de l'âge et de la taille, recherche d'éventuelles traces de blessures, de maladies, de particularités congénitales ou de déformations articulaires dues à des gestes répétés. Objectif : établir pour chacun des squelettes le dossier le plus complet possible malgré l'absence de chair.

Autre point commun avec le crash : connaître l'identité des victimes, le journal intime de Veckhoff me tenant lieu de liste des passagers.

Cela dit, il y avait une différence : le nombre des victimes. Pour le crash, on avait affaire à une multitude ; ici, à quelques personnes seulement, j'en étais convaincue. Et ce, à cause de la correspondance entre les dates où les listes de noms codés étaient établies et celles auxquelles des vieux de la région avaient disparu. En l'occurrence : Tucker Adams, 1943 ; Edna Farrell, 1949 ; Charlie Wayne Tramper, 1959 ; Albert Odell, 1986.

Partant du principe que les quatre tombes du tunnel devaient être les plus anciennes, c'est par elles que nous avons commencé. Laissant Stan et Maggie nettoyer, trier et numéroter les ossements pour ensuite les photographier et les radiographier, je me suis consacrée à l'analyse proprement dite.

L'identification d'Edna Farrell ne m'a pas pris longtemps, le squelette n° 4 étant celui d'une dame âgée dont la pommette droite et ce même côté de la mâchoire déviaient nettement vers le centre, en raison d'une fracture mal réduite.

Le squelette n° 5 était incomplet : lui manquaient des parties de la cage thoracique, les bras et le bas des jambes. De plus, il présentait d'importants dégâts, probablement dus à une intervention animale. D'après les os pelviens, il s'agissait d'un homme âgé. D'origine amérindienne, selon toute vraisemblance, à en juger d'après le crâne oblong, les pommettes hautes et le chevauchement des dents. L'analyse statistique classait aussi le crâne dans la catégorie mongoloïde. Était-ce Charlie Wayne Tramper ?

Le squelette le plus détérioré, le numéro 6, était celui d'un homme âgé de type caucasien, n'ayant plus une seule dent à l'heure de sa mort. En dehors de sa taille, plus d'un mètre quatre-vingts, ses os ne m'ont rien appris. Tucker Adams ?

Le squelette étiqueté n° 3 appartenait à un homme âgé ayant subi un bon nombre de fractures, toutes bien remises : nez, maxillaire supérieur, cage thoracique — troisième, quatrième et cinquième côtes —, péroné droit. Le crâne étroit et long, l'arête du nez en forme de tente militaire, les fosses nasales en pente douce et le prognathisme suggéraient l'origine noire. Conclusion à laquelle a également abouti le logiciel Fordisc 2,0. Ce devait être l'homme qui avait disparu en 1979.

Après quoi, je suis passée aux squelettes découverts dans la même salle que Mitchell et Adair.

Le numéro 2, celui d'un homme âgé de race blanche, présentait des signes d'arthrose à l'épaule droite et au bras droit, indiquant un fréquent lever du bras plus haut que la tête. Cueillette de pommes ? Possible, d'autant que l'état de conservation des os me portait à croire que cette victime était morte depuis moins longtemps que les autres. Serait-ce Albert Odell, le pomiculteur ?

Le squelette n° 1 appartenait à une vieille femme de race blanche, atteinte d'arthrose avancée et n'ayant plus que sept dents. S'agissait-il de Mary Francis Rafferty, la dame que sa fille n'avait pas trouvée chez elle, à Dillsboro, en 1972 ?

Le samedi, en fin d'après-midi, tous les ossements avaient récupéré leur identité sans aucun doute possible, et ce, grâce au shérif qui m'avait procuré le dossier dentaire d'Albert Odell, et grâce aussi au révérend Luke Bowman qui s'était rappelé à bon escient que Tucker Adams mesurait plus d'un mètre quatre-vingt-dix.

Quant à la façon dont tous ces gens étaient morts, j'avais ma petite idée sur la question.

Je m'apprêtais à rentrer chez moi quand Tommy Albright m'a appelée. Il voulait savoir si j'avais trouvé moi aussi des fractures de l'hyoïde sur d'autres squelettes.

L'hyoïde est un os de petite taille en forme de fer à cheval, situé dans les chairs du cou, tout en haut de la mâchoire inférieure. Chez les personnes âgées, qui ont souvent les os fragiles, il suffit d'en comprimer les ailerons pour qu'il se brise. Compression provoquée le plus souvent par un étranglement.

— Sur cinq des six squelettes, ai-je répondu.

— Mitchell aussi a une fracture à l'hyoïde. Il a dû se débattre comme un beau diable quand on a voulu l'étrangler. Voyant qu'ils n'y arriveraient pas, les agresseurs lui auront défoncé le crâne.

— Et Adair?

— Son hyoïde est intact, mais j'ai relevé des marques d'hémorragie pétéchiale.

Les pétéchies, signe manifeste d'asphyxie, sont de minuscules caillots de sang qui font comme des petits points dans les yeux et la gorge.

— Qui diable voudrait étrangler des vieux?

Je n'ai pas répondu. J'avais remarqué d'autres traumatismes sur les squelettes. Des traumatismes qui me laissaient perplexe et dont je n'avais pas envie de parler tant que je n'en saurais pas davantage.

Quand il eut raccroché, je me suis penchée sur le squelette n° 4 pour étudier ses os des cuisses à la loupe.

Oui. Il y avait bien des traces.

J'ai pris alors les fémurs de tous les squelettes et les ai observés au microscope.

Toutes les diaphyses de la jambe droite sans exception présentaient de minuscules rainures sur la partie proximale, se prolongeant sur toute la longueur des *linea aspera*, ces arêtes rugueuses situées à l'arrière de la jambe, là où le muscle se rattache à l'os. Et il y avait d'autres entailles, horizontales, au-dessus et en dessous des articulations. Les marques variaient en nombre d'une victime à l'autre, mais elles se répartissaient de façon identique chez tout le monde.

J'ai remonté le verre du microscope le plus haut possible et j'ai fait le point. Les rainures sont apparues sous forme de crevasses à bords nets, se rejoignant en V.

Des marques de découpe.

J'en avais déjà vu sur des os, mais seulement dans des cas de démembrement. Or, en dehors de Charlie Wayne Tramper et de Jeremiah Mitchell, tous ces individus avaient été enterrés entiers.

Comment expliquer la chose ? Et pourquoi seul le fémur droit portait-il ces marques ? Mais… N'y en avait-il que sur le fémur droit ? J'étais sur le point de réexaminer tous les os un par un quand Andrew Ryan a fait irruption dans la pièce.

Maggie, Stan et moi avons levé le nez, ébahis.

— Vous avez écouté les infos ?

Il était rouge et transpirait, malgré la fraîcheur.

Nous avons tous les trois secoué la tête.

— Le vice-gouverneur a été retrouvé mort, il y a trois heures de ça !

Chapitre 29

— Mort ?

Les émotions se bousculaient en moi. Ahurissement, pitié, colère, inquiétude.

— Comment ?

— Chez lui, d'une balle dans la tête. C'est un de ses assistants qui l'a découvert.

— Suicide ?

— Ou mise en scène.

— Tyrell le remplace ?

— Oui.

— La presse est au courant ?

— Tu parles ! Ils te mangeraient dans la main pour avoir des renseignements.

À l'idée que les journalistes allaient un peu me laisser tranquille, j'ai éprouvé du soulagement. Et de la culpabilité aussi, pour penser d'abord à moi-même alors qu'un homme était mort.

— La nouvelle a été classée « secret défense ». Un plan de guerre du Pentagone, c'est de la petite bière à côté.

— Il a laissé une lettre d'explication ?

— Non. Et chez vous, quoi de neuf ? a enchaîné Ryan en désignant les tables d'autopsie.

— Tu as un moment ?

— L'enquête sur le crash ayant conclu à l'étourderie d'un voyageur et à une défaillance mécanique, je suis libre comme l'air, a-t-il répondu en écartant les bras.

Dix-neuf heures quarante-cinq à l'horloge murale. J'ai dit à Stan et à Maggie de rentrer chez eux. Entraînant Ryan dans mon poste de travail, je l'ai mis au courant de mes déductions grâce au journal intime de Veckhoff.

— Tu veux dire que des vieux pris au hasard étaient assassinés tout de suite après que des notables passaient l'arme à gauche ?

Il avait du mal à dissimuler son doute.

— Oui.

— Sans que personne ne remarque rien ? !

— Ça ne s'est pas produit assez souvent pour qu'on y voie un phénomène systématique. Et comme c'était chaque fois des personnes âgées qui disparaissaient, cela ne faisait pas beaucoup de vagues.

— Et ce « Bonne nuit, les p'tites vieilles » aurait perduré pendant tout un demi-siècle ?

— Et même plus.

C'était complètement absurde, je le savais et cela m'énervait. D'où ma remarque acerbe :

— Pourquoi les p'tites vieilles ? Les p'tits vieux aussi !

— Les tueurs auraient utilisé le chalet d'Arthur pour se débarrasser des corps ?

— Et pas seulement pour ça.

— Une sorte de société secrète, où chacun avait un nom de code ?

— Pas *avait*, *a* ! ai-je rétorqué sur un ton cinglant.

Silence de Ryan. Puis :

— Tu veux parler d'un culte ?

— Non… Oui… Je ne sais pas. Je ne crois pas. Mais je pense que les victimes servaient pour un rituel.

— Qu'est-ce qui te fait dire ça ?

— Suis-moi.

Le menant de table en table, je lui ai montré des détails bien précis sur les squelettes, avant de l'asseoir au microscope et de faire le point sur le fémur droit d'Edna Farrell. Puis sur celui de Tucker Adams. Après, celui de Rafferty. Et enfin celui d'Odell.

Mêmes entailles, même répartition sur l'os. On se trouvait bien en face d'un modèle. Indéniablement.

— Qu'est-ce que c'est ?

— Des marques de découpe.

— Faites au couteau ?

— En tout cas, à l'aide d'un outil pourvu d'une lame aiguisée.

— Tu en conclus quoi ?

— Je ne sais pas.

Silence de Ryan, impassible. Léger cliquetis des os reposés l'un après l'autre sur les tables d'acier.

Nouveau cliquetis, plus sonore celui-là : mes talons sur le carrelage tandis que j'allais me laver les mains à l'évier, puis me changer dans mon poste de travail.

Quand je suis revenue dans la salle, Ryan était penché sur le squelette d'Albert Odell, le pomiculteur.

— Alors, comme ça, tu les as tous identifiés ?

— Sauf le monsieur là-bas.

J'ai désigné le vieux Noir.

— Tu penses qu'ils ont été étranglés ?

— Oui.

— Mais pour quelle raison ?

— Demande à McMahon. C'est le travail de la police.

Ryan m'a suivie dans le stationnement.

— Quel tordu irait attraper des vieux pour les étrangler et ensuite s'amuser avec leurs osselets ? m'a-t-il encore lancé pendant que je me glissais au volant.

La réponse à cette question devait arriver de façon bien imprévisible.

Rentrée à High Ridge House, je me suis préparé un sandwich jambon-salade et suis allée le déguster dans le jardin en compagnie de Boyd. J'ai eu beau lui présenter mes excuses les plus plates pour l'avoir négligé la semaine passée, c'est à peine s'il a daigné remuer ses sourcils quand je lui ai donné les Sunchips et les biscuits au chocolat. Quant à sa langue, il l'a gardée bien rangée dans sa gueule. Visiblement, je l'agaçais.

Regain de culpabilité.

Après avoir offert tout mon sandwich à Boyd, j'ai rempli ses écuelles d'eau et de pâtée en lui promettant une longue promenade demain. Profitant de ce qu'il flairait son Alpo, j'ai pris la poudre d'escampette.

Autre sandwich à la cuisine que j'ai emporté dans ma chambre. Un papier gisait sur le plancher. Vu le mode de distribution, il devait avoir McMahon pour facteur.

Exact. L'agent des forces spéciales me demandait de passer le voir demain au QG du FBI. J'ai englouti mon dîner. Ensuite, bain chaud et coup de téléphone à Jim, un collègue de l'université qui travaille à Chapel Hill. Il était déjà onze heures du soir, mais je connais ses habitudes : jamais de cours le matin, dîner chez lui à six heures, jogging de huit kilomètres et retour au labo d'archéologie jusqu'à deux heures du matin. Sauf quand il fouille, Jim est un oiseau de nuit.

Après les salutations et politesses d'usage, je suis entrée dans le vif du sujet. Il s'est étonné que je lui demande son aide.

— Tu as repris l'archéologie ?

— Ça me change un peu de mon train-train habituel, me suis-je bornée à répondre, restant volontairement dans le vague.

Et de lui décrire les entailles et les stries repérées sur les fémurs des victimes.

— C'est vieux, ton truc ?

— Pas très.

— Ce qui est bizarre, suspect même, c'est qu'il n'y ait ces marques que sur un seul os. Je vais te faxer trois articles que j'ai publiés récemment, ainsi que des photos.

Je l'ai remercié et lui ai communiqué le numéro de la morgue.

— Tu es où ?

— Dans le comté de Swain.

— Tu bosses avec Midkiff ?

— Non.

— J'avais cru comprendre qu'il fouillait dans le coin.

Ensuite, j'ai appelé Katy. Nous avons parlé de ses cours, de Boyd, d'une jupe qu'elle avait vue dans le catalogue *Victoria's Secret* et du projet de plage pour *Thanksgiving*. J'ai passé sous silence les meurtres et mon angoisse grandissante.

Après, allongée dans le noir, j'ai visualisé l'un après l'autre les squelettes récupérés dans la grotte. J'avais beau n'avoir jamais vu de mes propres yeux de marques comme celles qu'ils portaient, je savais au fond de moi ce qu'elles signifiaient.

La question était : pourquoi ?

J'ai éprouvé de l'horreur. J'ai éprouvé de l'incrédulité et puis, je n'ai plus rien éprouvé jusqu'à ce que le soleil vienne me caresser le visage : il était sept heures du matin.

À la morgue, les photos et les articles de Jim m'attendaient sur le fax. *Nature, Science* et *American Antiquity.* Je les ai lus tous les trois avant de passer aux photos. Après, j'ai réexaminé tous mes crânes et fémurs en prenant des polaroïds de tout ce qui me paraissait suspect.

Je n'arrivais toujours pas à y croire.

Dans l'Antiquité, oui, chez des peuples antiques. Mais pas dans l'Amérique d'aujourd'hui !

Et soudain... Une connexion entre deux neurones. Vite, appeler le Colorado.

Vingt minutes plus tard, réception d'un nouveau fax.

Je l'ai lu, les mains tremblantes.

Doux Seigneur, j'avais vu juste.

Il était temps d'aller rendre visite à McMahon dans son QG du FBI, à la caserne de pompiers de Bryson City.

Là-bas, comme chez nous à Alarka, les choses avaient bien changé, le crash n'était plus au centre des préoccupations. De l'enquête terroriste, on était passé à l'enquête criminelle.

Le Bureau des transports ayant dégagé les lieux, plusieurs postes de travail avaient été réunis pour former une seule salle où s'affairait toute une escouade tactique. Sur les tableaux, les noms des huit personnes assassinées avaient remplacé ceux des militants extrémistes. Sur l'un, les victimes identifiées : Edna Farrell, Albert Odell, Jeremiah Mitchell et George Adair ; sur l'autre, le Noir inconnu et les gens dont l'identité était encore sujette à caution : John Doe, Tucker Adams, Charlie Wayne Tramper et Mary Francis Rafferty. Chaque nom était suivi de la date de la disparition et de caractéristiques personnelles. La quantité et la nature des informations portées sur les deux tableaux n'étaient en rien comparables.

À l'autre bout de la salle, étaient affichées des photos du chalet. Les combles, la table de la salle à manger, la cheminée de la grande pièce. J'étais plantée devant les fresques du sous-sol quand McMahon est venu me rejoindre.

— De quoi vous mettre le cœur en fête, non ?

— D'après le shérif, ce serait une copie de Goya.

— Exact. *Saturne dévorant ses enfants.* Ça, c'est de Théodore Géricault. Vous connaissez ?

J'ai secoué la tête.

— *Le Radeau de la Méduse.*

— C'est quoi, le sujet ?

— On fait des recherches.

— Et l'ours ?

— Même réponse. On a cherché à partir du nom, mais sans résultat. Pourtant, Baxbakualanuxsiwae, ça ne devrait pas courir les rues.

De l'ongle, il a fait sauter la punaise retenant une liste.

— Vous connaissez quelqu'un, dans ce casting ?

— Ce sont les noms gravés dans le tunnel ?

— Oui. C'est l'agent spécial Ryan qui s'en occupe.

Trois tables pliantes supportant un ordinateur et des boîtes identifiées par date et provenance étaient alignées contre le mur du fond. *Cuisine, tiroir L3. Salon, bibliothèque mur nord.* D'autres cartons étaient empilés sur le plancher.

Un jeune homme en chemisette et cravate travaillait à l'ordinateur. Je l'avais croisé dans le chalet, mais nous n'avions pas été présentés. McMahon y a remédié.

— Roger Rayner, Tempe Brennan.

Rayner a levé le nez de son écran, le temps de m'adresser un sourire.

— On a déjà identifié les plus célèbres, les dieux grecs et romains.

Des légendes expliquaient plusieurs noms : Cronos. Dionysos. Les filles de Minos. Celles de Pellas. Polyphème.

— Le pape et l'empereur aztèque, ça n'a pas été difficile. Mais ces Dasakumaracarita ? Abdal-Latif ? Hamatsa ? (Il lisait les noms en séparant les syllabes.) Z'auraient pas pu s'appeler Sawney Beane ou John Gregg comme tout le monde ? !

Il s'est passé la main sur la tête et ses cheveux se sont hérissés en crête de coq.

— Un anthropologue de votre acabit devrait pouvoir reconnaître un petit quelque chose, une obscure déesse, je ne sais pas, moi ?

Je fixais les noms et mes cellules nerveuses étaient en plein branle-bas de combat.

Hamatsa. Moctezuma. Les Aztèques. Saturne dévorant ses enfants.

— On peut se parler en privé quelque part ?

Ma voix m'a paru bizarrement tremblotante et haut perchée. McMahon m'a lancé un drôle de regard et il m'a précédée dans le bureau voisin.

J'ai pris un moment pour rassembler mes pensées.

— Ce que je vais dire va vous paraître complètement fou. Néanmoins, je voudrais que vous m'écoutiez jusqu'au bout.

Il s'est calé dans son fauteuil, les doigts croisés sur le ventre.

— Les Hamatsas étaient l'élite de la tribu des Kwakiutls du nord-ouest du Pacifique. Pour devenir Hamatsa, le futur initié devait subir un isolement très long.

— Comme pour adhérer aux fraternités ?

— Oui. À force de rester seul dans la forêt, il lui arrivait, pris de folie, d'errer à la lisière des bois en hurlant et de foncer droit sur un village, mordant au bras ou au thorax quiconque avait le malheur de se trouver sur son chemin. Après quoi, il redisparaissait.

McMahon gardait les yeux rivés sur ses mains.

— Quand l'exil touchait à sa fin, on lui faisait parvenir un cadavre momifié, mis à tremper dans de l'eau salée, puis nettoyé et coupé en deux dans le sens de la longueur. L'initié était censé le mettre à fumer afin de le purifier pour le rituel final.

J'ai dégluti.

— Rituel au cours duquel les membres de la confrérie et les aspirants se partageaient le cadavre.

McMahon gardait les yeux baissés.

— Vous connaissez les Aztèques ?

— Oui.

— Eux aussi apaisaient leurs dieux par des rituels au cours desquels on mangeait des êtres humains.

— Vous parlez bien de cannibalisme ?

Les yeux de McMahon acceptaient enfin de croiser les miens.

— Oui, et à grande échelle. Quand Cortés et ses hommes sont entrés dans Tenochtitlán, la capitale de Moctezuma, ils ont découvert des montagnes de crânes sur la grand-place et quantité d'autres empalés sur des piques. D'après les récits, il y en aurait eu plus de cent mille.

Silence de McMahon. Puis :

— Saturne aussi a mangé ses enfants.

— Le cyclope Polyphème a capturé Ulysse et s'est repu de l'équipage.

— Mais que vient faire le pape ?

— Je ne sais pas bien.

McMahon est sorti de la pièce pour revenir l'instant d'après, un papier à la main.

— J'ai dit à Rayner de faire des recherches sur lui.

Il a regardé son papier, en se grattant la tête.

— En attendant, voici ce qu'il a trouvé sur le tableau de Géricault. Le sujet a été inspiré par le naufrage de la frégate française *La Méduse*, en 1816. À ce qu'on dit, les survivants auraient mangé les morts pendant qu'ils dérivaient en mer.

Je m'apprêtais à montrer à McMahon les résultats de mes propres recherches quand Rayner s'est encadré dans la porte pour nous lire ses informations sur le pape.

— Vous n'avez sûrement pas envie d'entendre tout le CV du bonhomme, j'imagine, je ne vais donc vous livrer que les points essentiels. Innocent III est surtout connu pour avoir tenu en 1215 le quatrième concile de Latran, où toutes les stars du monde chrétien de l'époque ont été priées de ramener leurs fesses.

Il a relevé les yeux sur nous.

— Façon de dire. Là, quand ils ont tous été réunis, il a déclaré qu'à partir de maintenant, les mots *Hoc est corpus meum* devaient être entendus au sens littéral. Ordre était donné de croire en la transsubstantiation. C'est l'idée que, pendant la messe, le pain et le vin sont véritablement changés en corps et sang de Jésus-Christ.

Il a encore relevé les yeux pour voir si nous suivions.

— Par là, Innocent décrétait que l'acte était vrai et non pas symbolique. Apparemment, ça faisait plus de mille ans qu'on débattait de la question et il avait décidé de la trancher, une bonne fois pour toutes. À partir de ce jour-là, si un fidèle élevait des doutes sur la transsubstantiation, c'était un hérétique.

— Merci, Rayner.

— Pas de problème.

L'assistant s'est retiré.

— Je ne vois pas le rapport, s'est étonné McMahon.

— Mais si. Innocent III a fait de la cérémonie la plus sacrée du christianisme un acte consistant à manger Dieu réellement. En anthropologie, on appelle ça de l'anthropophagie rituelle.

Vision, sortie de mon enfance : une religieuse en habit, la poitrine barrée d'une croix, les mains blanchies à la chaux.

— Vous connaissez l'origine du mot « hôte » ?

McMahon a secoué la tête.

— *Hostia*. En latin, victime sacrificielle.

— Vous croyez qu'on a en face de nous des marginaux passionnés de cannibalisme ?

J'ai respiré un grand coup pour me donner de l'assurance.

— Je crois que c'est bien pire que ça.

— Pire que quoi ?

D'un même mouvement, nous nous sommes retournés. Ryan avait succédé à Rayner sur le pas de la porte. McMahon lui a désigné un siège.

— Pire que se repaître visuellement de peintures allégoriques, ai-je répondu. Contente de te voir, Ryan. Tu vas pouvoir constater de tes propres yeux que je ne raconte pas n'importe quoi.

J'ai remis à McMahon une des photos que m'avait faxées Jim.

— C'est l'os reconstitué d'une patte de cerf. Les entailles ont été faites à l'aide d'un instrument pointu, probablement un couteau en pierre. Vous voyez, elles se rejoignent là où s'attachent les tendons et les ligaments.

McMahon a passé la photo à Ryan. Je lui en ai donné d'autres.

— Là aussi, ce sont des os d'animaux. Vous noterez que les entailles et les stries sont réparties de façon identique.

Photo suivante.

— Ici, des fragments d'ossements humains. Trouvés dans le sud-est de la France, dans la même caverne que les os d'animaux.

— Le tracé a l'air pareil.

— Il l'est.

— Ce qui signifie ?

— Un démembrement. Une fois débarrassés de leurs chairs, les os sont coupés ou tordus aux articulations.

— C'est vieux, ce truc-là ?

— Ça a dans les cent, cent vingt mille ans. Le site était habité par des Néandertaliens.

— C'est important ?

Je lui ai tendu un nouveau paquet d'images.

— Encore des os humains, mais provenant d'un site près de Mesa Verde, dans le sud-ouest du Colorado.

— De chez les Anasazis ? a demandé Ryan en tendant le bras pour prendre la photo.

— Oui.

— C'est qui, ceux-là ? a lancé McMahon.

— Les ancêtres de certains de nos Indiens, comme les Hopis et les Zuñis. Dans les années 1130-1150, ce site a été occupé par une petite tribu lors d'une très grande séche-resse. Un collègue de Chapel Hill y a dirigé les fouilles. Ce sont ses photos. Trente-cinq personnes au moins ont été massacrées, adultes et enfants. Là aussi, les marques sont identiques.

Nouvelle photo.

— Les outils en pierre retrouvés avec les ossements humains. Les analyses ont confirmé la présence de sang humain.

Autre série de photos.

— Cette marmite en céramique renfermait des résidus de chair humaine.

— Comment sait-on que ces marques ne résultent pas d'une abrasion, qu'elles ne sont pas l'œuvre d'animaux ? Peut-être s'agit-il d'un rituel d'enterrement. Peut-être qu'ils découpaient les morts pour les préparer à la vie dans l'au-delà, ça expliquerait les outils et le sang dans le pot.

— C'est ce qu'on a cru jusqu'à ce qu'on découvre ceci.

Je leur ai tendu une autre photo.

— Qu'est-ce que c'est que cette merde ! s'est exclamé McMahon, avant de la passer à Ryan.

— Vous ne croyez pas si bien dire, car ce ravissant spéci-men est effectivement un coprolithe. En langue d'archéo-logue : un excrément fossilisé. Un des participants au dîner a déféqué dans le feu sur lequel on avait cuit sept personnes pour les manger.

— Merde !

— Les analyses biochimiques ont révélé la présence de protéine digérée provenant de muscle humain.

— Elle n'a pas pu arriver là par un autre moyen ?

— Pas la myoglobine. Les examens ont démontré aussi que ce type n'avait pour ainsi dire ingéré que de la viande pendant les dix-huit heures précédant sa défécation.

— Tout ça est passionnant, Tempe, mais moi, j'ai huit macchabées sur les bras et une horde de journalistes qui n'attendent qu'un signe pour me sauter à la gorge. Ces zigotos sont morts depuis des siècles, je ne vois pas en quoi ils nous intéressent, à moins d'avoir un penchant marqué pour l'art et la littérature morbides.

Trois photos sont venues rejoindre celles entassées sur le bureau.

Coup d'œil de McMahon à sa montre, avant de s'en emparer.

— Vous avez entendu parler d'Alfred G. Packer ?

— Non.

— Ce monsieur a été jugé et condamné pour avoir tué et mangé cinq personnes dans le Colorado au cours de l'hiver 1874. Ses victimes ont été récemment exhumées et analysées.

— Pour quoi faire, grands dieux !

— Par souci d'exactitude historique.

Ryan est allé se mettre derrière McMahon pour regarder avec lui. Me levant, j'ai balancé sur la table les polaroïds que j'avais pris ce matin.

— Photographié à la morgue d'Alarka.

Les yeux de McMahon et de Ryan ont fait comme ceux des spectateurs à un match de tennis : des allers et retours incessants. En l'occurrence, des photos de Néandertaliens, d'Anasazis et autres victimes de Packer à mes polaroïds. Pendant un long moment, personne n'a soufflé mot. Et McMahon s'est écrié :

— Jésus, Marie, Joseph dans un poirier sanglant !

Chapitre 30

«Jésus, Marie, Joseph dans un poirier sanglant!» avait dit McMahon. Difficile de trouver mieux, comme formule.

— Mais qui sont ces fous furieux ? s'est exclamé Ryan.

Dans le silence qui s'était abattu, sa question a produit l'effet d'une bombe. McMahon a réagi le premier.

— Je peux vous dire que les sédiments qui recouvrent la F & E sont plus épais que la gorge d'Olduvai. Veckhoff, il n'y avait rien à en tirer, vu qu'il était mort. Mais en suivant votre méthode, Tempe, on est parvenu à débusquer les fistons de Rollins et Birkby. Le premier vit à Greenville où il enseigne l'anglais dans un collège ; le second possède une chaîne de magasins de meubles d'occasion et habite tantôt à Rock Hill et tantôt à Hilton Head. Les deux disent la même chose : qu'ils ont hérité de leurs actions dans la F & E à la mort de leur père et ne savent rien de cette maison.

Une porte a claqué, des voix ont retenti dans le couloir.

— W. G. Davis est un conseiller financier à la retraite qui vit à Banner Elk ; F. M. Payne est prof de philo à Wake Forest et Warren, avocat à Fayetteville. Celui-là, on lui a gâché ses vacances à Antigua. On l'a choppé sur la route de l'aéroport.

— Ils admettent se connaître ?

— Ils racontent tous la même chose : que la F & E n'est qu'un groupe d'investissement, qu'ils ne se rencontrent pas et qu'ils n'ont jamais mis les pieds dans cette propriété.

— On a relevé des empreintes dans la maison ?

— Des milliards. Ça va prendre du temps de tout vérifier.

— Des casiers judiciaires ?

— Payne, le prof, arrêté en 1974 pour avoir fumé de l'herbe. Sinon rien. Mais nous retrouverons la moindre cellule de peau jamais perdue par ces types. Si l'un d'eux s'est laissé aller à pisser au pied d'un arbre à Woodstock, on en aura un échantillon. Ces salauds sont dedans jusqu'au trognon. On va les épingler pour meurtre.

Larke Tyrell s'est encadré dans la porte, l'air soucieux. McMahon est sorti lui chercher un siège.

— Content de vous trouver ici, Tempe.

Je n'ai pas réagi. McMahon était déjà de retour avec une chaise de jardin. Larke s'est assis, le dos droit comme un *I*, ne frôlant le dossier nulle part.

— Qu'est-ce que je peux faire pour vous, doc ? a demandé McMahon.

Tyrell s'est essuyé le front avec un mouchoir et l'a replié en un carré parfait.

— Je détiens une information extrêmement... sensible.

Son regard à la Andy Griffith a dévié un instant.

— Vous savez tous, bien sûr, que Parker Davenport est mort hier d'une balle dans la tête. Blessure qu'à première vue il semble s'être infligée lui-même. Mais il y a des éléments dérangeants. Notamment un taux très élevé de trifluopérazine dans le sang.

Incompréhension générale chez nous autres, auditeurs.

— Plus connu sous le nom de Stélazine, c'est un remède utilisé dans le traitement de l'anxiété psychotique et des dépressions accompagnées de fébrilité. Non seulement Davenport n'avait pas d'ordonnance pour ce médicament mais, d'après son médecin traitant, il n'avait strictement aucune raison d'en prendre.

— Un homme à son poste n'aurait pas eu de mal à s'en procurer si besoin était, a fait remarquer McMahon.

— C'est exact, monsieur, a répliqué Tyrell et il s'est raclé la gorge. Mais, voyez-vous, des traces infimes de ce même produit ont été retrouvées dans le corps de Primrose Hobbs, bien qu'on ne puisse le prouver définitivement en raison de son immersion prolongée et de sa décomposition.

— Le shérif Crowe est au courant ? ai-je demandé.

— Pour Primrose Hobbs, oui. Pour Davenport, je le lui dirai en sortant d'ici.

— Il n'y avait pas de Stélazine parmi les affaires de Primrose.

— Et elle n'avait pas non plus d'ordonnance pour ce médicament.

J'ai senti mon estomac se contracter. Pour autant que je sache, Primrose ne prenait rien d'autre que de l'aspirine.

— Tout aussi troublants sont les appels téléphoniques passés par Davenport le soir de sa mort, a poursuivi Larke Tyrell en tendant une liste à McMahon. Vous y reconnaîtrez peut-être quelqu'un.

— Nom de Dieu! Il a appelé tous les dirigeants de la F & E, avant de se faire exploser la cervelle.

— Ou qu'on la lui fasse exploser, a précisé Ryan.

McMahon m'a passé la liste. Six numéros, cinq noms: W. G. Davis, F. M. Payne, F. L. Warren, C. A. Birkby et P. H. Rollins.

— À quoi correspond le sixième?

— À une cabane à Cherokee. Le shérif recherche le nom du locataire.

— Montrez donc vos photos au Dr Tyrell, Tempe, a dit McMahon, en tendant le bras vers son téléphone. Il est temps de faire tomber ces salauds.

Comme Larke voulait voir les entailles de ses propres yeux, nous sommes allés à la morgue. Je n'avais rien pris depuis mon café à sept heures du matin, mais j'aurais été incapable de rien avaler bien qu'il soit maintenant treize heures passées. Des flashes de Primrose ne cessaient de passer devant mes yeux. Qu'avait-elle donc découvert pour qu'on la tue? Pour qui était-elle une menace? Son assassinat et la mort du vice-gouverneur étaient-ils liés?

Une heure durant, j'ai montré les marques sur les ossements à l'expert médical de l'État qui les a examinées avec soin, pendu à mes lèvres. Nous venions juste de finir quand mon cellulaire a sonné.

Lucy Crowe. Elle était à Waynesville et voulait discuter de quelque chose avec moi. Pouvait-elle passer me voir à High Ridge House, ce soir vers neuf heures? J'ai acquiescé.

— Vous connaissez un archéologue du nom de Simon Midkiff? a-t-elle ajouté alors que j'allais raccrocher.

— Oui.

— Il est peut-être mêlé à cette histoire.

— Midkiff?!

— C'est le sixième numéro appelé par Davenport. S'il vous contacte, surtout, ne lui parlez pas!

Profitant de ma conversation au téléphone, Larke avait commencé à photocopier les photos et les articles de Jim. J'ai attendu qu'il ait fini pour lui apprendre ce que Lucy Crowe venait de me dire. Il n'a eu qu'un mot:

— Pourquoi?

— Parce qu'ils sont fous! ai-je répondu, la tête ailleurs, perturbée par la mise en garde du shérif à propos de Midkiff. Et parce que Parker Davenport était l'un d'eux.

Larke a glissé les photocopies dans sa serviette.

— Il aura tout fait pour vous écarter du chalet, a-t-il dit en posant sur moi un regard épuisé. Pour vous détruire sur le plan professionnel, pour vous éloigner de tout ça, a-t-il conclu en embrassant du geste les tables d'autopsie.

Je n'ai pas répondu.

— Et moi, je me suis fait baiser.

J'ai persisté dans mon silence.

— Que puis-je vous dire pour réparer?

— À moi, rien. À mes collègues.

— Je vais adresser un courrier à l'Association américaine de médecine légale, au Conseil américain des médecins légistes et au Bureau national de l'organisation des secours. Lundi matin, dès la première heure, je téléphonerai à tous les directeurs d'agence pour leur expliquer personnellement la situation.

Il m'avait saisi le poignet.

— Et la presse? ai-je dit sans chercher à mettre un tant soit peu de cordialité dans ma voix.

Je voyais bien qu'il souffrait, mais il m'avait trahie. Sur le plan personnel comme sur le plan professionnel. Et cela m'avait blessée.

— Je leur écrirai aussi. Mais je dois voir d'abord comment régler les choses au mieux.

Au mieux pour qui? me suis-je demandé.

— Si cela peut vous consoler, sachez qu'Earl Bliss a agi sur mon ordre. Il n'a jamais cru un mot de ce qui a été dit contre vous.

— Comme l'immense majorité des gens qui me connaissent.

Il a lâché mon bras mais n'a pas détourné le regard. Au cours de cette nuit, il en était venu à ressembler à un vieil homme usé.

— De par ma formation, je suis un militaire, Tempe. Je crois aux vertus de la chaîne de commandement et je suis le premier à me soumettre aux ordres de mes supérieurs. En l'occurrence, cette habitude m'aura conduit à ne pas questionner certains faits comme j'aurais dû le faire. Abuser de son pouvoir est méprisable, mais succomber à une pression corruptrice l'est tout autant. Le temps est venu pour le vieux chien que je suis de céder à un autre la place qu'il occupe sur le devant de la maison.

Sur ce, il est parti. Je l'ai suivi des yeux, emplie d'une profonde tristesse. Nous avions été amis pendant des années. Pourrions-nous jamais l'être à nouveau ?

Je me suis préparé un café. Simon Midkiff me trottait dans la tête. Mais oui, bien sûr ! Bien sûr qu'il faisait partie de la bande ! Tout collait parfaitement : son désir de connaître le lieu exact de l'accident ; ses prétendues fouilles dans le comté de Swain ; sa photo avec Parker Davenport à l'enterrement de Charlie Wayne Tramper.

Brusque flash-back : le type au volant de la Volvo noire qui avait failli m'écraser m'avait paru vaguement familier.

Je terminais mon rapport sur Edna Farrell quand mon cellulaire a sonné pour la seconde fois.

— Dis donc, c'était un type drôlement prolifique, ce Sir Francis Dashwood !

L'exclamation provenait d'une galaxie sur laquelle mon esprit n'était pas en orbite.

— Pardon ?

— C'est Ann. En rangeant des machins rapportés d'Angleterre, je suis tombée sur une brochure que Ted a achetée aux grottes de West Wycombe.

— Ann, ce n'est pas...

— Tu sais qu'il existe encore des foules de Dashwood ?

— Tant que ça ?

— Je parle des descendants de Sir Francis. Pour rire, j'ai tapé Prentice Dashwood sur un site généalogique auquel je suis abonnée. Je ne te dis pas le nombre de gens que j'ai obtenus. Dont un particulièrement intéressant.

J'ai attendu la suite.

Rien.

J'ai craqué.

— On fait un quiz ou quoi ?

— Prentice Elmore Dashwood, l'un des nombreux descendants du sieur Frank, a quitté l'Angleterre en 1921 pour se lancer dans la fripe à Albany, État de New York. Confection masculine. Il s'est retiré des affaires avec des paquets d'argent.

— C'est tout ?

— Pendant sa vie ici, il a écrit et publié à compte d'auteur des douzaines d'essais. Dont un sur la vie de son arrière-arrière-arrière quelque chose, Sir Francis Dashwood II.

— Et les autres ? ai-je demandé, sachant que si je ne le faisais pas, j'en avais pour des heures à tourner autour du pot.

— Sur tout et n'importe quoi. Les chansons aborigènes australiennes, les traditions orales des Cherokees, le camping, la pêche à la mouche, la mythologie grecque, un précis ethnographique sur les Indiens caraïbes. Un authentique gentilhomme de la Renaissance, ce Prentice. Rien que sur le sentier des Appalaches, il a écrit trois bouquins. Il semble d'ailleurs qu'il se soit révélé un véritable moteur, dans les années vingt, quand il s'est agi d'en commencer l'aménagement.

Le sentier des Appalaches, intéressant… Mecque des randonneurs, ce sentier prend son départ au mont Katahdin dans le Maine et longe la ligne de crête appalachienne jusqu'à la montagne Springer, en Géorgie. Une grande partie traverse les Great Smoky Mountains. En particulier, le comté de Swain.

— Tu es toujours là ?

— Oui. Est-ce que ce Dashwood a passé du temps chez nous, en Caroline du Nord ?

— J'imagine, il a pondu cinq brochures sur les Smoky Mountains. (Bruissement de pages qu'on tourne.) Arbres. Fleurs. Faune. Folklore. Géologie.

Le récit qu'Ann m'avait fait de sa visite des grottes en Angleterre m'est revenu en mémoire. Se pouvait-il que ce Prentice Dashwood dont elle me parlait à présent, ce Prentice apparenté aux Dashwood britanniques, soit l'homme que m'avait mentionné Edward Arthur ? « Le diable en personne », comme il avait dit ? La coïncidence était plus que troublante.

— Qu'est-ce que tu as appris d'autre sur lui ?

— Rien, si ce n'est qu'au XVIIIᵉ siècle, le tonton Francis traînait en drôle de compagnie, si tu veux mon avis. Des types qui se donnaient le titre de moines de Medmenham. Je te lis la liste ? Lord Sandwich qui, à un moment, a commandé la marine royale, John Wilkes...

— L'homme politique [1] ?

— Lui-même. Le peintre William Hogarth, les poètes Paul Whitehead, Charles Churchill et Robert Lloyd.

— Impressionnant.

— N'est-ce pas ? Tous membres du Parlement ou de la Chambre des lords, poète ou quelque chose encore. Même notre Benjamin Franklin à nous semble avoir fricoté avec eux, bien qu'il n'ait jamais été membre du groupe, officiellement parlant.

— Qu'est-ce qu'ils faisaient, ces types ?

— Des rites sataniques, prétendent certains. Mais pour le Sir Francis contemporain, auteur de la brochure, ces moines étaient simplement de joyeux lurons qui se réunissaient pour sacrifier à Vénus et Bacchus. Autrement dit, aux femmes et au vin.

— Ils faisaient des orgies dans les grottes ?

— Et aussi à l'abbaye de Medmenham. Cela dit, il nie farouchement toute allégeance de son ancêtre au diable. D'après lui, la rumeur de satanisme résulterait de l'irrévérence de ces messieurs envers le christianisme. Ils aimaient bien s'octroyer le titre de chevaliers de Saint-Francis, par exemple, mais les gens...

Elle a croqué dans une pomme.

---

1. John Wilkes (1725-1797) : homme politique et journaliste britannique. Hostile aux tories et à George III, il se rend populaire par ses écrits contre le gouvernement. Il fut lord-maire de la Cité de Londres (1774).

— ... les désignaient sous le nom de Club du feu de l'Enfer.

J'ai cru que Vulcain avait choisi ma tête pour enclume.

— Tu peux répéter?

— Le Club du Feu de l'Enfer. Très en vogue en Irlande au XVIII⁰ siècle, dans les années trente et quarante. Même histoire : des petits malins au-dessus des lois qui se foutent de la religion, baisent et se bourrent la gueule.

Ann aime assez appeler un chat un chat.

— On avait bien essayé d'interdire ces clubs, mais ça n'avait pas marché et, quand Dashwood a réuni ses Don Juan, c'est tout naturellement que son petit groupe s'est vu étiqueter «Feu de l'Enfer».

Feu de l'Enfer. F & E.

J'ai dégluti.

— Il est gros, ton bouquin?

— Dans les trente-quatre pages.

— Tu pourrais me le faxer?

— Bien sûr. Je ferai tenir deux pages sur une.

Me forçant à la concentration, je me suis remise à ma description du traumatisme facial d'Edna Farrell. Quelques minutes plus tard, un bip strident. Le fax a commencé à vomir ses pages. Je n'ai pas levé le nez de mon travail. Un peu plus tard, il s'est remis en marche. Là encore, j'ai su résister à l'envie de me précipiter.

Le rapport sur Farrell terminé, je suis passée au suivant. Difficile de me concentrer. Des millions de pensées hurlaient dans ma tête leur droit à la préséance, des images tourbillonnaient devant mes yeux. Primrose Hobbs. Parker Davenport. Prentice Dashwood. Sir Francis. Le Club du Feu de l'Enfer. La F & E.

Prentice Dashwood avait-il renoué avec l'idée de son ancêtre et fondé ici, dans nos montagnes de Caroline, un club réservé aux hommes de l'élite et dont les membres ne se seraient pas cantonnés à un dilettantisme hédoniste, seraient allés plus loin? Mais jusqu'où, plus loin? Au souvenir des entailles, j'ai réprimé un frisson.

À seize heures, le garde est entré me dire qu'un adjoint étant malade et un autre en panne avec la voiture de patrouille, le shérif avait besoin de lui pour régler un différend domestique. Je lui ai répondu qu'il pouvait partir en toute tranquillité.

Dans la morgue déserte, le silence m'enveloppait comme une peau. Le rompaient seulement le ronron du réfrigérateur, ma respiration, les battements de mon cœur et le cliquetis de mes doigts sur le clavier. Dehors, les branches raclaient les vitres. Un train a sifflé. Un chien a donné de la voix. Des criquets, des grenouilles. Pas le moindre klaxon. Pas un seul bruit de circulation. Pas un être humain à des kilomètres à la ronde.

Mon système nerveux sympathique maintenait mon adrénaline en première ligne. Tout devant. Résultat : je ne cessais de me tromper, je sursautais au moindre craquement ou quand une goutte d'eau s'écrasait dans l'évier. Et Boyd qui n'était pas là !

Vers dix-neuf heures, j'en avais fini avec Farrell, Odell, Tramper et Tucker. Les yeux me brûlaient, mon dos me tirait et un mal de tête lancinant m'indiquait sans erreur que mon taux de sucre dans le sang était au niveau sous-sol.

Ayant sauvegardé mes dossiers sur disquette, j'ai éteint l'ordinateur et suis allée chercher le fax d'Ann.

Si grande que soit mon impatience d'en savoir davantage sur ce lord Francis du XVIIIe siècle, je me savais trop fatiguée, affamée et énervée pour lire sa biographie avec un minimum d'objectivité. Mieux valait rentrer à High Ridge House et emmener Boyd en promenade, puisque j'avais du temps avant mon rendez-vous avec le shérif. Après, douillettement installée sous mes couvertures, je me plongerais dans la vie de Dashwood.

J'étais en train de rassembler les pages du fax quand j'ai cru entendre crisser le gravier.

Je me suis figée, l'oreille tendue.

Des pneus ? Des pas ?

Quinze secondes ont passé. Trente.

Rien.

— Tu ferais mieux de te magner le train, me suis-je entendue prononcer tout haut.

D'énervement, j'en ai laissé échapper un paquet de feuilles. En les récupérant par terre, j'en ai remarqué une, différente des autres. Plus grande et avec un texte en colonnes.

J'ai parcouru celles que j'avais déjà réunies. Page de couverture et page de garde séparées, deux pages de texte imprimées sur une seule feuille, toutes numérotées. Le fax envoyé par Ann.

Mais d'où venait cette autre page, sans numéro et sans nom d'expéditeur ? Était-elle arrivée seule ? À un moment, la machine s'était arrêtée, n'est-ce pas ?

Emportant le tout dans mon bureau, j'ai rangé le fax d'Ann dans ma serviette et me suis intéressée à la page de format différent.

Mon adrénaline a aussitôt grimpé en flèche.

Un texte en trois colonnes : à gauche des noms de code ; au centre des noms bien réels ; à droite des dates. Cette dernière colonne incomplète.

Ilus	Henry Arlen Preston	1943
Khaffre	Sheldon Brodie	1949
Omega	A. A. Birkby	1959
Narmer	Martin Patrick Veckhoff	
Sinuhe	C. A. Birky	
Itzmana	John Morgan	1972
Arrigatore	F. L. Warren	
Rho	William Glenn Sherman	1979
Chac	John Franklin Battle	
Ometeotl	Parker Davenport	

Tous gens connus. Sauf un : John Franklin Battle.

Enfin, pas tout à fait inconnu car j'avais déjà entendu ce nom. Mais où ?

Réfléchis, Brennan, réfléchis !

John Battle... Non. Ce n'est pas ça.

Franklin Battle... Du blanc.

Frank Battle. Oui.

Le juge qui refusait de délivrer le mandat de perquisition !

Mais un magistrat de province était-il d'un niveau assez élevé pour adhérer à un groupe comportant un sénateur et un vice-gouverneur ? Ce Battle protégeait-il la F & E ou, au contraire, était-ce lui qui m'avait envoyé ce fax ? Et si oui, pourquoi ?

Et pourquoi la date la plus récente sur cette liste remontait-elle à plus de vingt ans ? Cette liste serait-elle incomplète ? Là encore, pourquoi ?

Brusquement, une pensée terrifiante s'est infiltrée en moi.

Qui savait que j'étais ici ?

Et seule, par-dessus le marché !

Je me suis figée, aux aguets, cherchant à détecter un signe de présence, aussi ténu soit-il. Armée d'un scalpel, je me suis glissée hors de mon bureau jusqu'à la grande salle d'autopsie.

Six squelettes fixaient le plafond, les mâchoires verrouillées, les doigts des mains et des pieds en éventail. Coup d'œil à la salle des ordinateurs et à l'unité de radiologie. Puis à la cuisinette et à la salle dite de conférences. Mon cœur battait si fort qu'il me semblait pétarader dans le silence.

Je passais la tête dans les toilettes des hommes quand, pour la troisième fois, mon cellulaire a sonné. J'en ai presque hurlé de terreur.

Une voix, lisse comme du beurre :

— Tu es morte.

Puis, plus rien.

Chapitre 31

J'ai appelé McMahon. Pas là. Lucy Crowe. Non plus. Aux deux, le même message : il est dix-neuf heures trente, je pars d'Alarka, je rentre à High Ridge House. Rappelez-moi !

À l'idée de me retrouver seule dans le stationnement, puis roulant sur une route de campagne déserte, j'étais terrifiée. J'ai appelé Ryan.

Flash-back : Ryan, gisant sur une allée verglacée, atteint par la balle qui m'était destinée.

Ryan n'est pas assermenté dans ce pays, Brennan. Il ne jouit d'aucune liberté d'action.

Je n'ai pas enfoncé le bouton de connexion.

Mes pensées faisaient comme la boule de métal au flipper, une multitude de ricochets. Il fallait que quelqu'un sache où j'étais. Quelqu'un que mon appel ne mette pas en danger. Nous étions dimanche soir. J'ai fait le numéro de mon ancien chez-moi.

— Bonsoir.

Voix de femme, ronronnant comme un chat.

— Peter est là ?

— Il est sous la douche.

Un carillon a tinté sous le vent. Celui que j'avais accroché devant la fenêtre de la chambre à coucher, il y avait des années de cela.

— Je peux lui transmettre un message ?

J'ai coupé.

— Merde. Tu n'as plus qu'à te débrouiller toute seule, ma vieille.

Mon sac et mon ordinateur bien arrimés sur l'épaule, le scalpel dans une main, mes clefs de voiture dans l'autre, j'ai entrebâillé la porte.

Une seule voiture dans le stationnement, ma Mazda. Nez à nez avec une rangée de camions à grande échelle. Un phacochère face à un troupeau d'hippopotames.

Trois, deux, un, partez !

Arrivée à la voiture, je me suis précipitée au volant. Toutes portières bloquées, j'ai fait vrombir le moteur et j'ai décampé sur les chapeaux de roues.

Mon effroi est tombé peu à peu. Au bout d'un kilomètre, il était remplacé par une colère diffuse, qui a fini par se tourner contre moi.

Tu te prends pour une héroïne de série B, pauvre imbécile ? Suffit qu'un détraqué te passe un coup de fil pour que tu cries au secours et cherches à enfouir ton visage dans n'importe quelle poitrine, pourvu qu'elle soit forte et solide !

Tu ferais mieux de te surveiller. À cent trente à l'heure, un dix-cors ça pardonne pas !

Un vilain monsieur attendait que tu sortes, derrière le bâtiment ? Planqué sous ta voiture, il t'a attrapé la cheville ? Non ? Alors, arrête ton cinéma !

Mais ce fax, je ne l'ai pas inventé, tout de même ! Si on me l'a envoyé à la morgue, c'est qu'on savait que j'y étais. Et seule.

Ouf, Bryson City ! Et personne dans mon rétroviseur.

Les décorations d'Halloween, squelettes et pierres tombales, avaient perdu tout aspect festif pour n'être plus que le rappel macabre des récents événements. Mes doigts se sont crispés sur le volant. Les âmes des squelettes retrouvés dans les grottes erraient-elles de par le monde, en quête de justice ?

Et leurs assassins, en quête de moi ?

À High Ridge House, moteur éteint, je suis restée à scruter la vallée. Aucun faisceau de phares n'escaladait la montagne.

Ne pas oublier de rapporter le scalpel demain à la morgue. L'ayant enveloppé dans une serviette en papier, relique d'un repas dans un Wendy's quelconque, je l'ai fourré dans ma poche à fermeture éclair. Mes affaires dans les bras, j'ai couru jusqu'à la véranda.

La maison était aussi paisible qu'une église le jeudi. Personne dans le salon ou la cuisine. Pas âme qui vive dans l'escalier ou le couloir. Pas un ronflement derrière les portes fermées de Ryan ou de McMahon. Pas un bruit dans toute la maison.

Je venais à peine d'entrer chez moi quand de petits coups frappés à ma porte m'ont fait sursauter.

— Oui ?

— C'est Ruby.

Elle avait le visage pâle et tendu, les cheveux plus brillants qu'une page de *Vogue*.

Elle m'a tendu une enveloppe.

— C'est arrivé pour vous.

Coup d'œil à l'expéditeur. Département d'anthropologie, université du Tennessee.

— Merci.

J'ai voulu refermer la porte, elle a stoppé mon geste.

— Il y a une chose que vous devez savoir. Que je dois vous dire absolument.

— Je suis crevée, Ruby.

— Ce n'est pas un vagabond qui a fouillé votre chambre. C'est Eli.

— Votre neveu ?

— Ce n'est pas mon neveu.

Elle s'est interrompue.

— Celui qui reniera son épouse, nous enseigne l'Évangile de saint Mathieu…

Pitié, pas un nouveau sermon.

— Quelle raison aurait-il eu d'abîmer mes affaires ?

— Mon mari m'a quittée pour une autre femme. Enoch et elle ont eu un enfant.

— Eli ?

Elle a acquiescé.

— Je leur ai souhaité de brûler en enfer. J'ai pensé : si ton œil t'a offensé, arrache-le de ton orbite. Je les ai arrachés de ma vie.

Un aboiement étouffé est parvenu jusqu'à moi.

— Puis Enoch est mort et Dieu a touché mon cœur. Ne juge pas et tu ne seras pas jugé; ne condamne pas et tu ne seras pas condamné; pardonne et tu seras pardonné.

Elle a poussé un profond soupir.

— La mère d'Eli est décédée, il y a six ans. Il n'avait plus personne, je l'ai pris avec moi.

Ses yeux se sont baissés un instant.

— Les ennemis de l'homme seront ceux-là mêmes qu'il abrite sous son toit. Eli me déteste. Il prend plaisir à me tourmenter. Il sait que je tire fierté de cette maison, que je vous apprécie. Il a fait ça pour me faire du mal.

— Il veut juste qu'on fasse attention à lui, ai-je dit gentiment, gardant pour moi la fin de ma pensée: «Il faut être aveugle pour ne pas le voir.»

— Peut-être, a-t-elle répondu.

— Il passe simplement par une mauvaise période. Ne vous mettez pas non plus martel en tête à mon sujet. De toute façon, rien n'a disparu... Quelqu'un est rentré, en dehors de moi? ai-je enchaîné pour changer de sujet.

Elle a secoué la tête.

— Je crois que M. McMahon est à Charlotte. Et je n'ai pas vu M. Ryan de toute la journée. Les autres, ils sont tous partis.

Nouvel aboiement de Boyd.

— Le chien ne vous a pas ennuyée?

— Il est grognon, aujourd'hui. Il a besoin d'exercice. (Elle a brossé sa jupe du revers de la main.) Je pars pour l'église. Vous voulez que je vous monte à dîner avant?

— Volontiers.

Le rôti de porc et le pudding d'igname ont eu sur moi un effet relaxant. Ma panique du crépuscule s'est muée en un morne sentiment d'abandon.

Peter avait une femme chez lui, une femme à la voix rauque. Somnolence post-coïtale sans aucun doute, mais ça m'avait fait mal de l'entendre. Pire qu'un coup de pied au ventre. Pourtant, Peter était bien libre de voir qui lui plaisait. Nous étions tous les deux des adultes, n'est-ce pas? Et c'est moi qui l'avais quitté.

Ne juge pas et tu ne seras pas jugé.

Et Ryan? Qu'était-il pour moi, en fin de compte? C'était un chieur, là-dessus pas de question! Mais un chieur qui avait du charme. Et qui fumait. Ce dont je me passerais bien. Par ailleurs, il était intelligent, drôle, à tomber de beauté et complètement inconscient de son pouvoir sur les femmes. Et il avait du cœur.

Ben, tiens! Gros comme une maison, ce cœur. Capable d'accueillir des foules de gens.

Dont une certaine Danielle.

Pourquoi avais-je pensé à lui, tout à l'heure, à la morgue? Parce qu'il était dans le coin, ou parce qu'il était pour moi plus qu'un collègue, quelqu'un dont je souhaitais la présence quand j'étais déprimée, quand j'avais envie d'un peu de tendresse?

Puis, le souvenir de Primrose s'est imposé à moi. Je l'avais mêlée à cette affaire et maintenant elle avait été tuée, à cause de moi. Ce remords, désormais, accompagnerait tous les jours de ma vie.

Trêve de gémissements, Brennan! Ouvre la lettre de l'université du Tennessee, ça te changera les idées. Tu vas voir, elle sera pleine de mercis et de superlatifs à propos de ta conférence.

Exactement. Et accompagnée d'un bonus. Le dernier numéro du journal des étudiants où j'étais photographiée avec Simon Midkiff. Si Olive, la femme de Popeye, est un hippopotame alors, moi, j'étais Sharon Stone. Pas étonnant que Simon Midkiff me vole la vedette.

J'ai scruté ses traits. Qu'avait-il donc derrière la tête, en venant à l'université ce jour-là? Avait-il été dépêché exprès pour me soutirer des renseignements? Était-il venu de sa propre initiative? Les scientifiques assistent souvent aux conférences de leurs confrères. Était-ce lui qui m'avait faxé la liste de noms et de codes? Si oui, c'est qu'il était coupable. Quel avantage avait-il à divulguer sa complicité?

Un jappement bref, suivi de plusieurs autres.

Boyd! Le seul être de toute la planète qui ne m'ait jamais trahie. Et moi, je l'avais complètement abandonné. Vingt heures vingt. Juste le temps de l'emmener en promenade avant l'arrivée du shérif à vingt et une heures.

Pour parer à tout regain de curiosité de la part d'Eli, j'ai enfermé mon ordinateur et ma serviette à clef dans la penderie avant de descendre dans le jardin, munie de la laisse et d'une lampe électrique.

La nuit avait pris le plein contrôle du ciel. Des millions d'étoiles étaient de sortie, mais pas la lune. Les lampes de la véranda ne parvenaient guère à trouer l'obscurité et je devais traverser la pelouse.

Mon système limbaire m'a soudain mitraillée de questions.

Et si quelqu'un était en train de te surveiller ? Par exemple Eli, l'Adolescent vengeur ?

Et si la menace au téléphone n'était pas une farce ?

Arrête ta paranoïa ! Halloween est à peine passé, les jeunes ruent encore dans les brancards. De toute façon, McMahon, le shérif, tout le monde sait où tu es.

Et s'ils n'écoutent pas leurs messages ?

Lucy Crowe sera là dans quarante minutes.

Et s'il y avait quelqu'un dehors, là, en ce moment, en train de te tendre un piège ?

Avec un chow-chow de trente-cinq kilos, qu'est-ce qui peut t'arriver ?

Le chien a encore aboyé. J'ai franchi au galop les derniers mètres. Boyd avait pris la position bipède, les pattes avant sur le grillage.

En me reconnaissant, il s'est lancé dans une série de bonds, galipettes, cabrioles et poussées sur le treillis, répétant le cycle inlassablement, comme un hamster sur une roue. À croire qu'il était devenu fou. Enfin, dressé sur ses pattes, la tête rejetée en arrière, il s'est mis à hurler sans qu'on puisse l'arrêter.

Babillant en langue chien, je lui ai caressé les oreilles. Quand j'ai accroché la laisse à son collier, il m'a presque traînée jusqu'à la porte, tant son instinct de traction était brusque et puissant.

— On ne sort pas du jardin, c'est clair ? l'ai-je prévenu, le doigt pointé à hauteur de sa truffe.

Il a penché la tête en faisant bouger ses sourcils et a jeté un unique aboiement. À peine eus-je soulevé le loquet qu'il a bondi hors de l'enclos et s'est lancé dans des ronds qui ont bien failli me flanquer par terre.

— J'envie ton énergie, mon vieux.

Il m'a passé sa langue sur le visage pendant que je m'escrimais sur la laisse emberlificotée autour de mes jambes. Nous avons commencé à grimper la route. La lumière de la véranda éclairait à peine le bord de la pelouse. Moins de dix mètres plus loin, j'ai allumé ma lampe. Boyd s'est arrêté, en grognant.

— Tu n'as jamais vu de lampe de poche, idiot?

J'ai tapoté son épaule. Il m'a léché la main. Mais soudain, il a fait demi-tour et s'est serré contre mes jambes.

Je l'ai senti se crisper. Sa tête s'est baissée d'un coup, sa respiration s'est modifiée et un grondement sourd est monté de sa gorge.

— Qu'est-ce qui se passe, mon garçon?

Ma caresse n'a fait qu'intensifier son grondement.

— Ce n'est quand même pas un autre animal mort?

Il avait les poils du cou hérissés tout droit. Mauvais signe. J'ai tiré sur la laisse.

— Allez, mon vieux. On rentre.

Impossible de le faire avancer d'un pas.

— Boyd.

Son grondement s'est accru, rauque, sauvage.

Partant de l'endroit que le chien fixait, le rond lumineux de ma lampe a glissé sur les troncs pour être aspiré dans une zone morte entre les arbres.

J'ai tiré plus durement sur la laisse. Boyd a fait un petit bond à gauche en aboyant. J'ai aussitôt braqué ma lampe.

— Allez, le chien. Ce n'est pas drôle!

J'ai cru alors distinguer une forme devant moi. Mouvement des ombres, tout simplement? Un coup d'œil à Boyd et, pffuitt! la chose s'était évanouie. L'avais-je seulement vue?

— Qui est là?

La peur a fait trembler ma voix.

Pour toute réponse, le concert des criquets et des grenouilles, le grincement d'un arbre à demi déraciné, en appui sur un autre.

Et, soudain, un mouvement derrière moi. Des pas, un bruissement de feuilles.

Boyd s'est retourné et a bondi aussi loin que le lui permettait la laisse.

— Qui est là?

Un contour sombre s'est détaché sur la nuit, émergeant des arbres. Boyd grondait en tirant de toutes ses forces. La forme avançait vers nous.

— Qui est là?

Toujours pas de réponse.

J'ai fait passer la lampe dans la main qui tenait la laisse pour sortir mon cellulaire. Je tremblais trop. Impossible d'enfoncer le bouton de rappel automatique. L'appareil m'a échappé des mains.

— N'avancez pas!

Un cri strident était sorti de ma bouche en même temps que je levais ma lumière à hauteur d'épaule. J'ai voulu ramasser le téléphone. Sentant ma prise plus lâche, Boyd a chargé avec un grondement féroce.

La forme s'est pourvue d'un bras tendu, juste au moment où le chien bondissait.

Flash. Coup de tonnerre.

La silhouette a culbuté, le chien s'est écroulé en gémissant. Et il n'a plus bougé.

— Boyd!

Les larmes ont jailli de mes yeux. J'aurais voulu lui dire que j'allais prendre soin de lui, qu'il irait bien, mais rien n'est sorti de ma bouche. La frayeur me paralysait.

La silhouette me rejoignait à grands pas. J'ai voulu fuir. Des mains m'ont saisie. Pivotant sur moi-même, je me suis libérée. L'ombre s'est matérialisée en homme.

Un homme qui m'a donné de toutes ses forces un coup d'épaule sous l'aisselle. L'impact m'a envoyé rouler sur le côté.

Je me souviens d'un souffle sur mon visage, d'un halètement et du «crac» fait par mon crâne en heurtant la roche volcanique.

Le rêve était terrifiant: une sensation d'étouffement, une incapacité totale à remuer, le noir complet et quelque chose qui me frottait la joue.

J'ai repris mes esprits sur une réalité plus atroce que le pire des cauchemars.

J'avais un bâillon enfoncé dans la bouche, un sparadrap sur les lèvres et un bandeau sur les yeux.

J'ai cru que mon cœur s'arrêtait de battre.

Au secours, j'étouffe!
J'ai voulu toucher mon visage. Impossible. J'avais les poignets ligotés, bras remontés sur la poitrine.
Le chiffon avait un goût âcre.
Haut-le-cœur, tremblement sous la langue.
J'allais vomir! J'allais m'étouffer!
La panique s'emparait de moi, je tremblais comme une feuille.
Remue!
J'ai essayé de me retourner, un cocon de tissu s'est déplacé avec moi. Odeurs de poussière, de moisi et de végétation pourrissante.
J'ai donné un coup de pied, soulevé la tête.
Le mouvement a décoché une volée de flèches dans mon cerveau. Immobile, j'ai attendu que la douleur s'apaise.
Respire par le nez. Inspire, expire. Inspire, expire.
Les palpitations se sont un peu calmées.
Réfléchis!
J'étais emprisonnée dans un sac, pieds et mains attachés. Mais où? Et comment étais-je arrivée là?
Souvenirs disparates de morgue, de route déserte, de Ruby inquiète, de Primrose.
Boyd!
Le chien avait-il été tué par ma faute, lui aussi?
Inspire, expire!
J'ai fait rouler ma tête. Oh, la bosse que j'avais! Elle faisait bien la taille d'une prune. Nouvelle vague de nausée.
Inspire, expire!
Des connexions au niveau des synapses: l'attaque; la silhouette sans visage.
Était-ce Simon Midkiff? Frank Battle? Mon agresseur serait-il le magistrat véreux?
J'ai tenté de relever les poignets à hauteur du visage pour décoller la bande.
De nouveau, la nausée. Pas question de ravaler mon vomi. Malgré la douleur, je me suis forcée à rouler sur le côté.
Ce seul mouvement a suffi à me soulever l'estomac. J'ai rempli mes poumons d'air, les hoquets se sont calmés.
Étendue immobile, je me suis concentrée sur l'écoute. Combien de temps étais-je restée évanouie? Comment étais-je

arrivée jusqu'ici. Et où étais-je, d'abord? Dans les bois près de High Ridge House? Mon agresseur était-il encore près de moi? Les battements de mon cœur ont ralenti d'une nano-seconde. Une certitude s'est infiltrée en moi.

Quelque chose a traversé ma joue. Bruissement de pattes, déplacements dans mes cheveux, chatouillis d'antennes sur ma peau.

Des insectes! Un hurlement s'est formé dans ma gorge. J'ai roulé dans les deux sens, donnant des coups de tête pour secouer mes cheveux. Une douleur aveuglante paralysait mon cerveau. Mes entrailles remontaient jusque dans mon arrière-gorge.

Du calme!

Quelque part dans mon cerveau, une cellule au moins était encore en état de commander.

Des cafards!

Le reste de mes cellules a poussé des cris d'orfraie.

Tirant par petits coups, j'ai essayé de faire remonter ma veste sur mon visage. Impossible.

Reste tranquille!

Mon cœur s'est mis à marteler cet ordre, prenant mes côtes pour tambour.

Pas bouger! Pas bouger! Pas bouger!

J'ai fini par me calmer. Ça a pris du temps, mais la raison m'est revenue.

M'échapper.

Fuir.

Éviter les autres pièges.

Réfléchir.

Pour commencer, tendre l'oreille, déchiffrer les bruits, une couche après l'autre.

Des branches sifflaient dans le vent. Un oiseau a crié. Des feuilles virevoltaient au ras du sol: j'étais dans la forêt.

De l'eau tourbillonnait sur des rochers: il y avait une rivière pas loin.

Le cri, très loin, d'un oiseau plongeur. Et aussi un gémissement à peine audible, suivi d'un ricanement stridulant.

La chair de poule s'est propagée de mes bras à ma gorge.

Je savais où j'étais.

Chapitre 32

Aux aguets, je retenais mon souffle. Avais-je vraiment entendu ce rire ? Je commençais à en douter quand il a de nouveau retenti. Lointain, surréaliste. Vibration plaintive, suivie d'un éclat de rire extravagant.

Le squelette en néon !

Riverbank Inn, le motel où Primrose était descendue.

J'ai revu son visage ballonné, les plaques de chair arrachées par des carnivores aquatiques.

Oui, j'étais bien au bord du fleuve Tuckasegee, ligotée, bâillonnée et les yeux bandés. Enfermée dans un sac dont je devais me libérer coûte que coûte malgré ces élancements qui me vrillaient le crâne, après l'hématome que je m'étais fait à la tête en tombant sur le rocher. Avec un goût d'ordures et de moisi dans la bouche, à cause du bâillon collé par un sparadrap qui m'empêchait de respirer et me brûlait les lèvres et les joues. Pour ne rien dire de mon nerf optique qui m'expédiait des décharges de lumière aveuglante, et des blattes qui vagabondaient sur mon anorak en nylon dans un chuintement de pattes. Qui se baladaient dans mes cheveux, qui exploraient mon jean !

Mes pensées volaient dans toutes les directions à la fois.

Aucun signe de présence humaine. Me forçant à respirer par le nez et régulièrement, j'ai fait jouer mes attaches.

J'avais l'estomac sens dessus dessous, la bouche de plus en plus sèche.

Des millénaires avaient beau s'être écoulés, l'adhésif ne s'était pas distendu d'un quart de millimètre.

Rage et frustration. Les larmes s'accumulaient derrière mes paupières comprimées.

Ne pas pleurer !

J'ai continué à remuer chevilles et poignets, en tordant et tirant tantôt d'un mouvement continu et tantôt par saccades, m'arrêtant périodiquement pour tendre l'oreille.

Les cafards s'en donnaient à cœur joie sur mon visage, je sentais le frôlement de leurs pattes poilues partout sur ma peau.

Allez-vous-en ! hurlais-je tout bas. *Descendez de là, merde !*

Je me débattais de toutes mes forces, les cheveux collés de sueur.

Mon esprit, tel un oiseau de nuit planant dans le ciel, contemplait l'impuissante petite larve que j'étais, gisant au milieu de la forêt dans un noir total. J'ai eu envie comme jamais d'un lieu sûr et connu : un café-restaurant ouvert vingt-quatre heures sur vingt-quatre, un péage, un poste de police. Un hôpital.

Et là, déclic.

Le scalpel !

Les genoux repliés contre la poitrine pour retenir le nylon glissant, jouant des coudes et soulevant les hanches, j'ai tenté de remonter vers ma poche. À l'aveuglette, un centimètre après l'autre, palpant mes vêtements comme un aveugle déchiffre un texte en braille.

Enfin, mes doigts ont localisé la boucle au bout de la tirette et ont réussi à l'agripper.

Retenant mon souffle, j'ai exercé une pression de haut en bas sur la fermeture éclair.

Mes doigts ont dérapé sur le nylon du bord.

Merde !

Nouvel essai. Nouvel échec.

Inlassablement, j'ai réitéré la manœuvre. Repérer la boucle, l'attraper, la baisser. J'en avais des crampes aux mains. Atroce.

Mieux valait m'y prendre autrement : maintenir du dos de la main gauche la tirette contre ma cuisse, plier au maximum le poignet droit et introduire un doigt dans la boucle.

Pas assez plié.

Nouvelle tentative. Raté !

Peut-être en changeant de main ? Les tendons de mon avant-bras ont hurlé de douleur. À continuer ainsi, j'allais me casser le bras.

Et voilà que mon index a su trouver la boucle et s'y faufiler ! J'ai tiré par petits coups précautionneux. La fermeture a cédé. Mes poignets ligotés l'ont accompagnée jusqu'en bas. Glisser les doigts dans la poche ouverte n'était plus qu'un jeu d'enfant.

Victoire.

Le scalpel au creux de mes deux mains, je me suis retournée sur le dos. Tout d'abord, dégager l'instrument de sa serviette en papier, ce que j'ai fait en le coinçant contre mon ventre et en le faisant rouler entre mes doigts. Après, retourner la lame vers moi et cisailler l'adhésif autour de mes poignets. Le scalpel était plus affûté qu'un rasoir.

Va doucement. Ce n'est pas le moment de te couper.

En moins d'une minute, j'avais les mains libres et arrachais le collant sur mes lèvres. J'ai cru qu'on m'arrosait le visage au lance-flammes.

Ne crie pas !

Vite, extirper le chiffon à l'intérieur de ma bouche. Étranglement et crachat ont immédiatement suivi ma goulée d'air. Ma salive était fétide.

Le bandeau à présent. Nouvelle sensation d'incendie quand je l'ai décollé de mes yeux. De la peau et des poils de sourcils avaient dû partir en même temps. Les mains tremblantes, j'ai enfin libéré mes chevilles.

J'en étais à cisailler le sac en toile quand une portière a claqué.

Où ça ? Loin ?

Faire la morte ?

Non, continuer à couper. Mon bras n'était plus qu'un piston actionné par une volonté propre.

Des pieds faisaient voler des feuilles mortes.

Mon cerveau s'est branché sur le mode estimatif : cinquante mètres.

Plus vite. Un coup en haut, un coup en bas ; un coup en haut, un coup en bas.

Trente mètres.

Ayant introduit mes bottes dans le trou, j'ai tiré de toute ma force. La déchirure a produit un fracas dans le silence alentour.

Le bruissement des feuilles s'est interrompu. A repris. Plus nerveux, plus énervé.

Vingt mètres.

Quinze.

— Pas un geste !

J'ai imaginé le pistolet braqué sur moi, les balles traversant ma chair. Plus rien n'avait d'importance. Cinq minutes plus tôt ou plus tard, de toute façon j'étais morte. Autant me battre tant qu'il restait une chance.

— Pas un geste !

Saisissant les bords de la déchirure, j'ai tiré en remontant. Vite, passer ma tête dans le trou ! Je me suis retrouvée par terre, étalée de tout mon long. Je me suis ramassée à la hâte, scrutant l'obscurité. J'avais les jambes en caoutchouc.

— À quoi bon, madame ? De toute façon, vous êtes morte.

Fuir le plus loin possible de cette voix !

Un bras tendu en avant, je me suis élancée.

Tunnel sans fin, dans un noir total, avec un seul repère : le gargouillis de l'eau à gauche. Surtout, ne pas le perdre. Les obstacles sautaient à ma rencontre sans prévenir, obligeant mes pieds à faire des zigzags.

À plusieurs reprises, j'ai trébuché sur des éboulis, souvenir du magma planétaire, roche plus ancienne que la vie ici-bas.

Il y avait un arbre en travers du chemin. Une branche morte. J'ai su garder l'équilibre. La terreur me donnait des ailes.

Les choses de la nuit semblaient s'être figées dans le silence. Pas un bourdonnement, pas un gazouillis, pas un piétinement. Rien que mes halètements et, dans mon dos, les enjambées traînantes d'un géant des bois.

Mes vêtements étaient trempés de sueur. Le sang battait à mes oreilles.

Mon poursuivant ne se laissait pas distancer. Ni plus près, ni plus loin. Lui le chat, moi la souris. Certain d'attraper sa proie — moi —, il prenait tout son temps. Il devait connaître les lieux comme sa poche.

Mes poumons en feu n'emmagasinaient pas assez d'air. Des coups de poignard au côté gauche et, toujours, ce besoin irrépressible de courir.

Une minute. Trois. Une éternité.

Subitement, une crampe à la cuisse droite. J'ai clopiné, ne courant plus que par bonds.

Le chat aussi a ralenti.

J'ai voulu continuer. Mes jambes et mes bras ne fonctionnaient plus.

Mon allure a chuté jusqu'au petit trot. La sueur dégoulinait de mon front en grosses gouttes qui me piquaient les yeux.

Une forme sombre m'a sauté au visage. Ma main a claqué contre du dur, mon coude s'est replié, ma joue est allée cogner en avant. Douleur dans le poignet. Du sang a giclé sur ma main et ma joue.

J'ai tâtonné : du rocher partout.

J'ai tendu mon bras valide plus loin.

Toujours du rocher.

Mon cœur s'est ratatiné. Un pan de falaise vertical avec de l'eau à gauche et une forêt inextricable à droite.

Il n'y avait pas d'issue, et le chat le savait.

Surtout, ne pas paniquer !

Tenant mon scalpel caché dans mon dos, je me suis plaquée contre le rocher, face à l'attaquant. Dans le noir, impossible de le distinguer, mais j'entendais ses halètements et je sentais l'odeur âcre de sa sueur.

— Cul-de-sac, madame…

— N'avancez pas ! ai-je hurlé avec une bravade forcée.

— Pourquoi donc me donnerais-je cette peine ?

La voix qui m'avait téléphoné à la morgue ! Une voix que j'avais déjà entendue en vrai. Mais quand ?

Un crissement, et une forme sombre s'est détachée dans l'obscurité.

— Pas un pas de plus !

— Vous n'êtes guère en situation de me donner des ordres.

— Approchez et je vous tue.

Mes doigts se cramponnaient au scalpel comme à un filin de sauvetage.

— Entre le marteau et l'enclume, je dirais.

Des pas ont crissé. La silhouette s'est matérialisée, bras tendus vers moi.

Des bras costauds, des épaules carrées : un homme, mais pas Simon Midkiff !

— Qui êtes-vous ?

— Vous devriez le savoir à cette heure.

Un déclic. Celui d'un cran de sûreté qu'on retire.

— C'est vous qui avez tué Primrose Hobbs ? Pourquoi ?

— Parce que j'en avais la possibilité.

— Et vous allez me tuer ?

— Avec le plus grand des plaisirs.

— Pourquoi ?

— Parce que vous avez détruit une chose sacrée.

— Qui êtes-vous ?

— Kulkulcan.

Ce nom-là, je le connaissais.

— Le dieu maya.

— Rien n'oblige à choisir un pharaon ou un pédé de dieu grec.

— Où est le reste de votre société de détraqués ?

— Sans le crash, vous ne nous auriez jamais trouvés. À fureter partout, vous avez découvert des choses que vous n'étiez pas en droit de savoir. Il incombe à Kulkulcan d'exercer la vengeance.

La voix mélodieuse s'était imprégnée de fureur.

— De toute façon, c'en est fini de votre Feu de l'Enfer.

— On n'en sonnera jamais la fin. Depuis l'aube des temps, les masses médiocres ont tout fait pour supprimer les intelligences supérieures. Elles n'y sont jamais parvenues. En certaines conditions, il nous arrive de nous assoupir, mais dès que le climat le permet, nous réémergeons.

Quel délire étais-je donc en train d'écouter ?

— Mon heure était venue de prendre ma place auprès des saints, poursuivait l'inconnu, sans remarquer que je n'avais pas réagi à sa tirade. (Ou s'en fichant royalement.) J'avais arrêté mon choix en ce qui concernait l'offrande. J'ai accompli mon sacrifice. J'ai honoré le rite que vous aviez profané.

— Jeremiah Mitchell ou George Adair ?

— Qu'importe le nom, il ne signifie rien. J'ai été choisi. J'étais prêt. J'ai suivi la voie.

Continue à le faire parler, me soufflait mon cerveau. Quelqu'un sait où tu es et va forcément intervenir.

— Kulkulcan est un dieu de vie. Vous, vous la détruisez.

— Les mortels ne sont que des passagers sur cette terre. La sagesse, elle, perdure éternellement.

— Celle de qui ?

— Celle des âges, montrée à ceux qui sont dignes de la contempler.

— Et vous croyez qu'en effectuant des meurtres rituels, vous en perpétuerez l'existence ?

— Le corps est une enveloppe charnelle sans valeur d'éternité et dont nous finissons tous par nous défaire un jour. Mais la sagesse, la force, l'essence même de l'âme, voilà les forces qui règnent de tout temps !

Je l'ai laissé divaguer.

— Les êtres les plus lumineux de l'espèce doivent être soutenus. Ceux qui quittent cette terre doivent transférer leurs mannes à ceux qui demeurent. Permettre aux élus de croître en force et en sagesse.

— Comment cela ?

— Par leur sang, leur cœur, leurs muscles et leurs os.

Ainsi, c'était donc vrai !

— Vous pensez qu'en mangeant des humains, vous augmenterez votre QI ?

— Si la force va diminuant à mesure que les chairs pourrissent, en revanche, la raison, l'esprit et l'intellect, de par leur nature même, peuvent se transmettre d'une cellule à l'autre.

Je serrais si fort le scalpel que j'en avais mal aux jointures.

— Hérodote rapporte que se manger entre parents était une pratique très courante parmi les puissants, chez les Issédones d'Asie centrale. Et Strabon relate la même chose à propos des clans irlandais. Nombreux sont les peuples conquérants qui accrurent leur pouvoir en consommant leurs ennemis. Mangez le faible, vous deviendrez plus fort. C'est aussi vieux que l'homme.

Je me suis rappelé les ossements du Neandertal, les victimes de la kiva près de Mesa Verde, les squelettes à la morgue d'Alarka.

— Mais pourquoi choisir des vieux ?

— L'âge est un plus grand réservoir de sagesse.

— Et les personnes âgées font des cibles plus faciles.

— Chère madame Brennan, vous ne préféreriez pas que votre chair serve à faire progresser l'homme élu plutôt qu'à nourrir des larves ?

Ma peur s'est muée en colère.

— Espèce de cinglé qui ne pensez qu'à vous !

— *Fee-fi-fo-fum.*

« *La bonne odeur de sang anglais.*

« *Qu'il soit vivant ou décédé,*

« *Je mouds ses os, j'en fais mon homme.* »

Au loin, le squelette en néon a gémi et fait retentir son rire sardonique.

Ce type en face de moi était un fou furieux, un malade ! Mais d'où connaissais-je sa voix ?

Très lentement, je me suis déplacée contre la paroi. Un centimètre. Un autre. Tâtant la roche de la main gauche, la droite serrant toujours le scalpel dans mon dos. J'avais effectué une demi-douzaine de pas quand un faisceau de lumière a brusquement jailli du noir, dirigé sur moi. Je me suis figée sur place, comme un opossum débusqué alors qu'il pénétrait dans la basse-cour. Aveuglée, j'ai levé le bras.

— Vous alliez quelque part, madame Brennan ?

Je pouvais distinguer le bas de son visage, ses lèvres retroussées, son sourire carnassier.

M'enfuir, m'enfuir tout de suite.

En voulant me retourner, j'ai trébuché et me suis étalée. Je n'ai pas eu le temps de me relever. L'ombre, d'un bond, avait envahi l'espace. Une main s'est abattue sur ma cheville. Mes genoux se sont affaissés durement sur les galets. Mon scalpel a volé au loin.

— Salope ! Fourbe et déloyale !

La fureur faisait grésiller la voix si mélodieuse quelques instants plus tôt.

J'ai rué, balancé des coups de pied. Impossible de lui faire lâcher prise. Les doigts serrés sur mon jean étaient plus solides qu'une mâchoire d'acier.

Je n'avais jamais ressenti une telle frayeur. Arc-boutée, coudes en terre, je tirais en avant, sans cesser de projeter ma jambe libre en tous sens. Soudain, il s'est laissé tomber de tout son poids sur moi. Son genou s'est fiché dans mon dos, sa main a plaqué ma tête au sol. J'ai absorbé une pleine bouchée de terre et de feuilles.

J'ai recommencé à me débattre pour faire rouler mon agresseur hors de mon dos, le griffant de toutes mes forces. Il avait lâché sa lampe de poche et elle éclairait la scène par en dessous, faisant de nous un animal bicéphale pris de furie.

Remuer dans tous les sens, empêcher qu'il passe son fil autour de ma gorge !

Mes doigts se sont refermés sur quelque chose de rugueux et de dur. Me tordant en arrière, j'ai frappé à l'aveuglette.

Bruit mou de la pierre sur l'os, puis tintement métallique d'un objet en acier heurtant du granit.

— Salope !

Il a expédié son poing dans mon oreille droite. La foudre a éclaté dans ma tête.

Relâchant sa prise, il a tâtonné à la recherche de son arme. J'en ai profité pour balancer mon coude en arrière. Ses dents ont fait crac, sa tête a volé en arrière. Cri perçant d'animal blessé.

Poussant de toutes mes forces, j'ai réussi à faire glisser son genou de mon dos et j'ai rampé vers la lampe. Il avait repris son équilibre, nous avons plongé en même temps. C'est moi qui l'ai eue !

J'ai frappé le plus fort possible. Je l'ai atteint à la tempe. Un autre crac, un grognement, et il a basculé sur le dos. Éteignant la lampe, j'ai foncé sous les arbres et je me suis tapie derrière un pin.

Je ne faisais pas un geste, je ne clignais même pas des yeux, j'essayais de me raisonner.

Ne reste pas planquée là. Ne lui tourne pas le dos, il risque de se reprendre. Passe devant lui sans te faire voir. Après, tu courras vers l'auberge en hurlant au secours.

Silence total, rompu seulement par ses halètements. Des secondes ont passé. Peut-être étaient-ce des heures. Le coup à l'oreille m'avait étourdie, je n'avais plus aucun sens du temps, de l'espace ou de la distance.

— J'ai retrouvé le pistolet, mademoiselle Brennan.

Sa voix venait du sol. Il a tiré. Le coup a déchiré le silence.

— Je n'ai pas besoin de m'en servir, maintenant que votre cabot est mort.

On aurait dit qu'il parlait dans un aquarium.

— Vous devez payer.

Je l'ai entendu se remettre debout.

— Je veux vous montrer un collier que j'ai pour vous.

J'ai inspiré profondément pour faire le clair dans ma tête.

Il marchait sur moi, le cordon tendu en avant.

Du coin de l'œil, j'ai accroché une brillance. Trois faisceaux de lumière tressautaient entre les arbres, dans ma direction. Je rêvais, ou quoi ?

— Que personne ne bouge !

Voix de femme rocailleuse.

— Lâchez tout !

Voix d'homme.

— Stop !

Autre voix d'homme, différente de la première.

Un canon de pistolet a lui dans le noir. Juste devant moi, à peine à quelques pas. Deux coups sont partis.

En réponse, un autre, venant du même endroit que les voix. Bruit d'une balle rebondissant sur le roc.

Un son mat, un halètement étranglé, le bruit d'un corps qui s'affaisse.

Des enjambées.

Des mains qui palpent la gorge, mon poignet.

— Le pouls est bon.

Des visages penchés sur moi, flous, comme si je les voyais à travers la brume de chaleur qui monte de l'asphalte, l'été.

Ryan. Lucy Crowe. L'adjoint dont j'ai oublié le nom.

— … ambulance. Ça va. Elle n'est pas touchée.

Bourdonnements.

Je veux m'asseoir.

— Restez allongée.

Légère pression sur mes épaules.

— Il faut que je le voie.

Un rond de lumière apparaît au pied de la falaise. Mon assaillant est avachi contre la roche, jambes étendues devant lui. Lentement, la lumière remonte le long des pieds, des jambes et du torse, s'arrête sur le visage.

Ralph Stover. Le propriétaire du Riverbank Inn, le type qui n'avait pas voulu me laisser entrer dans la chambre de Primrose. Menton pointé en l'air, il fixe la nuit de ses yeux qui ne voient plus. Sur la roche, derrière lui, de la cervelle dégouline lentement.

Chapitre 33

Le vendredi, j'ai quitté Charlotte à l'aube, dans un brouillard à couper au couteau. Cap à l'ouest, vers le Continental Divide. Le brouillard s'est transformé en brume à mesure que la route grimpait, pour se dissiper complètement aux abords d'Asheville.

À Bryson City, j'ai quitté la route 74 pour prendre le boulevard des Vétérans. Après l'embranchement vers Fryemont Inn, j'ai tourné à droite et me suis garée en face de l'ancien tribunal transformé en maison de retraite. Assise dans la voiture, je suis restée à contempler le scintillement du soleil sur le petit dôme doré en pensant à tous ces vieux dont j'avais déterré les ossements. Je me suis imaginé un couple trottinant dans ces rues, jadis, il y a bien des années : lui, grand échalas, aveugle et presque sourd ; elle, petite vieille au visage de travers. J'aurais voulu passer mon bras autour de leurs épaules et leur dire : les choses sont en train de se régler.

J'ai pensé aux victimes du crash pour qui tant de choses en étaient restées au stade du balbutiement : examens qu'ils ne passeraient jamais, anniversaires qu'ils ne célébreraient plus, contrées lointaines qu'ils ne visiteraient pas... Que de vies anéanties à cause de ce voyage !

D'un pas lent, je me suis dirigée vers la caserne de pompiers. J'avais passé un mois entier dans cette ville, j'en étais arrivée à bien la connaître, et maintenant je la quittais, mon travail achevé, même si certaines questions demeuraient sans réponse.

J'ai trouvé McMahon s'échinant à faire entrer le contenu de son poste de travail dans des caisses en carton.

— On lève le camp ? ai-je lancé du seuil.

— Salut, la fille ! De retour en ville ? a-t-il fait en me libérant un siège. Ça va la santé ?

— À part quelques bleus et des égratignures, la machine fonctionne comme avant.

Aussi incroyable que cela puisse paraître, ma course dans les bois ne m'avait pas laissé de séquelles. Souffrant d'un choc léger, j'étais restée deux jours à l'hôpital régional, et Ryan m'avait conduite à Charlotte avant de s'envoler pour Montréal, rassuré sur mon état. J'avais passé le reste de la semaine étendue sur mon divan avec mon chat.

— Du café ?

— Non, merci.

— Ça vous ennuie si je continue mon rangement ?

— Pas du tout.

— On a pris le temps de vous régaler avec tous les détails de cette affaire ahurissante ?

— J'ai encore des trous. Vous pouvez reprendre au début.

— La F & E, au départ, était juste un groupe d'amis — hommes d'affaires, médecins, professeurs — qui se retrouvaient à la montagne pour sacrifier à leur passion, la chasse et la pêche. Quelque chose entre le Mensa Club[1] et le Billionaire Boys Club[2], comme qui dirait.

— Vous voulez dire dans les années trente ?

— Oui. Ils campaient sur le terrain d'Edward Arthur, chassaient le jour et faisaient la fête le soir, en se félicitant de leurs brillants esprits. Au fil des ans, le groupe s'est soudé jusqu'à former une société secrète, baptisée F & E.

— Sous l'égide de Prentice Dashwood, le père fondateur.

— Exactement. C'est lui qui en a été le premier prieur, quoi que l'on entende par ce mot.

— F & E est le diminutif de Feu de l'Enfer, ai-je précisé, car j'avais eu le temps d'approfondir mes connaissances

---

1. Mensa Club : organisation internationale regroupant les personnes ayant un QI élevé.
2. Billionaire Boys Club : groupe de jeunes Californiens originaires de familles très aisées soupçonnés d'avoir assassiné un de leurs amis dans les années quatre-vingt et dont le procès doit s'ouvrir bientôt.

pendant mon repos forcé. Au XVIIIᵉ siècle, en Angleterre et en Irlande, ils étaient tout un florilège de clubs à porter ce nom. Dans le plus célèbre, celui sorti de la fertile imagination de Sir Francis Dashwood, ancêtre de notre Prentice d'Albany, sévissait une grande prêtresse, Mama, demeurée inconnue. Quant à Sir Francis, il a eu quatre fils, tous prénommés comme lui.

— Comme George Foreman [3].

— Certains sont fiers de leur nom !

— Ou manquent d'imagination.

— À l'origine, les Feux de l'Enfer se contentaient de professer un sain scepticisme envers la religion. Les membres raillaient volontiers l'Église et se posaient en chevaliers de Saint-Francis, parlant de leurs réunions comme de dévotions et de leur grand maître comme d'un prieur.

— C'était qui, ces crétins ?

— Les riches et les puissants du temps de la joyeuse vieille Angleterre. Vous avez entendu parler du Bohemian Club ?

McMahon a secoué la tête.

— C'est un club très sélect, exclusivement réservé aux hommes. Depuis Calvin Coolidge [4], pas un président républicain qui n'en ait été membre. Tous les ans, ils se réunissent pendant quinze jours en Californie, dans un coin perdu du comté de Sonoma appelé Bohemian Grove.

McMahon a interrompu son rangement. Un dossier dans chaque main, il s'est écrié :

— Ouais, ça me dit quelque chose. Les rares journalistes qui ont réussi à s'y introduire en ont été chassés avec perte et fracas, et leurs articles ont été censurés.

— C'est ça.

— Vous ne supposez tout de même pas que nos gros bonnets de la politique et de l'industrie se rencontrent pour comploter des crimes ?

— Évidemment pas, mais le concept est similaire : des gens puissants qui se retrouvent pour camper dans la soli-

---

3. George Foreman : champion de boxe poids lourd.
4. Calvin Coolidge (1872-1933) : homme politique américain, président républicain des États-Unis de 1923 à 1929.

tude. Les membres du Bohemian Club recourent à des rites faussement druidiques, à ce qu'on dit.

McMahon a fermé son carton avec du ruban adhésif et l'a expédié d'un coup de pied à l'autre bout du poste de travail avant d'en placer un autre sur son bureau.

— Tous les membres de la F & E ont été arrêtés, sauf un. Petit bout par petit bout, on reconstruit leur histoire. Ça n'avance pas vite. Aucun d'eux ne manifeste un grand enthousiasme à raconter ses frasques, inutile de le dire. Et ils sont tous bardés d'avocats. Les six responsables seront accusés d'homicides collectifs. La culpabilité des autres est plus difficile à déterminer. D'après Midkiff, seuls les chefs auraient pratiqué le meurtre et le cannibalisme.

— Il bénéficie de l'immunité, lui?

McMahon a acquiescé.

— On lui doit le plus gros de nos renseignements.

— C'est lui qui m'a faxé les noms de code à la morgue?

— Oui. La semaine dernière, à ce qu'il dit, il en était arrivé à un point où il ne pouvait plus se regarder dans la glace. Il affirme avoir quitté le groupe au début des années soixante-dix, et n'avoir participé à aucun massacre. Pour Stover, il n'était pas au courant.

McMahon s'est attaqué à l'armoire.

— Et puis, il avait peur pour vous.

— Pour moi?

— Oui, ma chère.

Il m'a fallu un moment pour assimiler la nouvelle.

— Où est-il, maintenant?

— À Cherokee, dans la cabane qu'il loue là-bas. En liberté. Le juge a considéré que sa vie n'était pas en danger.

— Pourquoi Parker Davenport l'a-t-il appelé avant de se suicider?

— Pour l'avertir que la marmite était sur le point d'exploser. Apparemment, ils étaient restés amis après le départ de Midkiff. C'est en grande partie grâce à lui si votre collègue n'a pas été inquiété pendant toutes ces années. Le vice-gouverneur a réussi à convaincre le groupe que l'archéologue n'était pas une menace. En échange de quoi, l'autre la bouclait.

— Jusqu'à aujourd'hui.

— Exactement.

— Qu'est-ce qu'il a dit, au juste ?

— Que la F & E comptait toujours dix-huit membres, dont six élus qui constituaient le très sélect cercle intérieur. Quand l'un d'eux mourait, il était remplacé par quelqu'un du groupe. Le banquet d'intronisation avait lieu en smoking et aube rouge, le dessert étant fourni par le postulant.

— De la chair humaine ?

— Tout juste. Vous vous rappelez ce que vous m'avez dit sur les Hamatsas ?

J'ai approuvé de la tête, trop révoltée pour pouvoir seulement prononcer un mot.

— Même business. Sauf que nos gentlemen cannibales se contentaient d'une cuisse de leur victime. Un pacte de sang, en quelque sorte. Midkiff jure que seuls les membres du cercle intérieur savaient ce qui se passait au cours de la cérémonie d'intronisation.

J'avais arrêté mon choix en ce qui concernait l'offrande... La phrase de Ralph Stover m'est revenue en mémoire tandis que McMahon poursuivait :

— Tucker Adams a été tué en 1943 lorsqu'un membre du cercle intérieur est mort — Henry Arlen Preston — et c'est Anthony Allen Birkby qui a rejoint l'élite. Après, quand Sheldon Brodie s'est noyé en 1949, Martin Patrick Veckhoff a été désigné. Sa victime a été Edna Farrell. Dix ans plus tard, Anthony Allen Birkby a trouvé la mort dans un accident de voiture et son fils lui a succédé. Grâce à quoi, Charlie Wayne Tramper a fini sur la table de communion.

— Je croyais qu'il avait été tué par un ours ?

— Birkby Jr a probablement un peu arrangé les choses. Quoi qu'il en soit, c'est bien à l'enterrement de Tramper que Simon Midkiff a rencontré Parker Davenport. Midkiff connaissait l'Indien de par ses recherches sur les Cherokees.

— Il savait, pour la mort de Tramper ?

— Il prétend que non.

— Comment Midkiff est-il entré en relation avec la F & E ?

— Par Prentice Dashwood qui était un vieil ami de sa famille. Il avait fait sa connaissance en 1955, en débarquant d'Angleterre. Plus tard, Dashwood l'a recruté.

— Mais il n'a jamais fait partie du cercle intérieur, n'est-ce pas ?

— Non.

— Alors que Davenport, si ?

— Oui. Midkiff l'avait présenté peu à peu à tous les frères, après l'enterrement de Tramper. L'idée d'appartenir à une élite intellectuelle a plu au futur vice-gouverneur et il a adhéré.

— Bien qu'il soit originaire du comté de Swain, il n'avait jamais entendu parler de ce chalet ?

— Non, pas avant de faire partie du groupe, comme tout le monde, d'ailleurs. Ces types avaient un véritable don pour le camouflage. Ils arrivaient et repartaient à la nuit tombée, sans jamais qu'on les remarque. Avec les années, les autochtones en sont arrivés à oublier jusqu'à l'existence de ce chalet.

— Sauf le vieux Edward Arthur et le père de Luke Bowman.

— Ouais.

McMahon considérait le contenu d'un tiroir d'un air perplexe.

— Le club ne mettait rien par écrit ?

— Très peu de chose, a-t-il dit, en le déversant dans le carton sans rien trier.

Ayant réinséré le tiroir à sa place, il a sorti le suivant.

— Mais qu'est-ce que c'est que cette merde ? !

Levant les yeux vers moi, il a enchaîné :

— Je reprends la chronologie. John Morgan passe l'arme à gauche en 1972. Mary Louise Rafferty est tuée et F. L. Warren accepté au sein du cercle intérieur. Peu de temps après, Midkiff, de plus en plus désenchanté, quitte le groupe.

— Il est donc possible qu'il n'ait participé à aucun meurtre.

— C'est ce qui ressort de sa déposition. Ce qui n'est pas le cas de Davenport. Lui, il a été admis au cercle intérieur en 1979, en remplacement de William Glenn Sherman. Son offrande pour le dessert a été le Noir non identifié.

— C'était important que les victimes soient de races et de sexes différents ?

— L'idée était de maximiser l'ingestion spirituelle.

— Doux Jésus !

— En 1986, lorsque Kendall Rollins est mort de leucémie, son fils Paul lui a succédé.

— Et sa victime a été Albert Odell ?

— Tout juste ! a fait McMahon, en balançant le contenu du deuxième tiroir dans le carton.

— Qu'est-ce qui est arrivé à Jeremiah Mitchell et à George Adair ?

— C'est avec eux que la merde a commencé. Quand Martin Patrick Veckhoff casse sa pipe en février dernier, l'heureux élu est Roger Lee Fairley. Au courant des conditions, il fait son affaire à Mitchell. Mais crac ! il meurt en se rendant à l'enterrement de Veckhoff. Que faire du corps de Mitchell ? On décide de le conserver dans de la glace jusqu'à ce que les problèmes de succession soient réglés.

— Qui s'en est chargé ?

— Ralph Stover. On l'avait informé de la condition préalable pour succéder à Veckhoff. On lui a demandé de menus travaux supplémentaires. Comme de garder Mitchell dans son congélateur, au motel.

J'ai réprimé un frisson.

— Voilà qui explique le taux anormal d'acides gras volatils !

— Oui. Au début du mois de septembre, Stover rapporte le corps de Mitchell et le met dans l'enclos du chalet en vue du banquet. Mais là, les choses se gâtent. Des membres du cercle intérieur s'opposent à son intronisation, le trouvant trop ardent, instable. Les discussions traînent en longueur, la décomposition commence. Impossible d'utiliser le corps pour le rituel. Il faut l'enterrer dans la grotte.

— Mais avant, les coyotes lui avaient rendu visite.

— Bénis soient-ils !

— Cette fois encore, c'est Stover qui est chargé du boulot ?

— Vous l'avez dit !

McMahon a déversé un autre tiroir dans le carton, en a fermé les rabats avec du ruban adhésif, et y a inscrit un numéro au stylo feutre.

— Bref, après des semaines de discussion, la faction pro-Stover l'emporte, et George Adair est enlevé le 1er octobre. Mais voilà. Le 4, le crash se produit.

— Et je tombe sur le pied, le 5.

McMahon a empilé le carton sur les autres et ouvert une armoire-classeur.

— Vous savez certainement que Primrose Hobbs a été tuée avec de la Stélazine. Le shérif en a retrouvé chez Stover, à Riverbank. L'ordonnance était signée d'un docteur mexicain. Vous voulez savoir au nom de qui elle était établie ? Parker Davenport ! Stover avait quatre comprimés sur lui, la nuit de dimanche.

McMahon m'a regardée.

— Le shérif a également retrouvé un câble correspondant à celui employé pour l'étrangler.

J'ai senti la rage monter en moi. Je n'arrivais pas à admettre que Primrose ait été assassinée.

— Stover m'a dit qu'il l'avait tuée parce qu'il en avait la possibilité.

— Peut-être en avait-il reçu l'ordre du cercle intérieur. Mais il est tout aussi possible qu'il ait agi de sa propre initiative. Il a peut-être eu peur qu'elle ait découvert quelque chose. Il a dû lui voler sa clef et son mot de passe pour l'ordinateur, prendre le pied à la morgue et modifier les renseignements portés au dossier.

— Et le pied, où est-il ?

— Je doute qu'on remette jamais la main dessus. Une minute, je reviens.

McMahon s'est éclipsé dans le hall pour revenir, lesté de deux cartons vides.

— C'est pas croyable le nombre de conneries qui peuvent s'accumuler en un mois !

— Hé, vous oubliez votre mascotte ! me suis-je écriée en désignant un serpent en caoutchouc sur le bureau. Dites, comment a fait le shérif pour me retrouver, dimanche soir ? Pour moi, ça reste un mystère.

— Elle est arrivée à High Ridge House presque en même temps que Ryan. Ne vous trouvant nulle part dans la maison alors que votre voiture était dans le stationnement, ils sont allés regarder dehors. Ils sont tombés sur le chien…

Rapide coup d'œil dans ma direction. Moi, le visage impassible.

— Apparemment, Boyd a eu le temps de mordre Stover à la main avant d'être abattu. À côté de sa gueule, Ryan a retrouvé une gourmette à son nom. Le shérif a fait le rapprochement avec un truc que lui avait dit Midkiff.

— Le reste, je le connais.

— Oui, c'est de l'histoire ancienne.

Il a lancé le serpent dans le carton, s'est ravisé et l'en a retiré.

— Ryan est reparti pour le Québec?

— Oui.

Là encore, l'air impassible.

— Je ne le connais pas bien, mais la mort de son partenaire l'a vraiment bouleversé.

— Vous pouvez le dire!

— Ajoutez à cela sa délicieuse nièce, je n'en reviens pas qu'il n'ait pas pété les plombs.

— Moi non plus.

Ryan, une nièce? Première nouvelle!

— Un vrai démon, paraît-il. D. D., il l'appelait: Danielle le Démon. (McMahon est allé fourrer le serpent dans une poche de sa veste.) Et il disait qu'un de ces jours elle aurait son nom en première page du journal, la petite.

Involontairement, les coins de ma bouche se sont tirés. Pas facile de rester impassible en toutes circonstances.

J'ai trouvé Simon Midkiff dans sa véranda, dans un fauteuil à bascule. Emmitouflé comme pour les grands froids, manteau, gants et cache-nez, il somnolait. À la vue de son chapeau à large bord qui lui cachait la moitié du visage, un souvenir m'est subitement revenu.

— Simon?

Il a relevé la tête en clignant fortement des yeux, il larmoyait et avait l'air perdu.

— Oui?

Il s'est passé la main sur la bouche. Un fil a brillé dans la lumière, petite goutte de salive accrochée à la laine. Il a retiré son gant pour fouiller ses couches de vêtements à la recherche de ses lunettes.

Ses verres sur le nez, il m'a enfin reconnue.

— Je suis content de voir que vous êtes rétablie.

La boucle que faisait la chaîne de ses lunettes de chaque côté de sa tête jetait une ombre délicate sur ses joues. Sa peau pâle avait la finesse du papier.

— Pouvons-nous parler?

— Naturellement. Voulez-vous que nous passions à l'intérieur ?

Il m'a précédée dans une sorte de salon avec cuisinette intégrée et deux portes dans le fond qui devaient donner sur la chambre et la salle de bains. Les meubles, en pin verni, semblaient fabriqués à la main.

Les étagères étaient remplies de livres ; une table et un bureau croulaient sous les paperasses. À un bout de la pièce, une douzaine de cartons étaient empilés, tous numérotés selon la méthode employée pour l'archivage des données archéologiques.

— Je vous fais un thé ?

— Volontiers.

Je l'ai regardé remplir la bouilloire, sortir des sachets Tetley de leur enveloppe et poser des tasses sur des soucoupes. Il était plus frêle que dans mon souvenir, plus courbé.

— Je n'ai guère de visiteurs.

— C'est charmant, ici… Merci.

Il m'avait conduite à un sofa sur lequel était jetée une couverture. Ayant déposé les tasses sur un billot de bois faisant office de table basse, il a rapproché une chaise et s'est assis en face de moi. De dehors, parvenait le ronron lancinant d'un hors-bord sur la rivière Oconaluftee. J'ai attendu, sans le presser.

— Je ne sais pas si je saurai bien parler de tout ça.

— Je suis au courant de tout, Simon. Ce que je ne comprends pas, c'est pourquoi.

— Je n'étais pas là, au tout début. Ce que je sais de cette époque, je l'ai appris par d'autres.

— Vous avez connu Prentice Dashwood.

Il s'est rejeté en arrière. À son regard, j'ai compris qu'il s'était plongé dans le passé.

— Prentice était un lecteur insatiable, il avait des connaissances étendues dans les domaines les plus divers. Pas une chose sur terre qui ne l'intéresse. Archéologie, ethnologie, physique, biologie, histoire, Darwin, Lyell, Newton, Mendeleïev, la philosophie, Hobbes, Ænésidème, Baumgarten, Wittgenstein, Lao-tseu. Il les avait tous lus.

Midkiff s'est interrompu pour boire une gorgée de thé.

— C'était surtout un conteur extraordinaire, et c'est ainsi que tout a débuté. Il a raconté des histoires sur le Club du Feu de l'Enfer fondé par son ancêtre, décrivant les membres comme de joyeux débauchés qui se réunissaient pour blasphémer de concert et débattre de sujets hautement intellectuels. L'idée semblait assez superficielle. Elle l'est restée pendant tout un temps.

Sa tasse a tremblé tandis qu'il la reposait sur la soucoupe.

— Mais Prentice avait un côté noir. Il croyait à la supériorité de certains êtres.

Il s'est interrompu.

— Supériorité intellectuelle? ai-je dit pour l'inciter à reprendre.

— Oui. En vieillissant, ses lectures sur la cosmologie et le cannibalisme dans toutes sortes de cultures l'ont de plus en plus marqué et il a fini par perdre les pédales.

Midkiff a fait une pause, comme s'il triait les choses à dire et celles à garder pour lui.

— Au début, ce n'était que des déclarations blasphématoires sans grande importance et auxquelles personne ne croyait vraiment.

— De quel genre?

— Que manger les morts revenait à annihiler la mort en tant que fin ultime. Que partager la chair d'un autre être humain permettait d'assimiler son âme, sa personnalité, sa sagesse.

— Et Dashwood y croyait vraiment?

Midkiff a haussé une de ses maigres épaules.

— Allez savoir!... Si quelqu'un connaissait la puissance de cohésion propre aux rites, c'était bien lui. Peut-être que, dans sa tête, ce n'était qu'un jeu visant à cimenter les rapports entre les membres. Mais, pour les membres euxmêmes, c'était une réalité. Un acte d'indulgence collective face à un interdit, une façon de penser réservée aux initiés et qui les distinguait du reste des mortels...

— Comment tout cela a-t-il commencé?

— Par hasard.

Il a reniflé.

— Un hasard sanglant. Un été, un jeune homme a débarqué au chalet. Dieu sait ce qu'il fichait dans le coin. Les autres étaient ivres. Il y a eu une rixe, le garçon est mort. Prentice a proposé que chacun...

Midkiff a sorti un mouchoir de sa poche pour s'essuyer les yeux.

— Mais, ça, c'était avant la guerre. Personnellement, j'en ai eu vent des années plus tard, en surprenant une conversation.

— Et ensuite ?

— Prentice a découpé en lanières le muscle de la cuisse du garçon et exigé que tout le monde en mange. À l'époque, il n'y avait pas de cercle intérieur ou extérieur. Il s'agissait d'un pacte, tout le monde allait participer. Ainsi, tout le monde serait pareillement coupable et tairait la mort de ce garçon. Ils l'ont enterré dans les bois. Le cercle intérieur s'est formé l'année suivante. Tucker Adams a été tué.

— Et des hommes intelligents acceptaient cette folie ? Des hommes instruits, mariés et bons pères de famille, occupant des postes à haute responsabilité ?

— Prentice Dashwood avait un charisme étonnant. Quand il parlait, tout prenait sens.

— Même le cannibalisme ? ai-je demandé sur un ton égal.

— Ce n'est pas à une archéologue de votre envergure que je vais apprendre combien l'anthropophagie est répandue dans la culture occidentale ! a rétorqué Midkiff. Elle est au cœur de nombreux mythes grecs et romains. L'Ancien Testament, tout comme le *Rigveda* parlent de sacrifice humain. Chez les catholiques, c'est le moment le plus important de la messe. Prenez des livres comme *Modeste Proposition* de Johnathan Swift ou *L'histoire de Sweeney Todd* de Tom Prest ; des films comme *Le soleil vert*, *Beignets de tomates vertes*, *Le cuisinier, le voleur, son épouse et son amant*, ou même *Week-end* de Jean-Luc Godard. Jusqu'aux contes pour enfants : *Hansel et Gretel*, *L'homme en pain d'épice*, certaines versions de *Blanche-Neige* ou de *Cendrillon*. « Grand-mère, que vous avez de grandes dents ! » dit le Petit Chaperon rouge.

Il a poussé un soupir tremblotant.

— Et je ne parle pas de tous les gens poussés à l'acte par la nécessité, comme le groupe Donner[5] ; l'équipe de rugby

---

5. Le groupe Donner : groupe de colons américains partis de Salt Lake City pour la Californie et qui ne durent leur salut qu'au cannibalisme. Leur épopée a inspiré un film.

échouée dans les Andes ; l'équipage de *La Mignonette* ; Marten Hartwell, le pilote de la brousse, bloqué dans l'Arctique. Les récits de tous ces gens nous fascinent. Alors, vous pensez, quand les tueurs en série se mêlent d'être cannibales, nous dévorons leurs histoires avec encore plus de passion.

Long soupir du profond de la gorge.

— Je ne peux pas expliquer ces pratiques et je ne les excuse pas. Mais Prentice donnait du chic à tout ce qu'il touchait. Nous étions de vilains garnements qu'unissait l'intérêt pour un sujet scabreux.

— *Fay ce que voudras*, ai-je laissé tomber, me rappelant la citation de Rabelais gravée au-dessus de la porte du tunnel.

Citation qui ornait également la voûte et les cheminées de l'abbaye de Medmenham, avais-je appris pendant ma convalescence.

— Fais ce que tu aimes, m'a corrigée Midkiff avec un rire forcé. C'est drôle. Les Feux de l'Enfer y ont eu recours pour autoriser leur conduite licencieuse, alors que Rabelais, lui, avait en tête saint Augustin : « Aime Dieu et fais ce que veux. Car, si un homme aime Dieu dans un esprit de sagesse, il ne peut faire que le bien, puisqu'il s'efforce de toujours accomplir la volonté divine… »

— En quelle année est mort Prentice Dashwood ?

— 1969.

— Quelqu'un a été tué à cette occasion ?

Ce point m'intriguait, car nous n'avions retrouvé en tout que huit victimes.

— Il ne pouvait y avoir de remplaçant pour Prentice. À sa mort, personne n'a été admis au cercle intérieur. Le nombre des membres est tombé à six et n'a plus bougé.

— Pourquoi avez-vous omis son nom sur le fax que vous m'avez envoyé ?

— J'ai inscrit les gens dont je me souvenais. La liste est loin d'être complète. Je ne sais pratiquement rien de ceux qui ont adhéré après mon départ. Quant à Prentice, je ne pouvais pas…

Il a détourné les yeux.

— Et puis, c'était il y a si longtemps…

Nous avons gardé le silence un long moment. C'est moi qui ai fini par le rompre.

— Vous n'aviez aucune idée de ce qui se passait ?

— J'ai deviné en 1972, quand Mary Francis Rafferty a été tuée. Et j'ai quitté le groupe.

— Mais vous n'avez rien dit.

— Non. Je ne me cherche pas d'excuse.

— Pourquoi avez-vous donné au shérif le tuyau sur Ralph Stover ?

— Stover a adhéré au club bien après mon départ. Je l'ai toujours considéré comme un type instable.

La question que je m'étais posée en arrivant m'est revenue à l'esprit.

— C'est lui qui a tenté de m'écraser à Cherokee ?

— On m'avait parlé d'une Volvo noire et Stover en avait une. Ça m'a convaincu qu'il était dangereux.

J'ai désigné les cartons empilés.

— Vous fouillez dans le coin, n'est-ce pas, Simon ?

— Oui.

— Et vous n'avez pas l'autorisation, c'est ça ?

— Ce site est crucial pour mon sujet, les procédés d'assemblage des pierres.

— C'est pour cela que vous m'avez sorti un baratin, comme quoi les ressources culturelles vous auraient commandité des fouilles ?

Il a acquiescé.

J'ai posé ma tasse et me suis levée.

— Je suis désolée que les choses n'aient pas tourné comme vous le souhaitiez.

Je ne mentais pas, même si je ne pouvais lui pardonner d'avoir été au courant de ces monstruosités et de s'être tu.

— Quand j'aurai publié mon livre, les gens comprendront la valeur inestimable de mon travail, a-t-il répondu.

Dehors, la température était fraîche et le ciel dégagé. Pas la moindre brume dans la vallée, ni le long des crêtes.

Midi et demi, déjà. Je devais me dépêcher.

Chapitre 34

La mort d'Edna Farrell remontant à plus d'un demi-siècle, je n'avais pas imaginé qu'une telle foule se déplacerait pour la porter en terre. Outre ses descendants et de nombreux habitants de Bryson, dont les représentants des forces de l'ordre, shérif en tête, il y avait là Byron McMahon, venu spécialement.

De tout le sud-est du pays, des journalistes avaient rappliqué. Huit vieillards assassinés et enterrés dans le souterrain d'un chalet de montagne ; un vice-gouverneur frappé de discrédit par-delà son suicide ; plus d'une douzaine de notables mis sous les verrous, il y avait de quoi éclipser le crash du vol TransSouth Air ! La presse rivalisait de gros titres, se gavant de ces meurtriers cannibales. Du coup, j'en étais tombée dans l'oubli, au même titre qu'un scandale sexuel vieux d'un an. Mais si je me réjouissais de ne plus concentrer sur moi les feux des projecteurs, j'étais bien désolée de n'avoir pu protéger Mme Veckhoff et sa fille de l'opprobre générale et de l'humiliation.

Au cimetière, pendant l'inhumation, je suis restée en retrait, réfléchissant aux mille et un détours qu'empruntent nos vies au moment de quitter ce bas monde. Edna Farrell aurait pu s'éteindre dans son lit, elle était sortie par une porte autrement mélancolique. De même Tucker Adams, qui reposait en paix sous la vétuste plaque tombale à mes pieds. En pensant à tous ces gens depuis si longtemps disparus, j'avais le cœur serré. En même temps, j'éprouvais un certain réconfort à l'idée d'avoir contribué à faire que leurs dépouilles soient ensevelies ici, sur cette colline. Et une certaine satisfaction aussi, pour avoir mis un terme aux massacres.

Quand la foule s'est dispersée, je me suis avancée vers la tombe d'Edna pour y déposer un petit bouquet. Au bruit de pas dans mon dos, je me suis retournée.

— Déjà de retour chez nous ? m'a lancé Lucy Crowe.

— C'est ma sale caboche d'Irlandaise. Pas moyen de lui faire entendre raison.

Elle a souri.

— C'est si beau par ici.

J'ai promené les yeux sur les arbres et les pierres tombales, sur les collines et les vallées qui étiraient jusqu'à l'horizon leur tapis de velours orange.

— C'est pour leur beauté que j'aime ces hautes terres, a dit le shérif. Un mythe cherokee raconte que le monde a été façonné à partir de boue et qu'un vautour l'a survolé. Le bout de ses ailes abaissées a creusé les vallées, et les montagnes ont surgi là où elles étaient levées.

— Vous êtes cherokee ?

Elle a eu ce petit hochement de tête bien à elle.

Encore une question qui trouvait sa réponse.

— Réconciliée avec Larke Tyrell ?

J'ai ri.

— Il y a deux jours, il m'a envoyé une lettre dans laquelle il reconnaissait sa pleine et entière responsabilité pour le malentendu, m'exonérait de tout manquement dans l'exercice de ma profession et me remerciait pour mon inestimable contribution dans la récupération des victimes du crash. À part la duchesse d'York, le monde entier a dû en recevoir copie.

Nous avons quitté le cimetière et longé la route goudronnée jusqu'à nos voitures. J'introduisais ma clef dans la serrure quand elle m'a demandé :

— Vous avez identifié les gargouilles à l'entrée du tunnel ?

— Encore un emprunt à Sir Francis. Harpocrate est la version grecque du dieu égyptien Horus, Angerona, une très ancienne divinité romaine représentée avec un doigt sur la bouche. C'était pour rappeler aux frères leur serment de garder le secret.

— Et les autres noms?

— Des références au cannibalisme, littéraires ou historiques. Certaines sont assez obscures. Sawney Beane est un Écossais du XIVe siècle qui, dit-on, massacrait les voyageurs, aidé de sa famille, et s'en rassasiait chez lui, dans des grottes qu'il avait creusées de ses mains. Même chose pour Christie o'the Cleek, qui vivait avec les siens dans une grotte à Angus et se nourrissait des voyageurs qui passaient par là. Au XVIIIe siècle, John Gregg a perpétué la tradition dans le Devon.

— Et ce M. B…?

— Baxbakualanuxsiwae?

— Vous êtes forte, vous!

— C'est un esprit de la tribu des Kwakiutls, un monstre semblable à un ours, au corps parsemé de bouches ouvertes sanguinolentes.

— Le saint patron des Hamatsas?

— Lui-même.

— Et les codes?

— Des pharaons, des dieux, des sites archéologiques, des héros antiques. Henry Preston était Ilos, le fondateur de Troie. Kendall Rollins, Piankhy, un roi nubien de l'Antiquité. Je vous donne en mille le code choisi par Parker Davenport: Ometeotl, le dieu aztèque de la dualité. Ironique, non? Vous croyez qu'il en était conscient?

— Vous n'avez jamais pris le temps d'étudier le sceau de l'État de Caroline du Nord? a demandé le shérif.

J'ai admis que non.

— La devise est tirée de l'essai sur l'amitié de Cicéron. *Esse quam videri.* Ses yeux couleur bouteille de Coke se sont plantés dans les miens. «Être et non paraître.»

Où passeras-tu l'éternité? clamait l'autocollant sur le pare-chocs de la voiture devant moi, quand j'ai redescendu la route de Schoolhouse Hill.

Exactement la question qui me trottait dans la tête, même si la décalcomanie situait le problème dans une tranche de temps plus vaste que je ne le faisais moi-même.

Où passer le temps à venir? Plus précisément: avec qui?

Peter s'était montré gentil et attentionné pendant ma convalescence. Il m'avait apporté des fleurs, avait nourri

Birdie, m'avait réchauffé du potage au micro-ondes. Nous avions regardé de vieux films ensemble et bavardé des heures entières. Quand il était parti, je m'étais rappelé notre vie en commun : nos bons moments mais aussi nos batailles qui, d'escarmouches mineures, avaient mijoté jusqu'à devenir des combats sans merci.

De tout cela, j'avais tiré la conclusion que je l'aimais encore. Nous serions toujours proches dans le cœur, mais jamais plus au lit. Non, ce n'était plus possible. S'il était beau, aimant, drôle, intelligent, Peter avait en commun avec Sir Francis et ses acolytes du Feu de l'Enfer d'être constamment prêt à s'incliner devant Vénus.

Cela dit, Peter était pour moi un mur, un refuge qui ne me ferait jamais défaut. Nous faisions à présent de bien meilleurs amis que nous n'avions fait de bons conjoints dans le passé. Pas question de revenir en arrière.

Au pied de la colline, j'ai abordé le cas Andrew Ryan, un cas auquel j'avais également réfléchi. Ryan, le collègue. Ryan, le flic. Ryan qui avait une Danielle inconnue pour nièce, et non pour maîtresse.

Bien.

Qui voulait sucer mes orteils, me suis-je souvenue en tournant dans Main Street.

Super !

Ryan avec qui je restais à planer à la lisière d'une relation intime sans oser m'aventurer plus loin, rendue craintive par ma douloureuse expérience avec Peter. Ryan qui m'attirait comme la flamme attire la mouche, mais qui m'effrayait aussi.

Avais-je besoin d'un homme dans ma vie ?

Non.

En voulais-je un ?

Oui.

Que disait la chanson déjà ? Qu'il vaut mieux regretter d'avoir fait une chose plutôt que de se lamenter de ne pas l'avoir faite.

Eh bien, je donnerais sa chance à Ryan. Advienne que pourra !

Arrivée au croisement de Slope Street et de Bryson Walk, je me suis garée devant une maison de brique rouge.

J'avais une dernière course à faire avant de quitter Bryson City, une course qui me mettait au comble de la joie.

— Il est prêt ? ai-je lancé du seuil de la porte en verre.

— Tout à fait. Asseyez-vous.

J'ai pris place dans la salle d'attente sur une chaise en plastique. Sur un sourire d'une oreille à l'autre, la dame en tenue de chirurgien s'est éclipsée.

Cinq minutes plus tard, elle revenait avec un Boyd au thorax bandé et à la patte antérieure rasée. Me voyant, il a voulu bondir. En boitillant, il est venu poser sa tête sur mes genoux.

— Il souffre ? ai-je demandé à la vétérinaire.

— Seulement quand il rit.

Boyd a relevé les yeux vers moi, sa langue pourpre hors de la gueule.

— Comment tu vas, mon gars ?

Je l'ai gratté entre les oreilles et j'ai posé mon front contre le sien. Il a poussé un soupir. Je me suis redressée pour le regarder dans les yeux.

— Prêt à rentrer à la maison ?

Il a jappé. Ses sourcils se sont mis à virevolter. Il y avait du rire dans son aboiement.

Postface

Lorsque je réfléchissais à l'intrigue de *Voyage fatal*, je ne pouvais imaginer l'horreur qui allait nous frapper, le 11 septembre 2001. Cet événement dépassait en abomination tout ce que j'aurais été en mesure de concevoir dans un roman.

De même que Tempe, mon héroïne, je suis accoutumée à faire face aux tragiques conséquences dont la mort s'assortit. Je travaille pour les coroners de deux circonscriptions, j'ai été appelée à témoigner devant le Tribunal des Nations Unies sur le génocide au Rwanda et j'ai pratiqué un certain temps mon métier dans les charniers des hautes terres du Guatemala. J'ai à traiter aussi bien les traumatismes corporels, ceux des victimes, que les traumatismes émotionnels, ceux des survivants.

Comme Tempe, je travaille pour le DMORT, l'agence de secours aux victimes de désastre. En tant que membre de cet organisme, je me suis rendue à New York pour participer à l'effort de récupération sur le site du World Trade Center. Bien qu'habituée à côtoyer le deuil et le chagrin, je n'étais pas préparée à être confrontée à une telle charge émotionnelle. Tantôt j'étais écrasée par l'étendue de la dévastation, tantôt j'étais submergée par la tristesse. C'est à la carte postale d'une écolière, à la prière composée par des enfants du catéchisme, à la bannière écrite avec application par une meute de scouts que je dois d'avoir pu renaître. J'ai tiré ma force de mes compatriotes.

Mais, par-dessus tout, je suis fière d'avoir été une goutte d'eau dans l'incroyable océan d'actions menées par toute une équipe d'hommes et de femmes, en vue d'apporter assistance, réconfort et apaisement aux familles, à une ville, à un pays.

Kathy Reichs
Octobre 2001

REMERCIEMENTS

Comme toujours, je dois bien des mercis à un grand nombre de personnes :

À Ira J. Stimson, P.E., et à John Gallagher, capitaine à la retraite, pour les informations qu'ils m'ont fournies concernant les plans aéronautiques et les enquêtes sur les accidents. À Hughes Cicoine, C.F.E.I., pour ses conseils relatifs aux enquêtes sur les incendies et les explosions. Vous avez été d'une patience admirable.

À Paul Sledzik, M.S., du Musée national de la santé et de la médecine et de l'Institut de pathologie des forces armées, pour l'histoire, la structure et l'organisation opérationnelle du système DMORT. À Frank A. Ciaccio, M.P.A., du Bureau du gouvernement pour les affaires publiques et familiales, Office national de la sûreté des transports des États-Unis, pour les renseignements sur le DMORT, le NTSB et le plan d'assistance aux familles.

À Arpad Vass, Ph.D., savant et chercheur au Laboratoire national d'Oak Ridge, pour son cours accéléré sur les acides gras volatils.

À l'agent spécial Jim Corcoran, du FBI, district de Charlotte, pour ses explications sur le fonctionnement du FBI en Caroline du Nord ; à Ross Trudel (détective à la retraite), de la police de la Communauté urbaine de Montréal, pour ses informations sur les explosifs et leur réglementation ; à Stephen Rudman (sergent-détective à la retraite), de la police de la Communauté urbaine de Montréal, pour ses informations sur les enterrements de policiers.

À Janet Levy, Ph.D., université de Caroline du Nord de Charlotte, pour ses informations sur le département des ressources culturelles de Caroline du Nord, et ses réponses à mes questions d'ordre archéologique ; à Rachel Bonney, Ph.D., université de Caroline du Nord de Charlotte, et Barry Hipps, de l'Association historique cherokee, pour leurs connaissances sur les Cherokees.

À John Butts, M.D., expert médical en chef pour l'État de Caroline du Nord ; à Michael Sullivan, M.D., expert médical pour le comté de Mecklenburg, et à Roger Thompson, directeur du laboratoire criminel de la police de Charlotte–Mecklenburg.

À Marilyn Steely, M.A., pour m'avoir dirigée sur le Club du Feu de l'Enfer ; à Jack C. Morgan Jr, M.A.I., C.R.E., pour m'avoir éclairée sur les contrats de propriété, les cadastres et les inscriptions fiscales ; à Irene Bacznsky pour m'avoir aidée à trouver le nom de la compagnie aérienne.

À Anne Fletcher, pour m'avoir accompagnée dans mon aventure dans les Smoky Mountains.

Un merci particulier aux habitants de Bryson City, Caroline du Nord, notamment à Faye Bumgarner, Beverly Means et Donna Rowland de la bibliothèque de Bryson City ; à Ruth Anne Sitton et Bess Ledford du cadastre et de l'hôtel des impôts du comté de Swain ; à Linda Cable, administratrice du comté de Swain ; à Susan Cutshaw et Dick Schaddelee, de la chambre de commerce du comté de Swain ; à Monica Brown, Marty Martin et Misty Brooks de l'auberge de Fryemont ; et tout particulièrement au premier adjoint du bureau du shérif du comté de Swain, Jackie Fortner.

Merci à M. Yves Sainte-Marie, au Dr André Lauzon et à tous mes collègues du Laboratoire des sciences judiciaires et de médecine légale ; à James Woodward, recteur de l'université de Caroline du Nord de Charlotte. J'apprécie vivement votre soutien constant.

À Paul Reichs pour ses critiques et observations inestimables sur le manuscrit.

À mes merveilleuses éditrices, Susanne Kirk et Lynne Drew.

Et, naturellement, à mon agent miraculeux, Jennifer Rudolph Walsh.

Mes histoires ne pourraient être ce qu'elles sont sans l'aide d'amis et de collègues. Qu'ils soient ici tous remerciés. Et comme toujours, les erreurs qui auraient pu se glisser dans ces pages sont de mon seul fait.